Einaudi. Stile Libero Big

Eraldo Baldini

L'Uomo Nero e la bicicletta blu

Einaudi

© 2011 Giulio Einaudi editore s.p.a., Torino
www.einaudi.it

ISBN 978-88-06-19539-7

L'Uomo Nero e la bicicletta blu

1. Agosto 2010

Fa cosí caldo che non riesco a combinare niente, tranne bere bibite, sudare e passare dal soggiorno alla camera per buttarmi stremato sul letto a guardare il soffitto. Non basta tenere porte e finestre ben chiuse: le dita del sole si intrufolano in ogni spiraglio e frugano nelle stanze, disegnando lame di luce nette e polverose. Devo mettere infissi migliori, mi dico. Devo decidermi a comprare un condizionatore.

È da stamattina che le cicale cantano senza sosta il loro inno di gioia: sembrano divertirsi un mondo quando ci sono quasi quaranta gradi all'ombra. Io invece soffro. Una volta il caldo mi era indifferente, adesso invece mi pesa, quasi mi spaventa.

In tivú non passa niente di buono, del resto di pomeriggio non c'è mai qualcosa da vedere. Non capisco perché si debbano mandare in onda trasmissioni per ventiquattr'ore su ventiquattro se non si riesce a proporne di decenti. È come se fossero proibiti o impensabili un po' di pausa, un po' di silenzio.

Sul comodino ho un libro che aspetta, ma sono arrivato solo a pagina cinquanta con grande fatica, perché mi annoia. Ancora una volta mi sono fidato, sbagliando, di una quarta di copertina che prometteva mari e monti. Oppure non riesco ad apprezzarlo perché fa troppo caldo anche per godere della lettura.

Sento che sto per addormentarmi e la cosa mi conforta. Sonnecchiare è un buon modo per far trascorrere le ore e arrivare alla fine di giornate simili.

Quando mi sveglio, istupidito e piú stanco di prima, invece del frinire ossessivo delle cicale sento gli strilli dei rondoni. Il peggio è passato: quando quegli uccelli frenetici sfrecciano in voli fitti e caotici, gridando a squarciagola, significa che il sole è tramontato e che la sera sta arrivando a portare una tregua.

Sono stato nel mondo dei sogni per molto tempo, e mi sa che dovrò rassegnarmi a una notte in bianco. Per fortuna, a tarda ora, su qualche canale si riesce a trovare un buon film. Vado in cucina, tracanno un bicchiere d'acqua e apro il frigorifero. È pieno e ci sarebbe solo l'imbarazzo della scelta, per la cena: non sono bravo a fare la spesa, finisce sempre che compro un sacco di roba in piú. Ma di cenare non ho voglia. L'afa mi ha tolto l'appetito.

Guardo un telegiornale e dopo, per un po', seguo svogliatamente un quiz. Poi esco e vado nel prato davanti a casa, mi siedo sulla vecchia e spartana poltrona da giardino che era del nonno e mi godo l'infittirsi del buio. I giorni si sono già accorciati un poco.

Potrei lavorare un paio d'ore: devo consegnare un articolo entro domani e ancora non l'ho iniziato. Respingo l'intento con un leggero senso di colpa misto a sollievo: quella di rimandare fino all'ultimo minuto è un'arte oltre che un'abitudine, per me.

Da una finestra del piano di sopra guardo il paese, le strade povere di traffico, le case dalle finestre accese immerse tra gli alberi, il campanile che si staglia nero contro un cielo che riflette stelle sbiadite e lampioni al neon.

I rondoni sono scomparsi, le loro scorribande non durano mai molto. Adesso sarebbe il momento di ascoltare i richiami dei rapaci notturni in caccia, o i versi acuti e brevi dei pipistrelli, ma c'è una musica a coprire ogni altro suono. Viene dallo spiazzo che si apre oltre la fontana: lí ogni sera, nella buona stagione, un gruppo di ragazzini si riunisce intorno ai chioschi. In uno vendono piadina e crescioni, nell'altro, piú grande e contornato da tavoli e panche, cocomeri e meloni a fette.

L'appetito non è arrivato, ma un po' d'anguria la mangerei volentieri. Non mi piaceva per niente, una volta, ma adesso l'apprezzo: mi riempie senza appesantirmi e allo stesso tempo mi disseta.

Cerco di vincere la repulsione e il fastidio per quella colonna sonora invadente, mi infilo le scarpe ed esco. Cosí faccio due passi e risolvo il problema della cena.

Quando arrivo, trovo troppa gente. Almeno per i miei gusti. Oltre a qualche coppietta e a famiglie con bambini che aspettano il loro turno per essere servite, ci sono una ventina di adolescenti che parlano ad alta voce e sussultano al suono della techno che prorompe, sgradevole, da un impianto allestito dal piadinaro.

Mi viene voglia di andarmene, sia per la folla che per quel suono aggressivo e incalzante, un bum-bum che mi vibra fin dentro lo stomaco.

Rimango per un po' in piedi, indeciso, saluto qualcuno che conosco con un cenno del capo, poi rompo gli indugi e vado a sedermi nel posto piú lontano dalle casse dello stereo. Viene una cameriera, dall'accento sento che non è italiana. Ordino una fetta di cocomero.

– E da bere? – mi chiede lei.

Da bere? Col cocomero, che è tutta acqua?

– Niente, – rispondo.

Sembra un po' delusa; forse le dànno una percentuale sugli incassi.

Ne ho mangiata pochissima, solo la parte superiore e centrale della fetta. Non è buona, questa anguria, o se lo è non riesco ad accorgermene perché è troppo fredda. L'unica cosa che avverto è una specie di dolore sordo ai denti e alle gengive. Spingo via il piatto. Lascia una scia umida sulla tovaglia di plastica che ricopre il tavolo. Subito arriva la ragazza di prima e mi chiede: – No piace? Vuoi melone? – Faccio segno di no con la testa. Il melone, se lo servono a questa temperatura, sarebbe ugualmente insapore.

Per fortuna i piadinari hanno cambiato la musica e ne arriva una meno fastidiosa. Hanno pure abbassato il volume, forse si è lamentato qualcuno dalle case vicine. Riesco ad ascoltare gli adolescenti che chiacchierano, ridono e bevono birra. Nessuno di loro parla in dialetto, e neppure predomina l'italiano. Da alcuni capannelli arrivano parole in lingue che non conosco. Potrebbero essere albanese e macedone, marocchino e russo, chissà. Il paese si è riempito di stranieri, come tutta la pianura.

Qualcuno storce il naso, piú frastornato che infastidito per questa massiccia presenza di *giargianís*, come li chiamano i piú anziani. Che poi non lo so, da dove derivi quel termine che sta tra lo scherzoso e il dispregiativo. So solo che tempo fa era riservato ai meridionali, adesso a coloro che vengono da ancora piú lontano. Tutto sommato, comunque, quella con gli extracomunitari non pare una convivenza troppo difficile. Del resto i campi, le fabbrichette e le case vanno avanti solo perché ci sono loro, i *giargianís*, a lavorare come braccianti, badanti e operai. Pare che noi, gli indigeni, non le sappiamo o non le vogliamo piú fare certe cose.

La cameriera non ha portato via il piatto; lo recupero e riprovo a mangiare il cocomero. È meno gelato, ma non è migliore di prima.

Come tutti i non giovani mi viene istintivo formulare una considerazione che piú stereotipata di cosí non si può: non ci sono piú i cocomeri di una volta. Quelli saporiti che raccoglievi caldi di sole dalla terra sabbiosa e secca dell'estate e che ti godevi sbrodolandoti la faccia e le mani. Altro che chioschi e piatti e coltelli di plastica.

Lo ripeto, una volta non mi piacevano, ma riesco nell'intento assai strano di rimpiangere persino un sapore che non gradivo.

Il fatto è che mi divertiva molto andarli a raccogliere, ecco. Dove raccogliere sta per rubare, ovviamente, come facevano tutti i bambini con ogni tipo di frutto. E non si trattava neppure di un furto vero e proprio: era una cosa normale, una specie di sport.

Questi pensieri mi portano alla mente un ricordo lontano, quello di un cocomero rubato e di un bambino che scorrazzava felice nei campi. Faccio un rapido calcolo: era l'agosto del 1963, dunque sono passati esattamente quarantasette anni. Ne avevo dieci e otto mesi, allora.

Una vita fa, anche se mi pare appena ieri.

Come faccio a essere sicuro che era proprio il 1963? Oh, non posso sbagliare, perché di quell'anno non mi sono mai dimenticato, né mi dimenticherò mai. Fu quello in cui ero innamorato di una bicicletta blu che costava troppo e di una bambina con cui mi pareva di non stare mai abbastanza. L'anno in cui le cose e la mia vita cambiarono, e di molto.

Di norma le persone non sanno dire qual è stato il momento preciso in cui hanno smesso di essere bambini e sono passati a un'altra età, diversa, piú matura e piú difficile. Io invece lo so. So che quell'agosto di quarantasette anni fa fu l'ultimo mese della mia infanzia, l'ultimo in cui la spensieratezza e l'ingenuità furono piú grandi della dolorosa consapevolezza che dominò poi.

Per questo, e non tanto per il semplice ricordo di un cocomero rubato, partirò da lí a raccontarvi una storia che era
iniziata da prima, come vedrete.

Dunque, era estate e faceva un gran caldo...

2. Agosto 1963

Faceva un gran caldo, ma di colpo fui attraversato da un brivido che mi gelò il sudore nella maglietta, perché la prima cosa che vidi, quando arrivammo, fu la macchina dei carabinieri. Era in mezzo al cortile e quasi ci sbattei contro: ero lanciatissimo sulla mia bici e per evitarla andai addosso al mio amico Francesco, che pedalava di fianco a me.

Frenammo e ci bloccammo lí, ansimanti.

– Ohi ohi! – disse lui.

Io non ebbi la forza di fiatare. Il cuore mi galoppava ai cento all'ora, e mica per la corsa in bicicletta. Era che da una settimana la sognavo tutte le notti, 'sta cosa: che venivano, mi prendevano e mi sbattevano in prigione, in una cella nera e umida come quella del Conte di Montecristo, e i miei genitori, quando una volta al mese me li lasciavano vedere, un po' piangevano e un po' imprecavano e cercavano di picchiarmi attraverso le sbarre.

– Dài, – diceva Francesco, l'unico a cui raccontavo tutto ma proprio tutto, – sei piccolo, mica ti possono arrestare…

– Sí che possono, – rispondevo io. – Ci sono questi posti che si chiamano riformatori, i bambini li mettono lí, e quando diventano maggiorenni, se non sono morti prima di stenti, gli cambiano prigione.

In quel momento, comunque, con i piedi piantati nella polvere già bollente nonostante fossero appena le nove di mattina e la sella che mi spingeva nelle palle raggrinzite dalla

paura, non avevo piú pensieri. Ero come una lampadina ful-
minata. Fissavo quella macchina e basta.

Francesco fece per scendere dalla bici, si grattò la testa,
poi ci ripensò e disse: – Senti, io è meglio che torni a casa.

– *Aghmlnft*, – dissi io.

– Eh?

Ritrovai in qualche modo la parola: – Aspetta... non andare via.

– Ma io non c'entro con quella storia!

Stavo per rispondere qualcosa, quando la porta di casa si
aprí e uscí in cortile la mamma.

– Ah, sei qua, – disse. – Allora, vi siete divertiti?

Avevo dormito a casa del mio amico, perché la sera prima avevamo festeggiato il suo compleanno. E mi ero abbastanza divertito, o perlomeno distratto: era stata la prima
notte in vita mia che avevo passato fuori casa, sempre che si
possa considerare «fuori casa» una distanza di cento metri.

Francesco mi diede una gomitata e io mi svegliai come da
un brutto sogno. Se la mamma mi parlava senza strapparsi
i capelli o lanciarmisi contro per strangolarmi, voleva dire
che forse i carabinieri non erano venuti per me.

– Cos'è successo? – le chiesi con una voce strana e stroz-
zata.

– Che c'è, Gigi, hai mal di gola?

Feci cenno di no.

– Stanotte ci hanno rubato una decina di polli.

Tutta l'aria che avevo trattenuto nei polmoni mi uscí sibi-
lando dalla bocca e dal naso, con una specie di fischio roco.

– Sei sicuro che non hai mal di gola?

– No che non ce l'ho, sto benissimo. Ma c'era bisogno
di chiamare i carabinieri, per due polli?

– Non sono due, sono dieci; e poi chi dovevamo chiamare, il parroco? Mica che quelli là, – disse la mamma facendo

un cenno verso la zona dove c'erano il porcile e il pollaio,
– servano a gran che. È da mezz'ora che parlano col babbo
e col nonno, e mi sa che non si sono ancora capiti.

Francesco scese dalla bicicletta, l'appoggiò a una delle
acacie che ombreggiavano il cortile e propose: – Andiamo
a vedere.

Io non è che avessi una gran voglia di trovarmi di fronte a
gente in divisa, ché ancora mi tremavano le gambe. Però scesi pure io, la bici la lasciai cadere a terra, tanto era vecchia,
scassata e non l'amavo piú da molto tempo, e insieme al mio
amico mi incamminai.

Superata la rimessa, vedemmo che davanti al pollaio due
militi stavano discutendo ad alta voce con mio padre, che
scuoteva la testa e rideva in modo isterico. – Questa poi,
– diceva, – le supera tutte! Ma state scherzando o fate sul
serio?

Mio nonno abbandonò la scena, partí camminando verso casa spedito, quasi correndo. Aveva una gamba rigida, e
uno zoppo che corre sembra un cartone animato. Mi venne
da sorridere ma non ci riuscii, perché lui mi sfiorò senza degnarmi di considerazione; lo guardai in faccia e gli lessi negli
occhi che era imbufalito nero.

– Ehi… – dissi allora al babbo.

– Ah, ecco, – esclamò lui rivolto ai carabinieri, – questo è mio figlio, che ha dieci anni: scommetto che a lui una
roba del genere non potrebbe mai venire in mente, perché
nonostante l'età ha un'intelligenza normale!

Fui contento di sapere che il babbo non mi considerava
un mentecatto, come a volte pareva lasciare intendere. In-
coraggiato chiesi: – Ma cosa succede?

– Succede che questi qui, invece di cercare i nostri polli, ci vogliono portare via anche quelli che i ladri non hanno rubato!

– Non vogliamo portare via niente, – disse uno dei militari. – Abbiamo soltanto detto che la descrizione coincide: ai vostri vicini hanno rubato dodici galline bianche, e qui ci sono dodici galline bianche.

Il babbo diventò ancora piú paonazzo. – Sentite un po' questa, bambini! E poi si stupiscono delle barzellette!

– Signore, non si permetta... – disse il carabiniere che fino ad allora aveva taciuto, ma si interruppe subito perché stava arrivando di gran carriera, a saltelli, mio nonno con la doppietta in mano.

Ci fu un lungo momento di immobilità e di silenzio. Il nonno si piazzò davanti alla porta del pollaio, diede un calcio a una gallina che tentava di uscire facendole volàre via qualche penna, si piantò lí a gambe larghe e disse: – Chi tocca le galline, lo impallino.

I due carabinieri per un po' non si mossero, ma la mia mente continuò a lavorare e li immaginai estrarre le pistole dalle fondine e sparare gettandosi a terra, mentre il nonno rispondeva al fuoco, tra un volare di penne e un sollevarsi di polvere, col sottofondo di una musica incalzante.

Ma i due in divisa parlottarono piano tra loro, poi se ne andarono zitti zitti.

– Accidenti! – mi soffiò Francesco all'orecchio, affascinato. – Sembra uno sceriffo, il vecchio. Quelli invece di mettergli le manette se la battono!

Annuii soddisfatto. – È un mutilato e decorato della Prima guerra mondiale, non possono fargli niente. Dice che anche quando c'erano i fascisti che picchiavano tutti, a lui non gli hanno mai torto un capello. Strappava i giornali con la foto di Mussolini e nessuno lo toccava.

Francesco strinse gli occhi a fissare il nonno che se ne stava incorniciato nella porta del pollaio, espressione truce e schioppo in mano, che pareva proprio un eroe del Far West, quelli dei film che vedevamo la domenica pomeriggio nella sala parrocchiale.

– Forse è nei servizi segreti e non gli possono fare niente per quello.

Feci una smorfia dubbiosa. – Secondo me non lo vogliono, nei servizi segreti, uno che sa a malapena scrivere il suo nome, sputa sempre in terra, beve e bestemmia come un turco, – risposi io.

– E che ne sai?

Già, che ne sapevo? Magari il nonno, oltre che un eroe di guerra, era pure un pezzo grosso. Meglio cosí: se i carabinieri fossero tornati per arrestare me per la cosa terribile che avevo fatto, avrebbe potuto darmi una mano.

In casa, la mamma aveva sfornato una crostata alla frutta. Mio fratello Enrico, appollaiato accanto al tavolo della cucina, ancora mezzo addormentato e con le cispe gialle agli occhi, ne stava mangiando una fetta masticando pianissimo e provocando una cascata di briciole. Pareva in trance, uno stupidotto di sette anni appena compiuti che la mattina per tirarlo giú dal letto bisognava mettercisi in due, e che poi se ne stava muto e imbambolato per ore. Io, quando lo vedevo ciondolare in quello stato, pensavo che non fosse normale del tutto, che magari aveva un ritardo nel cervello. A una certa ora però si svegliava, a volte anche troppo, e diventava un rompicoglioni assoluto; ero arrivato alla conclusione che in lui convivessero due esseri diversi e distinti, cioè Enrico-di-Mattina, un minorato mentale, ed Enrico-di-Pomeriggio, che invece era furbo e calcolatore, oltre che fastidioso e pericoloso quanto una vespa che ti svolazzi intorno al naso.

– Fate colazione anche voi, su, – disse la mamma.

Io non sentivo fame per niente: incontrare i carabinieri, con la coscienza sporca come avevo, non è un bel modo di iniziare la giornata. Francesco invece si cacciò una fetta intera di dolce in gola.

Entrò il babbo e disse: – È ancora là con quell'accidente di fucile in mano.

Mamma si toccò la testa con un dito, come per dire che il nonno era matto.

– Vabbe', magari ha esagerato, però non ha mica tutti i torti. I carabinieri sarebbe meglio che pensassero a cose piú serie.

Io avevo appena preso una fetta di crostata ma la posai di nuovo nel piatto, perché a quelle parole mi si era chiuso lo stomaco con un crampo doloroso. – Andiamo a fare un giro? – chiesi a Francesco.

Lui a bocca piena fece un gesto che significava: come vuoi.

– Vengo anch'io, – farfugliò mio fratello sputacchiando briciole.

Per fortuna la mamma glielo proibí, sgridò anche me che appena tornato me la filavo di nuovo, ordinò al babbo di andare a recuperare il nonno e di disarmarlo prima che abbattesse qualche innocente di passaggio, le cadde di mano un piatto che andò in mille pezzi sul pavimento e che fece spaventare e scappare il gatto, e io approfittai di tutta quella confusione per uscire alla svelta tirandomi dietro il mio amico.

Pedalammo fino all'argine del fiume, posammo le bici e ci sedemmo nell'erba a guardare l'acqua che scorreva verde e lenta.

– Ero sicuro che fossero venuti per me, – dissi.

Francesco annuí con gravità. – Eh sí, – mormorò. – Forse con la scusa delle galline hanno fatto un sopralluogo. Sai, per tenderti una trappola.

Mi si fermò il sangue nelle vene. Magari era vero, e il nonno sapeva che loro sapevano, e per quello aveva sfoderato le armi. Ma non avrebbe potuto difendermi a lungo. Un omicidio è sempre un omicidio, altro che furto di polli! Insomma, era successo che una settimana prima io e Paolino, un bambino poco sveglio che aveva un paio d'anni meno di me, eravamo andati, di sera, a prenderci un cocomero. Prenderci nel senso di rubarlo. Ce n'era un bell'appezzamento nel campo di Tarroni, e io li tenevo d'occhio fin da quando erano piccoli come palline da tennis, anche perché in merito avevo avuto una soffiata, una dritta precisa.

Eravamo arrivati sul posto e ci eravamo divisi i compiti: io oltrepassavo la recinzione, lui mi aspettava dall'altra parte, attento che non venisse nessuno. Fare il palo era il massimo che si potesse chiedergli, a Paolino, perché aveva piú ritardi nel cervello di Enrico-di-Mattina; anzi, aveva il record assoluto e avrebbe vinto ogni campionato mondiale dei ritardati, secondo me.

La recinzione era coperta e avviluppata da un rampicante che la rendeva simile a una siepe. L'avevo superata, ero saltato giú nel campo, sulla terra soffice, avevo abituato gli occhi all'oscurità e mi ero messo, carponi, a cercare la preda.

A un certo punto l'avevo trovata: era il cocomero piú grosso che avessi mai visto. Troppo grosso. Non sarei mai riuscito a portarlo o a gettarlo dall'altra parte. A malincuore ne avevo scelto uno dalle dimensioni piú normali e gestibili, l'avevo fatto ruotare su sé stesso per spezzarne il gambo e l'avevo soppesato. Mica leggero neppure quello: tenendolo in mano non mi sarei potuto arrampicare sulla barriera. Allora avevo detto a Paolino, che non vedevo per via delle foglie: – Te lo butto, poi scavalco e ce la filiamo.

– Va bene, – aveva risposto lui.

Mi ero messo il cocomero sulla testa con le mani appoggiate sotto, avevo piegato le ginocchia e le braccia comprimendomi come una molla, poi avevo fatto scattare gli arti verso l'alto dando una bella spinta, cosí la refurtiva era volata oltre la recinzione. E avevo sentito un rumore sordo che non mi era piaciuto affatto.

– Tutto bene? – avevo chiesto.

Nessuna risposta.

– Ehi, Paolino, ci sei?

Niente.

Avevo scavalcato con un gran brutto presentimento, e mi si era presentata una scena agghiacciante. Il mio complice era steso per terra e intorno aveva un sacco di poltiglia rossa. Il cocomero doveva averlo preso in pieno, e secondo me in quella pozza si mescolavano cocomero e contenuto della testa di Paolino in quantità piú o meno uguali.

Non ci avevo pensato su neanche un minuto: in preda al panico, ero saltato sulla bicicletta e via.

Ora, devo dire la verità, non è che friggessi dal rimorso o dal senso di colpa: Paolino era un piccolo imbecille, e se c'era rimasto secco col cocomero era colpa sua, ché doveva essersi distratto; e comunque non era una gran perdita. Però avevo il terrore che qualcuno scoprisse che ero stato io. Ecco perché vedere i carabinieri mi faceva venire i sudori freddi.

Francesco mi vide abbacchiato e disse: – Magari non hanno ancora trovato il cadavere. Non s'è sentito dire niente, in paese.

Già, era vero. Forse il corpo di Paolino si stava decomponendo, presto sarebbe stato irriconoscibile o divorato del tutto dagli animali, e i suoi genitori avrebbero creduto che fosse scappato da casa, o l'avessero rapito gli zingari. Probabilmente non lo cercavano neppure: nessuno si dispera se gli sparisce un figlio deficiente, pensavo.

Rimasi a lungo a fissare l'acqua in preda a quel rimuginare. Francesco si stufò di stare a guardare me che rimuginavo, mi salutò e se ne andò.

Allora tornai a casa, e invece di entrare attraversai il cortile e andai verso i campi. Stavo prendendo in considerazione l'idea di organizzare una latitanza.

Poi vidi due cose.

La prima fu il nonno che, ancora col fucile in mano, se ne stava di sentinella al pollaio.

La seconda fu Paolino che transitava in bicicletta sulla strada.

– Ehi! – gli gridai, stupito e decisamente sollevato.

Lui venne da me con la solita aria rincretinita e mi disse: – M'hai fatto male con quel cocomero, sai? – Parlava nel naso, si stentava a capire cosa bofonchiasse.

– Ma non sei tu che al campetto vuoi sempre giocare in porta? – lo aggredii. – Neanche un cocomero sai parare!

Si pulí il moccio col dorso di una mano. – Riproviamo a prenderne uno, stasera? – mi chiese.

– Neanche per sogno, – e gli girai le spalle.

Feci al nonno, che continuava a montare la guardia ai nostri possedimenti, un cenno con la mano.

Fu in quel momento che pensai due cose. La prima è che sul nonno avrei sempre potuto contare: era un grande, quell'uomo. Magari potevo addirittura prenderlo a modello e dedicare tutta la mia vita a cercare di diventare come lui. Ma quell'ultima parte dopo un po' la scartai, perché in fondo non volevo essere zoppo, né bere tutto quel vinaccio da due soldi, né passare gran parte della giornata a ciondolare tra l'osteria e casa e avere come occupazione principale quella di spalar via la merda delle galline, dei conigli e del maiale.

La seconda cosa che pensai, e che anzi decisi con tanto di giuramento, è che mai piú avrei tirato un cocomero senza vedere dove va a finire. Con un'aggiunta: che se fossi andato a rubarne un altro avrei fatto da me, e a Paolino non l'avrei neppure detto.

Nel caso, comunque, mica l'avrei mangiato, il cocomero. A me non piaceva neppure, ci trovavo un sapore di cetriolo che mi dava fastidio. Né l'avrei portato a casa, perché lo capivano subito che l'avevo rubato, visto che noi di cocomeri non ne coltivavamo e che io mai e poi mai avrei speso soldi per il sostentamento famigliare, soprattutto se quel sostentamento sapeva di cetriolo.

Insomma, in tutta la faccenda io sarei stato solo il braccio: la mente era il vecchio Carlino, che da un bel po' mi illustrava a parole la mappa di tutti i campi del paese dove c'erano i cocomeri migliori. Lui ne andava matto, ma diceva che al negozio costavano troppo, e non era piú capace di andarsene a rubare uno da solo.

Per la verità non era piú capace neppure di andare al negozio, e doveva farsi portare la spesa da sua nipote. Era impedito nei movimenti, da quando gli si era ingigantita la palla destra.

Non so come si chiamasse la malattia che aveva, ma era strana un bel po': questo testicolo gli si era gonfiato come un pallone da calcio, forse di piú. Sotto i pantaloni larghissimi che doveva portare si vedeva un malloppo enorme, e lui camminava piano piano a gambe larghe come se si fosse cacato addosso. Chissà se gli faceva pure male.

I suoi parenti insistevano che si operasse, altrimenti doveva vivere da invalido, ma Carlino diceva che a lui non l'avrebbe castrato nessuno. Che ci provassero! Preferiva che la palla gli scoppiasse e si sentisse il botto per tutto il paese. Preferiva morire schiacciato sotto il testicolo, se quello continuava a crescere.

Insomma, per farla corta, lui un cocomero non se lo poteva procurare e l'aveva chiesto a me, perché eravamo quasi amici. Spesso se ne stava seduto fuori in cortile a gambe larghe, e quando passavo di lí mi fermavo a fare due chiacchiere.

Non che chiacchierare con Carlino fosse un gran passatempo: non diceva niente di interessante, si lamentava solo dell'umidità o cose simili, però quella palla mi affascinava e mi pareva un grande privilegio poterla guardare cosí da vicino, anche se c'erano i pantaloni sopra.

Un giorno che ero lí e gli guardavo la palla mi aveva chiesto se gli portavo un cocomero, e io gli avevo risposto subito di sí, perché le cento lire che mi offriva erano pur sempre cento lire, e inoltre rubare i cocomeri mi piaceva. Fu allora che mi disse che i migliori erano quelli di Tarroni, perché nel suo podere la terra era sabbiosa al punto giusto, e che mi indicò dove cercare, cioè nel campo sotto l'argine dove il fiume fa una curva bella larga.

Come cavolo facesse a saperlo, che quello era il posto adatto, è un mistero, visto che non si muoveva da casa. Mi venne da pensare che forse poteva leggere dentro la sua palla gonfia, perché una volta in un fumetto avevo visto una maga che conosceva ogni cosa fissando una grossa sfera in cui comparivano scene come in un televisore.

Immaginare Carlino che guardava la tivú nella sua palla era troppo, lo sapevo, ma a me piaceva lavorare di fantasia. La realtà doveva essere questa: lui le informazioni le prendeva dalla gente che si fermava a parlargli mentre era in cortile seduto a gambe larghe, perché di sicuro non piaceva solo a me potergli studiare il famoso testicolo da vicino.

Cento lire. Duecento volte cento lire avrebbero fatto ventimila lire, quelle di cui avevo bisogno…

Ma forse è meglio che adesso vi racconti la storia dall'inizio.

Tutto era cominciato a dicembre dell'anno prima, quando Cicognani aveva messo nella vetrina del suo negozio quella bici blu con le finiture cromate.

3. Dicembre 1962

Io compio gli anni la vigilia di Natale. Questa cosa aveva del buono: per me era festa davvero, quel giorno, perché cominciavano le vacanze invernali e per un paio di settimane non dovevo andare a scuola. Ma la festa era piú o meno tutta lí. Non ricevevo doni; o meglio sí, qualcosa arrivava, ma erano cose piccole rese ancora piú tristi dalla frase che le accompagnava: «Ti faccio un regalo piú grande perché vale sia per il compleanno che per il Natale».

Fortuna che si assommavano due ricorrenze, altrimenti sarei stato io a dover dare qualcosa a genitori, zii, eccetera.

Insomma, mi regalavano delle statuine per il presepe, sempre scompagnate, per cui c'erano, che ne so, un'oca piú grande del taglialegna, una casa che arrivava alle ginocchia della donnina che in teoria avrebbe dovuto abitarci, un Gesú Bambino piú grosso del bue, che c'era da sbagliarsi perché ti veniva istintivo mettere il bue nella culla e il bambino a fianco dell'asinello, eccetera.

Poco male, perché siccome il presepe lo facevamo io e mio fratello Enrico, non è che fosse proprio un modello di stile. Lui insisteva per infilarci i soldatini, il che mi trovava d'accordo, dato che di statuine ne avevamo poche (erano di gesso e se ne rompevano un sacco). Sulle montagne dietro la capanna della natività, quindi, c'erano sempre branchi di Apache sul piede di guerra. Ragion per cui davanti alla suddetta capanna andavano per forza schierati dei cow-boy con fucili e pistole, perché degli Apache sul piede di guerra non c'è mica da fidarsi tanto ed è meglio che qualcuno li tenga a bada.

Sulle stradine di ghiaia, accanto a cammelli, pecore, donne che andavano in direzione della capanna portando brocche d'acqua e fascine, mettevamo pure i modellini di un'autoblinda americana e di un panzer tedesco col cannone pronto a far fuoco. A mia madre questa cosa del carrarmato dava fastidio e ogni tanto, se il cannone puntava sulla capannina, lo girava devotamente da un'altra parte.

Un altro regalo che mi arrivava abitualmente consisteva in palline di vetro con cui addobbare l'albero. Quelle servivano sempre, perché se ne rompevano ancor piú delle statuine, però l'albero non era mica mio, era di tutta la famiglia, e non so perché si dovesse sprecare un *mio* regalo a quel modo.

La mamma poi, siccome si diceva che rinnovare un indumento la notte di Natale portasse fortuna, ogni anno mi regalava un pigiama, sempre marrone o color azzurrino orfanotrofio. C'era un cassetto del comò pieno di tali indumenti, che poi quando mi stavano troppo stretti passavano a mio fratello e questa cosa, anche se io quei pigiami li odiavo, mi faceva imbufalire. Perché io dovevo dare un sacco di cose mie a lui, e lui niente a me? Mio padre in merito aveva una risposta abbastanza logica: essendo io piú grande di qualche anno, era ovvio che sarebbero stati i miei vestiti a passare a lui, e non viceversa.

Logico o no, non mi pareva giusto, e quando una cosa cominciava a venirmi piccola cercavo di romperla e rovinarla il piú possibile, cosí che se veniva ereditata da Enrico perlomeno avrebbe fatto schifo e lui sarebbe parso un trovatello.

Quell'anno comunque avevo avuto una bella soddisfazione. Enrico, nato il 7 agosto, aveva passato il suo ultimo compleanno senza feste e si erano addirittura dimenticati di fargli la torta, perché mio padre era in lutto stretto e non si riusciva neanche a parlargli, figuriamoci a spillargli regali o sorrisi.

Era in lutto per Marilyn Monroe, morta due giorni prima. Lui era sempre stato innamorato pazzo di quella donna, tanto che a volte litigava con mia madre, che ne era gelosa.

Io pensavo che mia madre potesse stare tranquilla, che la Marilyn col cavolo che avrebbe lasciato l'America e tutte le cose e gli uomini ricchi e famosi che aveva per venire in Italia a fidanzarsi con mio padre, ma in fondo, mi dicevo, non si sa mai, gli attori fanno dei colpi di testa, oppure si ubriacano, e quindi sono capaci di combinare le cose piú assurde.

Ma torniamo a quel dicembre. Era caduta un sacco di neve, c'erano candelotti di ghiaccio che dal tetto arrivavano quasi a terra e nella stanza in cui dormivamo io e mio fratello faceva un freddo boia, perché non avevamo il riscaldamento al piano superiore. Enrico perlomeno aveva il letto appoggiato alla canna fumaria che veniva dal di sotto, e allungando le mani riusciva a toccare il muro tiepido.

Quando ci lamentammo che di notte ci si congelavano persino il moccio al naso e la pipí nel vasino, i miei convennero che sarebbe stato il caso di comprare due trapunte nuove e piú grosse, che siccome erano care avrebbero rappresentato il regalo di Natale e dell'Epifania per entrambi, oltre che per il mio compleanno.

Io protestai e dissi che le coperte erano cose di ordinaria amministrazione, che non potevano mica essere spacciate per doni e che preferivo patire il freddo pur di ricevere un regalo piú serio.

E quel qualcosa l'avevo adocchiato da settimane: una bicicletta blu con le finiture cromate che avevo visto nella vetrina di Cicognani.

Sperare e sognare non costa niente. Quella invece costava, eccome: ventimila lire.

Sapevo che non me l'avrebbero comprata, però avevo voglia di provarci e di piantare una grana, dato che la mia bici vecchia era ormai cosí scassata e piccola che quando ci stavo sopra sembravo uno di quei clown che al circo girano su trabiccoli strani e la gente ride.

Provai a dirlo una sera a tavola, che volevo la bici nuova, e i miei risero come la gente che guarda i clown. Tra l'altro, spiegò mio padre, negli ultimi mesi si erano fatte provviste molto piú abbondanti degli anni passati e non c'erano soldi da spendere.

Lo sapevo, questo. Era successo a ottobre, quando c'era stato un problema di cui si era fatto un gran parlare e che riguardava i russi, gli americani, l'isola di Cuba e certi missili.

Io non l'avevo capita bene, la faccenda: la grande America e la grande Russia volevano scatenare un putiferio per quell'isoletta? O cosa? Volevano scontrarsi lí, in un posto scomodo per entrambe? Era come, pensavo, se l'Italia decidesse di fare la guerra alla Germania e scegliesse di giocarsela in campo neutro nel Liechtenstein (a scuola imparavo i nomi di posti davvero strani).

Vabbe', in ogni caso mia madre si era fissata che sarebbe scoppiato un conflitto mondiale e aveva voluto accumulare scorte alimentari prima che arrivassero la fame e il mercato nero, per cui avevamo riempito la dispensa e la rimessa di casse di mele, patate, scatolette, conserve, e avevamo comprato anche due damigiane di vino supplementari, che il nonno riteneva indispensabili per affrontare la tragedia.

Sempre il nonno, che ormai pure lui si era fatto prendere dalla fissa dell'apocalisse imminente, aveva ripulito un bugigattolo basso e vuoto che stava accanto al porcile: diceva che aveva dei muri molto grossi e poteva essere un buon rifugio.

Io non ci credevo che se ci sganciavano sulla testa una bomba atomica ci saremmo salvati stando lí dentro, ma non dissi nulla, perché quando il vecchio si metteva in testa una cosa era meglio non contraddirlo. Neppure capivo perché, se le grandi potenze avevano deciso di darsele di santa ragione a Cuba, una delle due avrebbe ritenuto strategico bombardare Bagnago, paesino della pianura padana di un migliaio di abitanti.

Per tornare alla bici, mi venne detto chiaro e tondo che potevo scordarmela. Fra l'altro il lavoro di mio padre, che era commerciante di bestiame come lo era stato il nonno, stava andando male e si prevedevano ristrettezze.

Mi aspettavo quella risposta, ma non è che battei subito in ritirata: dissi che se il babbo avesse potuto davvero sposare Marilyn Monroe e io fossi andato a vivere con loro, lei la bici nuova me l'avrebbe regalata di sicuro, e che ero stato sfortunato che era morta.

Mio padre a quelle parole si intristí, perché erano passati piú di quattro mesi dalla tragica perdita ma non l'aveva ancora superata. Per rimediare aggiunsi che magari si faceva avanti qualche altra attrice, per me era uguale, basta che mi comprasse la bicicletta. Al che si intristí mia madre, e alla fine il risultato fu che non mi volevano piú comprare nemmeno la trapunta, ché solo mio fratello se la meritava.

Eravamo alle solite.

Mio fratello era praticamente il capofamiglia. Nel senso che le aveva tutte vinte perché, anche se secondo me era un essere strano, a volte ritardato, a volte furbo e subdolo, riusciva a incantare tutti con la sua aria da angioletto, i suoi capelli biondi, le lentiggini sul naso e gli occhi che potevano lacrimare a comando come se avessero un rubinetto.

Poi nella graduatoria veniva mio nonno. Era un duro, uno che era rimasto mutilato nella Prima guerra mondiale ma se l'era sempre cavata bene nonostante la gamba rigida. Quando era tornato dalla trincea cosí conciato gli avevano offerto un posto di lavoro come custode della tomba di Dante Alighieri, in città, al che lui aveva chiesto chi cavolo fosse questo Dante e perché mai bisognasse sorvegliargli la tomba: avevano forse paura che uscisse e se la svignasse? Era morto o no? Quindi il posto non glielo avevano dato, ma lui si era messo a fare il commerciante di bovini con un certo successo, diceva che gli bastava guardare una vacca per indovinare quanto pesava senza sbagliare di un grammo (almeno questo era ciò che sosteneva lui, ma nessuno, a quanto ne so, ha mai controllato).

Mia nonna Anna era morta quando io avevo sei anni. Aveva sempre sofferto di diabete, e mi ricordo che si riempiva il piatto di una montagna di pasta e contemporaneamente si faceva un'iniezione di insulina. Si vede che quel sistema non funzionava bene, perché un giorno c'era rimasta secca.

La nonna, dicevo, era morta ma compariva ancora in graduatoria, perché quando si doveva decidere qualcosa mio nonno interveniva con: «Se ci fosse ancora la mia povera Anna, direbbe...» e il voto della defunta alla fine contava come se lei fosse lí ad alzare la mano, con la siringa dell'insulina nell'altra.

Poi venivano pari merito mio padre e mia madre. Io ero l'ultimo, una povera vittima che non aveva mai ragione.

Una settimana prima di quel Natale del 1962, a far parte della famiglia era entrato anche un gatto bianco e nero. Era successo che la micia della zia Irene in estate aveva sfornato una cucciolata di cui era sopravvissuto solo un maschio. 'Sto gatto a dicembre si era ammalato alla pancia e aveva cominciato a farla in giro per casa, per cui l'Irene aveva preso due piccioni con una fava: se ne era liberata e aveva risolto il problema del regalo a me e a mio fratello, donandoci la bestia e la sua diarrea.

Non ci aveva detto niente dei problemi di salute del gatto, ma ce ne eravamo accorti subito: cacava di continuo e la cosa andò avanti per diversi giorni, tanto che mio fratello, in un lampo di genio, gli mise nome Merdo. I miei genitori, pensando che fosse una trovata mia, si lamentarono che quel nome faceva schifo, che era una roba volgare, poi quando capirono che era un'iniziativa di Enrico l'accettarono quasi ammirati.

Quella era la mia famiglia.

La mia casa era peggio: vecchia e brutta, piú scompagnata e sgangherata dei presepi che facevamo io e mio fratello, assediata da capanni e catapecchie in cui si accumulavano cianfrusaglie e crescevano e prosperavano orde di galline, conigli, faraone e altri animali, da quelli domestici e commestibili ad altri appartenenti a specie imprecisate di bestie selvatiche piccole, medie e grandi.

Le altre abitazioni del paese non è che fossero migliori; solo il mio amico Francesco, figlio di gente ricca, e il Capitano, avevano delle belle ville, quasi simili a quelle che si vedevano al cinema. Dunque non c'era da vergognarsi se qualcuno ti capitava in casa, il che succedeva spesso, perché vigeva l'abitudine di frequentarsi molto fra vicini e compaesani; si lasciavano sempre le porte aperte, e io non riuscivo mai a fare il bagno del sabato nel mastello senza che ci fosse una schiera di gente estranea alla famiglia che mi vedeva nudo e insaponato.

Fra quelli che ci trovavamo sempre tra i piedi c'era un vecchio soprannominato Il Morto, che siccome era povero aveva l'abitudine di scroccare il pasto. Lo chiamavano cosí perché una volta, quando c'era stata un'alluvione che aveva fatto in paese alcune vittime, era stato dato per disperso, visto che mancava da casa da giorni e non se ne sapeva piú niente. Sua moglie, che non vedeva l'ora di liberarsi di lui, l'aveva riconosciuto in un cadavere putrefatto che era stato trovato nelle campagne e che apparteneva a chissà chi, forse a un vagabondo di passaggio. Fatto sta che lui un bel giorno era ricomparso, ma ormai gli era stato scritto il certificato di morte e al cimitero avevano messo pure la sua foto sulla tomba di famiglia.

Nessuno si era preoccupato di ristabilire la verità, e lui era rimasto ufficialmente defunto. Diceva sempre che in quella condizione ci stava benissimo, e che si divertiva un mondo a portarsi i fiori al camposanto da solo. Io mi chiedevo cosa ne avrebbero fatto una volta che fosse morto davvero: magari dovevano buttarlo nella spazzatura, o seppellirlo di nascosto in un campo, perché nella sua tomba c'era già il vagabondo putrefatto e un'altra non gliela potevano mica costruire.

La moglie, comunque, aveva continuato a dire che il cadavere che aveva visto era proprio il suo, ne era certa, quindi quello che era ricomparso doveva essere una specie di fantasma e in casa non ce lo voleva perché le faceva paura. Il Morto andò ad abitare nel fienile e cominciò a vivere dell'aiuto di una parte dei compaesani. Dico una parte perché c'era chi, credendo alla moglie, lo evitava e lo temeva.

A me Il Morto stava simpatico, perché rideva sempre e diceva cose buffe. Mi piaceva immaginare che fosse defunto davvero e che quindi avessi il privilegio di conoscere un cadavere vivente: mica da tutti! Spesso glielo chiedevo, se era vivo o no, e lui faceva il misterioso: chi lo sa, rispondeva. Come ho detto, ce n'erano altri che avevano quel dubbio, e lui ne approfittava: se gli offrivi un pasto ti dava i numeri da giocare al lotto, e anche se non ne era mai uscito neppure uno la cosa faceva un certo effetto.

A volte pensavo che quel tipo era fortunato, e immaginavo quanto sarebbe stato bello se fosse capitata anche a me una cosa simile: Gigi, alzati, è ora di andare a scuola! No, col cavolo che mi alzo e vado a scuola: sono morto! Gigi, smettila di fare chiasso e di tirare il pallone conto il muro! Chi, io? Ma vi pare che possa essere io, che sono morto? Eh, sí, mica male!

Ma cambiamo discorso: arrivarono il Natale e il mio compleanno, e come regalo io ed Enrico avemmo le famose trapunte grosse. Una marrone e una color azzurrino orfanotrofio.

Svanito, come previsto, il sogno proibito di avere in dono la bicicletta nuova, presi una decisione: me la sarei comprata da solo. Cos'erano, in fondo, ventimila lire?

Se mi impegnavo, in dodici mesi le potevo rimediare, cosí per il mio undicesimo compleanno l'avrei finalmente avuta, quella bici blu, e senza l'aiuto di nessuno.

4. Gennaio 1963

Alle sei di mattina del primo gennaio non ci fu bisogno che mi chiamassero: ero già sveglio da almeno un'ora, impaziente di sentire qualche rumore venire da basso, qualche movimento in casa. A un certo punto udii prima il nonno scendere le scale col suo passo zoppo e armeggiare per accendere il fuoco nella stufa, poi il tossire di mia madre e lo scricchiolio del letto nella sua stanza. Infine lei, stretta in una vestaglia di lana a quadrettoni, aprí la mia porta e disse: – Fa un freddo boia e ha nevicato anche stanotte.

Mi raggomitolai sotto le coperte per godere ancora un po' del loro tepore, poi mi feci coraggio, le scostai di colpo e misi i piedi a terra. Per un attimo pensai che mi sarebbero rimasti incollati al pavimento, tanto era gelato.

Accesi la luce e cercai di vestirmi in fretta, scosso da tremiti cosí forti che le mani non riuscivano a trovare i bottoni. Del resto nella camera si formava il ghiaccio sui vetri all'interno e respirando si facevano nuvole tali che pareva stesse passando un treno a vapore. Come ogni mattina d'inverno sentii i miei denti sbattere e schioccare e mi venne da gridare forte, come se qualche urlo avesse potuto aiutarmi a spezzare la morsa di quella temperatura impossibile.

In tutto quel trambusto, mio fratello continuò a dormire beato.

Mia madre lo guardò e disse: – Appena sei pronto sveglialo, io vado giú a prepararvi la colazione.

– Perché non lo lasciamo dormire? – tentai. – Fa troppo freddo, poi gli si ingrossano le tonsille...

– Non ci provare, – disse lei, facendomi gli occhiacci.

Ci avevo provato sí, ma non mi era andata bene. Come l'anno precedente, me lo sarei dovuto tirar dietro nel giro delle case per il «Buongiorno, buon anno!» che i bambini andavano a gridare a ogni famiglia del paese. Già era uno strazio ritrovarselo fra i piedi, e in piú succedeva che a essere in coppia si riceveva mezza mancia a testa, e io invece avevo bisogno di racimolare il maggior gruzzolo possibile perché il «buon anno» rappresentava una delle mie entrate piú significative.

Sbuffai e mi accostai al letto di Enrico. Gli si vedeva solo un ciuffo di capelli, il resto era sommerso dalla trapunta marrone (quella color azzurrino orfanotrofio, la piú brutta, era ovviamente toccata a me).

Feci per scuoterlo, poi ebbi un gratificante moto di crudeltà: gli tirai via di botto le coperte di dosso, urlando a squarciagola.

Non si mosse di un centimetro. Era davvero un essere strano.

Visto che si stava facendo tardi e che ormai avevo iniziato l'anno all'insegna della cattiveria, decisi di andare fino in fondo: lo spinsi giú dal letto.

Si svegliò sul pavimento sbarrando gli occhi, pianse, espulse litri di muco dal naso. Una volta di sotto mi denunciò alla mamma, rifiutò il caffellatte e i biscotti dicendo che anche lui, come il nonno, voleva salsiccia e pancetta alla griglia (era la colazione quotidiana del vecchio), si lamentò perché il gatto gli stava graffiando i piedi scalzi, poi all'improvviso appoggiò la testa sul tavolo e si riaddormentò.

Io dopo dieci minuti ero pronto, cappotto e scarponi, berretto di lana e guanti. Sentivo già nella strada qualche bam-

bino che gridava gli auguri ed ero preoccupato: c'erano case
in cui davano una bella sommetta, anche cento lire, a chi arrivava per primo, poi si andava a scalare, e se arrivavi tardi
ti toccava al massimo uno zuccherino avanzato da Natale.

– Allora, scemetto, andiamo? – gridai.

Enrico si scosse, biascicò, si tirò su e cominciò a mettersi
le scarpe con lenti gesti da robot arrugginito.

– Io vado, ciao! – gridai di nuovo dirigendomi alla porta.
Fu in quel momento che ebbi il primo scappellotto dell'anno,
e non erano neanche le sette di mattina del primo gennaio.

– Ehi, giovanotto, cos'è questa fretta? Non puoi aiutare
tuo fratello a vestirsi, invece di abbaiargli contro?

Era il babbo: non l'avevo neppure sentito arrivare. Aveva questa capacità, lui, di esserti addosso quando meno te lo
aspettavi, come gli indiani che nei film, per quante sentinelle
metti di guardia a un accampamento o a un fortino, riescono
sempre a piombare sulle vittime e a piantargli un coltello nella
schiena o un tomahawk nel cranio. Neppure Merdo, che pure
era un felino, si muoveva silenziosamente come mio padre.

Mi grattai la testa attraverso la lana del berretto, feci una
smorfia e aprii la porta guardando fuori. Era ancora quasi
buio, solo la neve emanava il chiarore sufficiente a vedere
qualcosa. L'aria era cosí fredda che pareva che qualcuno ti
versasse dell'acido in faccia e si udiva lo scricchiolare del
mondo stritolato dal ghiaccio.

Finalmente Enrico mi raggiunse e cominciammo il giro.

La neve caduta nella notte aveva gelato in superficie, ogni
passo la faceva crocchiare e costava fatica. Tutto il mondo
era in bianco e nero come quello che si vedeva in televisione;
solo le finestre accese si stagliavano come fari giallastri nel
nulla grigio e promettevano un po' di calore.

Volevo tenere un buon passo, ma mio fratello arrancava e
spesso mi chiedeva di rallentare. Lo presi di malagrazia per

un braccio e cercai di tirarmelo dietro a forza, ma era una zavorra che mi faceva perdere pazienza, tempo e denaro.

Puntai verso la casa dei Ghetti, una famiglia abbastanza benestante e generosa, ma Enrico frignò che voleva andare prima da Gianni, il suo amico, perché avevano il recinto dei cavalli che a lui piacevano un sacco. Ora, che bisogno ci fosse di iniziare l'anno guardando i cavalli che vedeva ogni giorno non riuscivo a capirlo, cosí lo mollai e dissi: – Va bene, vai da Gianni, fa' quello che vuoi: ci vediamo piú tardi. Allora mise il broncio e mi seguí dai Ghetti senza dire piú una parola.

Pensai che sarebbe rimasto muto e buono per il resto della mattinata, visto che si trattava comunque della versione Enrico-di-Mattina, e che magari sarebbe andato tutto bene, ma mi sbagliavo. Quando la signora Ghetti, con un sorriso, comparve sull'uscio dopo che avevamo gridato gli auguri, lui cominciò a tirare su col naso e a piangere come una fontana.

– Ehi, Enrico, che c'è? – gli chiese la donna, ignorandomi. Lui singhiozzava, sussultava, pareva disperato.

– C'è che… mi è morta la mamma, – mormorò, tendendo contemporaneamente la mano a chiedere la mancia.

– Ma dài! – sorrise la signora. – Quando? L'ho vista ieri pomeriggio dal panettiere e stava benissimo.

– Stanotte, – sospirò mio fratello.

Davanti a quella scena disgustosa ero bloccato, esterrefatto, affascinato come un topo incantato da un serpente. Pensai di dire che quel bambino bugiardo e frignante non era mio fratello, che in realtà non lo conoscevo neppure, ma l'orrore e la vergogna mi avevano tolto persino la voce.

La signora Ghetti invece pareva divertirsi molto e continuò la pantomima: – Oh, mio Dio! – esclamò portandosi le mani sulla faccia. – E com'è successo? Cos'è stato?

Enrico prese tempo, si asciugò il naso con la manica del cappotto, spostò il peso da un piede all'altro. Si vedeva che non gli veniva una risposta e che stava cercando di pensarne una in fretta. Alla fine disse: – Le è caduta addosso una valanga.

La radio in quei giorni aveva informato che alcune persone erano morte sotto le slavine, nelle montagne, e forse a lui era tornata in mente quella notizia.

– Ma che sfortuna! – disse la donna. – Una valanga in pianura non c'è stata mai, a memoria d'uomo... proprio stanotte e a tua madre, doveva capitare!

– Eh, già, – singhiozzò lui.

Ritrovai un po' di mobilità e cercai di mollargli uno scappellotto, ma la signora fu svelta e mi fermò il braccio. – Ma cosa fai, Gigi? – disse. – Non vorrai picchiare questo piccolo orfano!

– Mia madre non è morta, è a casa che fa le lasagne al forno, – sbottai.

– Be', la mamma di Enrico invece è morta sotto una valanga, e lui soffre già abbastanza senza che tu lo maltratti.

Rimasi spiazzato: o la Ghetti era scema come mio fratello, o qualcosa nel mondo non funzionava piú.

– Ma la mamma di Enrico è anche la *mia* mamma! Come può essere che la sua è morta e la mia sta facendo le lasagne al forno? – chiesi.

La donna si strinse nelle spalle. – Chi lo sa! – sospirò. – Un mistero! Comunque tu sei un bambino fortunato, che a casa hai una madre che cucina, quindi ti dò solo cinquanta lire. All'orfanello invece ne dò cento, poverino!

Enrico prese le cento lire e se le ficcò in tasca soddisfatto; io rimasi lí con le cinquanta lire in mano e a bocca aperta, che mi passavano in testa idee cattive, come quella di salire sul tetto e buttare giú davvero una valanga di neve per seppellire sia mio fratello che quella donna deficiente.

La quale godeva come una matta della situazione e non la
finiva piú, facendomi perdere tempo prezioso: – Senti, –
chiese a Enrico, – ma quando lo fanno il funerale della tua
mamma, che voglio venirci e portare i fiori?

Stavolta lui fu pronto a rispondere, forse ci aveva già
pensato nella sua testolina bacata: – Quando si scioglie la
neve e la troviamo, – disse.

– Ah, bene. Allora ciao, e buon anno a tutti e due!

Mio fratello salutò con la mano, ricontrollò la moneta che
aveva in tasca e mi precedette svelto e vispo in direzione
della casa a fianco. Non c'era dubbio: sarà stato per via del
freddo o perché giravano soldi, che a lui quelli piacevano
un sacco, ma davanti avevo un Enrico-di-Pomeriggio piú in
forma che mai, anche se era cosí presto che praticamente
non aveva ancora fatto giorno.

Non ripeté piú la scena dell'orfano, ma aveva in serbo
altre strategie incredibili: a volte stava in disparte, la faccia
mesta e timida, il berretto in mano, cosí i padroni di casa
gli dicevano: – Ehi, piccolino, vieni qui! Che tesoro! È cosí
timido e garbato! – e gli offrivano mance sempre piú grandi
di quelle riservate a me. Oppure saltellava, quasi danzava,
intonando il buon anno con voce da fringuello e sfoderando
un sorriso luminoso, e io che stavo dietro allibito dovevo
ascoltare una roba tipo: – Ma guarda questo frugolino, che
vivace, che sincero, ci fa gli auguri con tanta gioia!

Volle andare anche dalla Zaira, nota come zitella scostan-
te e ingrugnita che non aveva mai offerto una lira ai bambini, tanto che a farle gli auguri non ci andava nessuno. Enrico gridò il buon anno, lei venne sulla porta con una faccia
che metteva paura soltanto a guardarla e ringhiò: – Non dò
niente, lo sapete!

Al che mio fratello, che teneva dietro la schiena un ra-
metto con bacche rosse raccolto da un cespuglio, glielo offrí

e con una vocina di miele mormorò: – Lo so, signora Zaira, infatti sono venuto solo per regalarle questo.

Gli occhi prima lupeschi della Zaira si velarono di improvvisa commozione, poi la donna si andò in tasca, prese una manciata di spiccioli e senza una parola li diede a mio fratello. Quando tesi la mano a mia volta, lei ripristinò un'espressione truce e sbattendomi la porta in faccia gridò: – Non dò niente, ve l'ho detto!

Mi ci vollero cinque minuti per ritrovare la capacità di muovermi e per accettare che quello che avevo visto era successo davvero.

Inorgoglito dal successo con la Zaira, Enrico propose di andare anche dal Capitano. – Neppure da lui ci va mai qualcuno, ci darà un sacco di soldi, – disse.

Per un attimo pensai che aveva ragione, che era una buona idea, in fondo cosa poteva capitarci mai?

La scorgevo a un centinaio di metri di distanza, seminascosta dagli alberi, la magione del Capitano, massiccia e grigia, con le pietre grandi e scure come quelle delle case di montagna, che non c'era un'altra costruzione simile in tutto il paese e forse in tutta la provincia. Pareva un castello fortificato, un rifugio che avrebbe potuto sfidare le bombe, oltre che gli sguardi dall'esterno. Perché dietro quelle finestre sempre chiuse o velate da tende blu non si poteva sbirciare. Il Capitano non lo si vedeva mai neppure nel grande giardino alberato che circondava quella villa cupa e silenziosa, né al bar, o al negozio, o dal barbiere.

Solo verso sera, ogni santo giorno, usciva col cappello in testa e le mani intrecciate dietro la schiena e a capo chino, di buon passo, faceva un giro in tondo sempre uguale, percorrendo tre viottoli di campagna perpendicolari fra loro fino ad arrivare alle prime case dell'abitato, poi un pezzo di strada asfaltata che moriva nella salita che portava sull'argine del fiume, là dove c'era stato il ponte vecchio fatto saltare dai tedeschi al passaggio del fronte. Sull'argine, nel punto che sovrastava la sua villa, se ne stava impalato a lungo a guardare l'acqua che scorreva, o l'orizzonte. Infine scendeva e si rintanava di nuovo nelle sue stanze.

Se durante quel giro incontrava qualcuno, non salutava né riceveva saluti, anzi la gente faceva finta di non vederlo, oppure si scostava e addirittura cambiava strada per non incrociare il suo cammino.

A volte pensavo che quell'uomo misterioso, alto e taciturno volesse con le sue camminate controllare il paese e suoi abitanti, come un signorotto malefico che tenesse i propri possedimenti sotto il peso di una costante e terribile minaccia.

Il Capitano lo chiamavano cosí perché nell'ultima guerra era stato ufficiale. Non sapevo dove e come avesse combattuto, ma me lo figuravo sulle mura di una fortezza inespugnabile, intento a guardare col binocolo un nemico impaurito che si ritirava solo perché sapeva della sua presenza, o alla guida di un mezzo corazzato nero con le tende blu ai finestrini, che quando compariva tutti si facevano il segno della croce e se la davano a gambe.

Quando era tornato dal fronte non aveva dovuto riprendere alcun lavoro, perché di lavorare non aveva mai avuto bisogno in tutta la vita: la sua famiglia, di cui era ormai l'unico rappresentante, era stata una delle piú ricche della zona perché aveva posseduto diversi poderi, e accanto alla villa ancora c'erano le scuderie, che un tempo erano state piene di animali ma che negli ultimi anni, si diceva, ospitavano solo un paio di cavalli. Insomma, forse il Capitano non era piú ricco, non aveva piú niente se non la casa, ma nonostante questo non è che andasse a zappare o a riparare biciclette: se ne stava tutto il giorno dentro il suo fortino a fare chissà che cosa.

Mio padre, che ci ordinava sempre di non parlargli e di non guardarlo neppure in faccia se lo avessimo incontrato per caso, diceva che il Capitano le mani col lavoro non se le era mai sporcate, ma la coscienza con altre cose sí. Dopo che era tornato dal fronte era stato protagonista di una storiaccia che non mi era dato conoscere perché sull'argomento c'era una specie di segreto da tacere, o perlomeno da tacere ai piú piccoli.

Sapevo solo che aveva combinato una roba brutta, cosí brutta che sua moglie l'aveva lasciato, lui aveva dovuto pagare un sacco di soldi e poi isolarsi per sempre, perché il paese non gli perdonava ciò che aveva combinato e neppure il fatto di esistere.

– Dài, andiamo! – disse Enrico avviandosi verso la villa scura dalle tende blu alle finestre.

Scossi la testa e lo bloccai tirandolo per un braccio. – No, – dissi. – Lo sai che non si può.

– Tu non volevi andare neppure dalla Zaira, e invece ci ha dato un mucchio di monete!

– A te, le ha date!

– Stavolta facciamo a metà.

Di nuovo ebbi la tentazione di dar retta a mio fratello, non solo per l'eventuale mancia, ma per la curiosità. L'unico posto del paese in cui non fossi mai stato era il giardino del Capitano, l'unica casa a cui non mi fossi mai avvicinato era quella, e quell'uomo era l'unica persona del posto a cui non avessi mai parlato. Farlo era proibito a me come a tutti gli altri bambini di Bagnago, e a me le cose proibite, ovviamente, piacevano un sacco.

Però prevalse qualcosa che, piú che al rispetto delle regole, somigliava alla paura. Diedi uno scappellotto a Enrico e gli intimai di prendere con me la via di casa.

– No! – gridò. – Io ci vado, dal Capitano!

– Col cavolo. Tu adesso mi ubbidisci, altrimenti lo dico alla mamma.

– E io le dico che tu mi volevi lasciare da solo, e che mi hai dato una sberla, e che...

Mi si prospettava l'eventualità che il giorno di Capodanno, iniziato male, continuasse anche peggio: quando Enrico si metteva di traverso non c'era modo di spuntarla, e io, che ero stanco e avevo una fame boia, non avevo voglia di guai o di dover saltare il pranzo per punizione.

– Senti, – gli dissi, – se adesso fai il buono, mi segui a casa e te ne stai zitto, ti dò il Sergente Zoppo per una settimana.

Il Sergente Zoppo era un soldatino di mia proprietà che mi dava molte soddisfazioni, perché avevo sempre raccontato a Enrico che, pur mancandogli mezza gamba, era invincibile, un eroe capace di qualsiasi impresa. Quando giocavamo lo tenevo in disparte fino all'ultimo, poi lo facevo comparire e con quello sbaragliavo ogni difesa o strategia che mio fratello avesse preparato. «Ed ecco il Sergente Zoppo che arriva tra gli urrà di tutti i suoi compagni», annunciavo con voce da cinegiornale, e vincevo. Poi facevo continuare la pantomima con un drappello schierato che lo decorava. Era la mia unica carta vincente con Enrico, il Sergente Zoppo, forse perché sia io che lui lo identificavamo col nonno, e sul nonno non si discuteva.

Mio fratello tirò su col naso e ci pensò. – Lo voglio per sempre, – disse.

– Neanche per sogno. Ho detto una settimana, prendere o lasciare.

– Va bene, però voglio anche trenta lire.

Alla fine patteggiammo: avrebbe avuto il mio soldatino per dieci giorni e venti lire, che mi tolsi dalla tasca col magone.

Quella mattina potei contemplare con sbigottimento tutto il repertorio di Enrico e realizzare che, come fratel-

lo, mi era toccato in sorte un essere diabolico. Un essere
che ammirai, persino. Fu capace di racimolare, con quel
«buon anno», almeno il doppio di quello che raccolsi io e
di averla vinta con me, che in fondo ero il maggiore e avrei
dovuto comandare.

Del resto avevo avuto un assaggio delle sue crescenti capacità già in occasione del pranzo di Natale, quando mettevamo una letterina sotto il piatto del babbo per fargli gli auguri
e ricavarne qualche spicciolo. Io avevo scritto le solite cose,
cioè che sarei stato piú buono, che per fortuna nasceva Gesú
e tutti erano felici, che avrei fatto sempre i compiti, che non
avrei piú tirato i sassi a Merdo, eccetera, e in piú avevo aggiunto che mi dispiaceva molto che era morta la Marilyn e che
avevo visto nella vetrina di Cicognani una bella bicicletta blu.

Enrico invece, facendosi aiutare dalla mamma, aveva
scritto solo: «Vi voglio bene e non voglio niente, perché c'è
tanti bambini poveri».

I miei fecero una specie di giuria in cui valse anche il voto
della defunta nonna Anna, che in spirito era lí con la siringa dell'insulina in mano, e conclusero che la lettera di Enrico era molto generosa e toccante, quasi un capolavoro. Per
salvare le apparenze diedero a entrambi la stessa somma, ma
vidi che di nascosto il babbo allungava a mio fratello qualche
moneta supplementare e gli diceva che era proprio un bambino buono e bravo.

Insomma, furono feste del cavolo.

Per fortuna c'erano le vacanze scolastiche e ci si poteva
divertire un po' e fare piú tardi la sera, quando venivano a
veglia i vicini.

Passavano un po' tutti, compreso Il Morto, che beveva
tre o quattro bicchieri di vino e poi se ne andava (per essere morto beveva un sacco), e la zia Irene, che ci raccontava sempre dei suoi dolori sparsi: sapeva i nomi di ossa stra-

ne che secondo me non esistevano o che doveva avere solo lei. Veniva pure suo marito Arturo, che giocava a carte col nonno, e Bagarí, che non diceva mai niente, essendo un cane (un bastardino tondo e rossiccio). Ma a Bagarí mancava solo la parola, per il resto era un abitante del paese come tutti gli altri: veniva salutato per nome come un essere umano, gli si offriva qualcosa da mangiare. La sera andava al bar, si accucciava vicino agli uomini che facevano le chiacchiere e ti aspettavi che da un momento all'altro intervenisse a dire la sua o aprisse il giornale. Poi, immancabile, da noi veniva la Tugnina. Era una vecchietta che portava sempre il fazzoletto in testa, se ne stava imbacuccata in scialli di lana anche davanti al fuoco e raccontava le favole. Centinaia, migliaia di favole.

Io ci ero cresciuto, con le favole della Tugnina, che erano la mia croce e delizia. Delizia perché in fondo erano belle, piene di fate, streghe, gnomi, draghi, contadini furbi, cavalieri, avventure, oggetti magici, situazioni terrificanti e chi piú ne ha piú ne metta. Croce perché, da qualsiasi cosa partissero, chiunque fossero i protagonisti e a prescindere dalle vicende che capitavano, finivano sempre nello stesso modo.

Magari ti raccontava la storia di un giovane che lasciava la famiglia, andava in giro per il mondo tra mille peripezie e rischiando ogni giorno la pelle, poi capitava in un reame lontano, risolveva gli indovinelli di una principessa e la sposava, ma appena finita la cerimonia di nozze arrivava l'Uomo Nero e mangiava i due novelli coniugi. Se c'era una strega malvagia che perseguitava una fanciulla buona e orfana, e questa si faceva aiutare da un mago e alla fine trovava anche un bel ragazzo ricco che la voleva in moglie, stesso epilogo: arrivava l'Uomo Nero e sul piú bello, quando le cose pareva si stessero mettendo davvero bene, ingoiava tutta la compagnia.

Lo faceva persino con le fiabe piú note, quelle che *non possono* finire in un modo diverso dalla versione ufficiale.

Ad esempio: Biancaneve mangia la mela della strega e pare morta, poi guarisce e fa festa con i Sette Nani, però l'Uomo Nero butta giú la porta, entra nella casetta e divora prima lei come antipasto, poi tutti i nani, uno dopo l'altro. La Bella Addormentata: il Principe Azzurro la resuscita con un bacio, giusto in tempo perché l'Uomo Nero, che era lí pronto, se la mangi e addio resuscitazione. Io mi arrabbiavo, protestavo, non mi rassegnavo a quei finali.

– Non è vero! – gridavo, rosso in faccia. – Il Principe Azzurro e la Bella Addormentata si sposano e vivono felici e contenti!

La Tugnina sghignazzava e diceva: – Ma neanche per sogno! È l'Uomo Nero che vive felice e contento, e a pancia piena!

Una volta addirittura raccontò che Pinocchio, dopo tante marachelle e disavventure, si stava trasformando finalmente in un bambino in carne e ossa: rimaneva solo una gamba ancora di legno, ma era questione di pochi minuti e anche quella sarebbe diventata viva e normale. Ma cosa succede? Arriva l'Uomo Nero, mangia la parte di Pinocchio bambino e usa la gamba di legno come stuzzicadenti.

A mio fratello, manco a dirlo, quei finali piacevano da impazzire. Quando la fiaba pareva volgere al termine senza tragedie cominciava a smaniare sulla sedia, preoccupato, e a chiedere: – Quand'è che arriva l'Uomo Nero? Ma è in ritardo, l'Uomo Nero?

Oppure voleva che la Tugnina gli descrivesse per l'ennesima volta quel personaggio, e lei non si faceva pregare, che pareva divertirsi un sacco a presentarcelo in tutta la sua spaventosa bruttezza.

– È grande, grosso e orrendo, – diceva stringendo gli occhi come se lo stesse guardando davvero da lontano, –

vestito di scuro, ed è cosí sporco che sono scure anche le sue mani e la sua faccia.

– Nere? – chiedeva Enrico.

– Sí, quasi nere.

– E la bocca?

– La bocca è larga come un forno, con denti forti e appuntiti.

– E poi?

– Poi ha la barba e i capelli lunghi e arruffati, scuri anche quelli. A volte sta nascosto nel bosco o comunque lontano dalla gente, ma quando è affamato esce in cerca di cibo, e indovinate cos'è che gli piace mangiare?

– Le persone! – gridava contento Enrico.

– Esatto! – conveniva lei, contenta a sua volta.

A me facevano arrabbiare, le favole della Tugnina, però in fondo mi piacevano lo stesso e non vedevo l'ora che comparisse sulla porta, andasse a sedersi accanto al camino e dicesse: – Ve l'ho mai raccontata la storia di quelle due sorelline?

Anche se già sapevi, le due sorelline, a cosa sarebbero andate incontro, poverette: avrebbero patito miseria, soprusi, pericoli, avrebbero contato sulla fata tal de' tali che prometteva loro mari e monti, e poi *zac!*, sarebbe arrivato l'Uomo Nero e le avrebbe usate da merenda.

Io il 6 di gennaio, regolarmente, mi intristivo. I miei nel pomeriggio ci obbligavano a smontare l'albero di Natale e il presepe, quasi che lasciarli qualche giorno in piú fosse peccato mortale.

Cercavo di opporre resistenza, di tenerli ancora per un po', perché mi mettevano allegria e mi facevano pensare che le vacanze non fossero finite, ma niente da fare.

Provavo a dire che i Re Magi erano appena giunti davanti alla capanna ed era maleducato che, dopo che avevano girato tanto, gliela toglievi da sotto il naso e li rinchiudevi nella scatola, che non facevano neppure in tempo a consegnare i doni a Gesú. Magari l'anno dopo ci pensavano due volte prima di faticare per niente: vedevano la stella cometa ma dicevano chi se ne frega, tanto compriamo l'oro, l'incenso e la mirra, prepariamo i bagagli, ci infiliamo in un viaggio che si passa dal deserto con i cammelli alla neve e al freddo, poi, quando finalmente arriviamo alla meta, ci chiudono il presepe in faccia e dobbiamo aspettare altri dodici mesi per riprovarci.

Quell'anno smontammo come sempre a malincuore, io scuro in volto anche perché la Befana non mi aveva portato un soldo.

Anche lei, che girava a fare? Tutta quella messa in scena, la scopa volante, il venire di notte con le scarpe tutte rotte, la fatica di infilarsi nei camini, il sacco sulle spalle... perché, vecchia e rachitica com'era, non se ne stava a casa sua, invece di venirmi a mettere nella calza qualche noce, qualche carruba e i boeri con la ciliegia dentro? A me le noci e le carrube facevano schifo e i boeri già me li portava il nonno dal bar, quando vinceva a briscola.

Provai a fare una permuta con la mamma: le davo noci, carrube, mandarini, boeri e tutto quell'ambaradàn da miseria per cinquanta lire. Disse che non si poteva, che poi la Befana se ne aveva a male, che era tradizione, che un dono va sempre apprezzato e via discorrendo.

Io obiettai che il dono lo apprezzavo, solo che volevo venderlo. Tra l'altro sospettavo già che fossero i miei a riempire la calza, quindi delle rimostranze della Befana non mi preoccupavo piú di tanto. Ma la mamma non cedette.

Allora, dato che mio fratello si era arricchito col «buon anno» e che stranamente quelle porcherie gli piacevano, tentai di venderle a lui. Accettò, mangiò i miei boeri e le mie noci, poi al momento di pagare disse che i soldi li aveva messi nel salvadanaio e non poteva prenderli. Alzai le mani per dargliele e lui minacciò una denuncia al babbo.

Lasciai perdere. Gesú Bambino era appena nato e con tutto quello che già gli era successo, cioè di ritrovarsi in una stalla al freddo e al gelo e di non avere avuto neppure il tempo di ricevere i regali dai Re Magi, probabilmente non era dell'umore e nella possibilità di farlo, ma prima o poi avrebbe punito Enrico.

A distogliermi da quei pensieri di vendetta per interposta persona fu la voce del nonno che, inframmezzando a ogni parola almeno tre bestemmie, da fuori gridò che ricominciava a nevicare di brutto.

Mi fregai le mani. La sera prima la zia Irene aveva detto che non riusciva piú a spalare la neve perché le doleva un osso mai sentito nominare, e che a suo marito Arturo non lo si poteva chiedere, dato che non aveva mai fatto un tubo in tutta la sua vita e non aveva alcuna intenzione di cominciare adesso che era vecchio.

Questa faccenda di Arturo ve la devo raccontare. Prima di andare in pensione era stato fattore, cioè aveva tenuto i conti di un tipo che possedeva due o tre poderi, fregandolo sempre e guadagnandoci da vivere, e anche da vivere bene. Ma con le mani e il sudore della fronte non aveva mai fatto niente e la parola lavoro gli procurava il mal di testa, perché era cosí pigro che al riguardo si raccontavano storie buffe, in paese. Una di queste il nonno la ricordava sempre, perché da ragazzino ne era stato testimone, o almeno cosí diceva.

Era successo che all'età di sei anni Arturo non aveva ancora emesso una sillaba, tanto che i genitori e tutti gli altri pensavano che fosse muto, o ritardato. Il padre di Arturo ogni sabato mattina si faceva accompagnare dal figlio in piazza, dove c'era il mercato ambulante, e dopo il giro delle bancarelle lo portava al bar e gli comprava un dolce. Una volta, al bancone del bar, trovò degli amici e si mise a chiacchierare che non la finiva piú, allora il piccolo Arturo gli tirò la giacca e gli disse: – Babbo, e il mio dolce? Tutti si meravigliarono, gridarono al miracolo. La proprietaria del locale si buttò in ginocchio, pensando già di erigere una cappella votiva accanto al bancone, e un uomo corse fuori per andare dal parroco a dirgli di suonare le campane, perché si era verificato il prodigio che un bambino muto aveva parlato. Insomma, un gran parapiglia; si pensò a un possibile intervento della Madonna o di san Biagio, che era il patrono di giornata, finché il padre di Arturo, che era ateo, si chinò sul bambino e gli chiese: – Figlio mio, ma perché prima non avevi mai detto una parola?

Lui rispose che non aveva mai parlato perché gli scocciava, gli pareva una cosa troppo faticosa. Insomma, per pigrizia. E pigro a quel modo era rimasto per tutta la vita.

Per tornare alla neve, dunque, figuriamoci se Arturo l'avrebbe spalata dal cortile e dal vialetto (sosteneva che, non avendocela messa lui, non era lui a doverla togliere), e quell'anno l'Irene, che l'aveva sempre fatto in precedenza, aveva piú artrite del solito e non se la sentiva. Cosí corsi da loro (abitavano nella casa a fianco) e mi offrii di farlo io.

Accettarono. Andai a casa di gran carriera, mi misi berretto e guanti, e sempre di gran carriera tornai dagli zii. Di neve ne cadeva in abbondanza e in terra ce n'era già un bel po', visto che quella dei giorni prima non era stata toccata.

Sudando e gemendo, con un accidente di badile grande il doppio di me, iniziai la battaglia contro gli eventi naturali: ma commisi un errore madornale. Quella volta imparai che non è il caso di spalare la neve mentre sta ancora cadendo a tutto spiano.

Ebbi fretta, troppa fretta, e il desiderio di guadagnare qualche soldo mi si ritorse contro. Per farla breve, quando cominciò a venire buio io avevo sbadilato quintali di neve, ma era come se non avessi fatto niente perché nel cortile e nel vialetto ce n'era quanta prima. Arturo, stravaccato in poltrona, disse che andava bene cosí, che tanto non sarebbe uscito neppure se glielo ordinava il medico, quindi anche se rimaneva neve alta un metro faceva lo stesso. La zia Irene invece obiettò che non si vedevano risultati, quindi non mi avrebbero pagato.

Si consultarono per un po' sottovoce, poi la zia, fingendo di provare pena per me, che ero stravolto e fumavo come un cavallo da corsa, mi promise che quando la gatta avesse fatto altri piccoli me ne avrebbe regalato uno. Io replicai che Merdo ci bastava e avanzava e che volevo almeno cento lire, visto che mi ero spaccato la schiena per ore.

Alla fine, siccome io non me ne andavo e Arturo voleva dormire, ché era troppo stanco di stare lí ad ascoltarci, la vecchia spilorcia, sbuffando, mi diede cinquanta lire. Sommandole a quelle che mi aveva portato la Befana, sempre cinquanta lire erano.

Non fu per niente una buona giornata.

Il primo giorno dopo le vacanze, a scuola trovai che c'era una bambina nuova. I suoi si erano trasferiti in paese da pochi giorni, provenendo dalla città. E che era cittadina si vedeva: era molto piú bella di tutte le altre bambine della mia classe messe insieme, aveva i capelli chiari ben curati e ornati di nastrini, calzava scarponcini di vernice blu, che non sapevo neanche li facessero di un colore cosí; e poi profumava di buono, parlava bene, era composta e fine.

A me le bambine di solito davano noia, non le volevo tra i piedi nei miei giochi né socializzavo molto con loro a scuola, ma mi ritrovai, quella mattina del 7 gennaio, a guardarla di continuo. L'avevano messa nel banco di fianco al mio, quindi mi era comodo osservarla e sarebbe stato facile anche parlarle, ma non sapevo proprio che dire. Mi venne in mente solo di sussurrarle: – Che bell'astuccio che hai! – perché era vero: era fantastico, pieno di matite colorate, di pennini di ogni tipo, di gomme dalle forme strane. Lei per tutta risposta mi fece un breve sorriso.

La maestra ce l'aveva presentata dicendo che si chiamava Allegra (nome che mi parve subito stupendo) e, conoscendoci, ci chiese almeno di non picchiarla, che come benvenuto non andava bene.

Picchiarla? Non ci pensavo proprio. Non sapevo perché, ma per tutta la mattina non feci altro che strologare pretesti per dirle qualche altra parola e per attirare la sua attenzione.

A un certo punto, mentre ci spiegava storia, l'insegnante parlò di Garibaldi. Lei aveva questo modo particolare di fare lezione: diceva una frase e poi portava il tono sull'interrogativo, tipo quiz di Mike Bongiorno, come si aspettasse che noi sapessimo già le cose. Se le avessimo sapute, col cavolo che saremmo andati a scuola per impararle, ma lei aveva questa abitudine e non c'era modo di fargliela smettere.

– Dunque, Garibaldi arriva sul suo cavallo a Teano: e chi incontra, lí? Chi trova?

Nessuno ovviamente rispose. Chi trova? E chi lo sa! Può trovare chiunque.

Ora, io non avevo idea di chi ci abitasse allora a Teano, anzi, Teano non sapevo neanche dove fosse, fino a un minuto prima non sapevo neppure che esistesse, quindi come avrei potuto indovinare chi incontrò Garibaldi? I nemici? Gli amici? I carabinieri? Un parente che non vedeva da tanto tempo? I corridori del Giro d'Italia? Vattelappesca!

– Sforzatevi, su! – disse la maestra. – Non vi ricordate cosa vi ho detto l'ultima volta?

L'ultima volta significava quindici giorni prima, prima di Natale, prima di Capodanno e dell'Epifania, figurarsi se ci ricordavamo.

Per fortuna c'era sempre qualcuno che, per schiodare la situazione e non stare sotto la minaccia di una domanda sospesa sulle nostre teste come una ghigliottina, buttava lí la prima cosa che gli veniva in mente.

– Napoleone Bonaparte? – tentò Benelli.

La maestra diventò rossa in faccia e respirò forte nel naso. – Napoleone a quel tempo era morto da una quarantina d'anni, quindi non c'entra niente. Dunque, chi incontrò Garibaldi?

Io stavo per dire che anche Il Morto era deceduto da una trentina d'anni eppure l'incontravo tutti i giorni, ma mi trattenni.

Gli occhi della maestra continuarono a roteare su di noi come poiane su un branco di pulcini. – Allora, chi incontrò? – chiese di nuovo.

– Un lupo? – intervenne Sintini.

La bambina nuova scosse la testa, ridacchiò e disse piano: – Che stupidaggine! È san Francesco che incontrò il lupo.

Io, che 'sta cosa di san Francesco non la sapevo e che avevo pensato solo a Cappuccetto Rosso, sghignazzai comunque a mia volta e finsi di convenire con lei: – Già, che sciocchezza!

A quel punto lei si sporse verso di me e mi chiese: – Ma tu la sai o no la risposta?

Con la testa feci cenno di sí, ma presi tempo grattandomi un ginocchio. Insomma, avrei voluto saperla e mi sforzavo di pensarci, ma non mi veniva in mente nulla. Nella stanza del nonno, che si interessava di politica e portava sempre

all'occhiello un distintivo a forma di edera, c'era un quadro grande con la faccia di Mazzini, e sull'altra parete ce n'erano due piú piccoli: uno raffigurava Garibaldi con berretto, mantello e bastone, nell'altro c'era la foto di un capo dei repubblicani. Se stavano appesi vicini, un motivo ci doveva pur essere. Ma come accidenti si chiamava, quello della foto? All'improvviso me ne ricordai e sussurrai alla bambina:
– Io dico che incontrò Ugo La Malfa.
– Ah, sí? – fece lei.
Annuii e stavo per aggiungere qualcosa, quando la maestra la chiamò: – Allegra?

Lei alzò la mano, attese educatamente il permesso dell'insegnante, poi disse con voce alta e sicura: – Il re. Incontrò il re Vittorio Emanuele II.

Saltò fuori che era vero. Forse, nella scuola che la bambina nuova frequentava prima, erano piú avanti col programma.

Fatto sta che per il resto della mattinata non ebbi piú il coraggio di dirle una parola, perché sentivo di avere fatto la figura dello stupido.

Allegra dal canto suo non mi rivolse piú lo sguardo neppure per sbaglio.

5. Febbraio 1963

A febbraio successero un sacco di cose, fra cui quella grossa che capitò a mio cugino Luciano. Per me fu un colpo di fortuna, per lui fu un colpo e basta. Un brutto colpo. Luciano aveva ventun anni e da pochi mesi aveva finito il servizio militare. Fino alla naia non aveva mai fatto un tubo perché, diceva, era meglio aspettare di essersi tolto quel dente prima di trovare un lavoro, ché magari se devi ancora andare soldato nessuno ti dà un posto fisso. Dopo il congedo, sospirava che doveva riprendersi dalle fatiche della caserma e guardarsi attorno per scegliere l'impiego migliore che ci fosse. Fatto sta che tutto il giorno gironzolava in bicicletta per il paese, se ne stava al bar a giocare a biliardo o a carte oppure andava a caccia e a cercare tartufi.

Qualche volta sosteneva che fosse possibile vivere solo di quello, cioè di caccia e raccolta, come gli uomini delle caverne che io avevo studiato a scuola. Lui poteva sí, visto che abitava con i genitori che lo mantenevano. E comunque come uomo delle caverne non ce lo vedevo, perché andava dal barbiere due volte alla settimana e si metteva persino la lacca sui capelli, si pettinava con una riga scolpita e perfetta e la testa gli luccicava che pareva cromata. E poi si alzava sempre tardi, mentre secondo me gli uomini primitivi si alzavano all'alba, dato che la sera andavano a letto molto presto. Che cosa avrebbero fatto, svegli, che non avevano la luce, né la radio, né il bar, né niente? Si infilavano nelle caverne e si annoiavano cosí tanto che si addormentavano subito. Luciano invece rientrava a casa non prima dell'una o delle due di notte. Il militare l'aveva fatto a Bologna, e da quando era tornato parlava solo di quella città e ne aveva preso l'accento. *Sòccia*, diceva sempre. Quando mi vedeva mi chiedeva: *Cum vàla, cinno?* Se giocava a calcio nel campetto davanti alla chiesa, il pallone lo chiamava *al fòtbal*, che io credevo fosse inglese e invece lui giurava che era bolognese. Sosteneva che i tortellini sono migliori dei cappelletti e che la mortadella è piú buona del salame. Insomma, era una gran palla con tutto 'sto parlare di Bologna, che pareva fosse stato in vacanza invece che in caserma. Le donne di laggiú poi, a sentire lui, se l'erano litigato, tutte lo volevano e lui aveva cercato di accontentarne il maggior numero possibile.

Per qualcuno Luciano era un bel tipo, un simpatico dritto; per tutti gli altri era un coglione. Io ero indeciso tra le due cose. I miei lo consideravano un parassita, oltre che un coglione. I suoi non lo consideravano proprio: si erano rassegnati e non gli parlavano piú, forse speravano che venisse rapito dai marziani.

In tutto il su e giú che faceva in bicicletta per le strade del paese, fischiettando e dandosi le arie, era sempre accompagnato da Pess-can, un cane chiamato cosí, Pescecane, perché mordeva qualsiasi persona gli capitasse a tiro, anche se a prima vista pareva tranquillo, anzi mezzo scimunito. Io credo che i genitori di Luciano fossero contenti e ritrovassero la parola solo quando lui e Pess-can uscivano di casa, perché quel cane mordeva anche i membri della famiglia. Insomma, se si fosse verificata la fortuna del rapimento di mio cugino da parte dei marziani, di certo Pess-can avrebbe cercato di morderli e loro lo avrebbero fatto fuori con una di quelle pistole che sparavano raggi verdi, cosí i miei zii avrebbero potuto liberarsi di due problemi in un colpo solo. A febbraio, l'ultimo giorno di Carnevale, c'era il veglione nella casa del popolo, cioè nel circolo dei comunisti. Ci andavano tutti, anche quelli che là, per motivi di politica, non ci mettevano piede per tutto il resto dell'anno e anzi sputavano in terra quando ci passavano davanti. Si cominciava già a dicembre a preparare i vestiti con cui mascherarsi, e si metteva in moto un grande lavoro di spionaggio perché nessuno avrebbe voluto addobbarsi, che ne so, da Zorro, e ritrovarsi in mezzo ad altri trenta Zorri.

Io quell'anno avevo chiesto un travestimento da astronauta, ma mia madre, che i vestiti di Carnevale me li faceva lei, disse che era troppo complicato e che era meglio se facevo il cow-boy come l'anno prima, che bastava aggiustarmi il costume vecchio.

Ci rimasi male perché ero convinto che ci fossero tanti amici miei a cui sarebbe stato aggiustato il costume da cowboy dell'anno prima, e come sempre la casa del popolo sarebbe sembrata un saloon del Far West. Mio fratello invece, che andava sempre a guardare *La tv dei ragazzi* a casa del suo amico Gianni e ne conosceva tutti i personaggi, si incaponí che voleva mascherarsi da Rin Tin Tin. Pensammo che volesse travestirsi da Rusty, il proprietario di quel cane, cioè un bambino dalla faccia da adulto in divisa da caporale, che gli indiani quando lo vedevano dovevano scompisciarsi dalle risate. E invece no: voleva proprio un costume da cane lupo. Gli spiegammo che era impossibile e pianse per mezz'ora.

Mio cugino Luciano, fissato com'era con Bologna, decise di vestirsi da Dottor Balanzone. Tutti gli dicevano che era una roba che non si usava piú, che era ridicolo, ma a lui piaceva fare il bastian contrario e quindi non solo perseverò, ma andò a Imola a comprarlo, il costume da Balanzone, e si fece dare anche il cappello, la borsa delle medicine, il bastone e una barba grigia finta.

Venne da noi e chiese a mia madre, che era brava come sarta, se gli provava i pantaloni e il mantello e glieli aggiustava su misura, perché era vanitoso, e a me, prima di andare al veglione, chiese se l'aiutavo a mettere bene la barba, che non voleva saperne di rimanergli attaccata alla faccia. Ci provai e riprovai, ma non ci fu niente da fare. Allora mio padre, che di solito Luciano non lo voleva neanche vedere, si interessò alla faccenda e si offrí di trovare un rimedio.

– Ho la colla giusta, – disse, e andò nella rimessa a prendere il barattolo di un mastice che si preparava da sé e che, giurava, era il migliore che fosse mai stato inventato, e una volta aveva pure annunciato che voleva venderne il brevetto agli americani o ai russi, che se lo avessero usato per costruire i razzi spaziali questi non si sarebbero rotti neppure sbattendo contro un meteorite.

Il babbo aveva da sempre la fissa di preparare intrugli strani. Quando non era in giro nei mercati del bestiame o ad acquistare bovini dagli allevatori della zona, passava ore a mescolare liquidi e polverine e a far bollire misture varie su un fornello, suscitando vapori, puzze insopportabili e il panico di tutta la famiglia. In certi pomeriggi se ne stava rintanato per ore nel suo «laboratorio» da cui a volte scappava fuori con gli occhi rossi e lacrimanti, tossendo e sputacchiando. Quella stanza della rimessa per me, Enrico e la mamma era come la camera segreta del castello di Barbablú, in cui le mogli del protagonista della fiaba non possono entrare per nessun motivo. Mio padre ci aveva avvertito che là dentro c'erano veleni micidiali ed esperimenti in corso che non andavano disturbati, quindi che ne restassimo alla larga, perché c'era il rischio di lasciarci la pelle o di far fallire la piú grande scoperta del secolo.

Non aveva alcuna istruzione in materia: quella passione e le nozioni che conosceva gli venivano da Ferruccio Casadio, un suo amico impiegato come chimico alla cantina sociale. Spesso il babbo lo raggiungeva sul posto di lavoro, lo ammirava all'opera e, diceva, gli dava anche una mano. Mi aveva raccontato che riuscivano a fare vino bianco con l'uva rossa, vino rosso con l'uva bianca, vino sia bianco che rosso senza uva, eccetera.

A me non sembrava una cosa normale e mi destava sospetti il fatto che servisse un chimico per fare il vino, dato che a quanto ne sapevo bastava pigiare l'uva. Non doveva apparire una roba sensata o giusta neppure ai carabinieri, che una volta Ferruccio lo avevano persino arrestato, ma il babbo era entusiasta delle capacità del suo amico e consigliandosi con lui aveva elaborato sostanze spettacolari quasi come il vino senza uva. Una consisteva in un diserbante, che un giorno provò in un angolo dell'orto pieno di sterpaglie. Funzionava, eccome: dalla porzione di terreno su cui lo gettò scomparve per sempre non solo il verde, ma ogni apparenza di vita e di normalità, tanto che quel cerchio bruciato, somigliante a un cratere lunare, cominciai a chiamarlo Hiroshima. Lí la terra appariva calcificata, grigia come la cenere e continuava a emanare un sentore acre, e il babbo dovette concludere che il prodotto era sí efficace, ma forse lo era un po' troppo.

Una volta, per curiosità, presi una chiocciola che stava dormendo appiccicata a un tronco e la misi al centro di Hiroshima: volevo vedere se per andarsene da quel postaccio si sarebbe data una mossa, aumentando la propria velocità. In effetti, nonostante le fosse difficile avanzare sulla terra asciutta, fece i primi dieci centimetri in un secondo, poi si bloccò, si rintanò nel guscio e non diede piú segni di vita. Quando provai a farla uscire, mi accorsi che dentro il guscio c'era solo un grumo di carne secca e morta. Altro che quella del mastice: secondo me agli americani o ai russi sarebbe interessata soprattutto la formula del diserbante, che poteva essere un'arma veramente terribile.

Un'altra scoperta di mio padre fu quella del veleno per topi che, nelle sue intenzioni, doveva avere l'odore e il sapore del formaggio. Che puzzasse vagamente di cacio rancido era vero, perché tutta la famiglia poté constatarlo ammirata, anche se mio fratello, facendo una smorfia di disgusto, disse che pareva piú che altro di annusare piedi sporchi; ma che il sapore fosse quello giusto non venne mai provato, dato che ovviamente a nessuno fu consentito o venne in mente di assaggiarlo. Lo sperimentammo mettendone una ciotola nel bugigattolo vuoto che stava accanto al porcile, quello che il nonno voleva trasformare in rifugio antiatomico: quel vano, a quanto appariva dalle numerose cacate, veniva usato quotidianamente come luogo di ritrovo o di passaggio dai sorci. Praticamente era la loro piazza.

Anche quel ritrovato funzionò, seppure in modo diverso da quanto ci si aspettava: i topi lo mangiavano di gusto, visto che la ciotola si vuotava in fretta, ma non morivano, o perlomeno non morivano subito; si gonfiavano come palloni e non riuscivano piú a infilarsi nei loro buchi nei muri o a passare sotto la porta scassata. Te li trovavi davanti fermi, incapaci di camminare tanto erano rotondi, e li dovevi abbattere a badilate.

Il babbo concluse che la ricetta andava perfezionata, perché a nessuno piace ritrovarsi per casa topi gonfi da schiacciare col badile, e come sempre archiviò la faccenda passando ad altro.

Insomma, era appassionato dei propri intrugli e tentativi ma forse non aveva la costanza di lavorarci fino al successo completo.

Il mastice attaccatutto invece era largamente collaudato e piú o meno perfetto. Con quella roba la barba finta si attaccò benissimo sul viso di Luciano, che era felice come una pasqua e non la smetteva piú di guardarsi allo specchio. Prima di uscire da casa nostra disse per scherzo al nonno:
– Sono il Dottor Balanzone; vuoi che ti faccia un salasso? O che ti metta una supposta? Sono le mie specialità!

Il nonno senza scomporsi fece cenno alla doppietta appesa al muro e rispose che la sua, di specialità, era usare quella, allora Luciano ridacchiò nervoso e uscí alla svelta, perché sapeva che il vecchio friggeva dalla voglia di sparare a qualcuno e che prima o poi l'avrebbe fatto davvero.

La prima cosa di cui mi preoccupai, quando arrivai nella casa del popolo, fu di verificare se c'era Allegra. Sapevo che probabilmente non sarebbe venuta, perché la sua famiglia non socializzava con nessuno. Suo padre era il nuovo direttore della banca del paese e forse si sentiva troppo importante e altolocato per confondersi con gli altri. La bambina non era molto diversa: se ne stava sulle sue, ci teneva a dirti che veniva dalla città e che era di rango superiore. Dunque, perché a scuola continuavo sempre a guardarla di nascosto e ad ammirarla, quella smorfiosa?

In ogni caso fui quasi contento di non vederla alla festa: mi sarei sentito meno libero, se fosse stata presente. Meno libero di schiamazzare, di mangiare ungendomi i vestiti, di correre con gli altri. Mi metteva un po' soggezione, Allegra, dovevo ammetterlo; sempre che di soggezione si trattasse.

Il veglione fu bellissimo: tutti ballavano, ridevano, si rimpinzavano e bevevano, tiravano stelle filanti e coriandoli e inoltre, come ogni anno, successero molte cose divertenti.

La prima fu che Culo Parlante e suo marito caddero mentre ballavano in mezzo alla sala. Lei la chiamavano cosí perché aveva un didietro enorme, ed era enorme tutta: le tette, la pancia, eccetera, e inoltre era una tipa che aveva da dire su chiunque e su qualunque cosa; blaterava di continuo a voce altissima, credeva di essere intelligente e invece non capiva un tubo; era solo una pettegola invadente. Lui, il marito, un omino calvo, pesava la metà della moglie e non diceva mai una parola, ché non ci sarebbe riuscito neanche volendo, visto che parlava sempre lei. Quella sera a un certo punto fecero un valzer, e Culo Parlante sballottò questo ometto come un bambolotto di pezza finché non scivolarono sui coriandoli e finirono gambe all'aria, con tanto di vista delle mutande del donnone.

Poi successe che Gino Rospo (Rospo non era il cognome, ma un soprannome che si era meritato per quanto era brutto), uno scapolo trasandato e selvatico che a cinquant'anni si ritrovava già senza i propri denti naturali, mangiò troppa pizza fritta e bevve un sacco di vino, cosí vomitò. Fin lí la cosa poteva essere solo schifosa, ma fu invece straordinaria perché lui si chinò a raccogliere dalla pozza la dentiera e se la rificcò in bocca, tra gridolini di donne disgustate e facce che si giravano dall'altra parte. Io e Francesco in seguito ne parlammo per settimane e convenimmo che era stata una delle scene piú belle che avessimo visto nella nostra vita.

A una certa ora, altra cosa eccitante, vennero dichiarati dispersi mio fratello e Gianni, il suo amico del cuore nonché compagno di banco (facevano la prima elementare), che era strano almeno quanto lui.

Mia madre non vedeva Enrico da un po', e quando chiese in giro risultò che nessuno sapeva dove si fosse cacciato insieme a quell'altro. Scattarono le ricerche, si interruppero la musica e le danze, tutti a perlustrare stanza per stanza, a salire le scale, ad andare nelle cantine e fuori in cortile, persino di pattuglia nelle strade, ma dei due piccoli mentecatti nessuna traccia.

I miei cominciarono a dare di matto, mia madre sosteneva che li avevano certamente rapiti. Io cercavo di farla ragionare e dicevo che nessuno avrebbe mai voluto prendersi due rompicoglioni simili, e che se anche fosse successo li avrebbero riportati dopo pochi minuti, quando si fossero accorti di com'erano. Ma lei non mi ascoltava e piangeva come un'isterica.

Poi li trovarono: erano andati nella stanza in cui alcune donne friggevano la pizza e le castagnole e si erano nascosti dentro una credenza, per aspettare che non ci fosse nessuno e rubare i dolci (una cosa assurda, visto che di dolci, e gratis, ce n'erano a quintali su tutti i tavoli). Aspetta e aspetta, si erano addormentati nella credenza e li trovarono solo perché Gianni aveva delle adenoidi grosse come albicocche e russava da far paura.

Infine ci fu la storia *clou*, quella di mio cugino Luciano.

Per tutta la sera era andato da una ragazza all'altra presentandosi come Dottor Balanzone e chiedendo se poteva visitarle, al che loro avevano riso in quella maniera scema che conoscono solo le ragazze. Verso la fine della festa, però, si era seduto da solo a un tavolino perché aveva un prurito e un caldo in faccia che non ne poteva piú per via della barba. Allora, visto che ormai la sala si stava svuotando e non c'erano piú ragazze da visitare, decise di togliersela.

– *Sòccia, ragasúl*, come irrita 'sta cosa! – disse, e provò a tirarla via.

Non si allentò neppure.

Allora si sedette e provò con entrambe le mani. Niente da fare. Tira e tira, se ne staccò solo un angolino, portandosi dietro un paio di centimetri quadrati di pelle. Sotto rosseggiavano la carne viva e il sangue.

Lui cercò di riderci su, bevve una birra, tirò ancora e gli vennero le lacrime agli occhi. – *Sòccia...* – continuava a dire.

Quelli che erano ancora nella casa del popolo si fecero intorno a lui. C'era chi diceva che bisognava dare un bello strappo secco, che magari soffrivi un po' ma risolvevi il problema, chi consigliava di bagnare l'attaccatura per ammorbidire la colla, chi proponeva di ricorrere a un raschietto, eccetera.

Mio padre, che ridacchiava e pareva divertirsi molto davanti al dramma di Luciano, gli assicurò che la barba poteva fargliela sparire in un secondo applicandovi sopra un diserbante speciale, ma lui non acconsentí: forse ne aveva avuto abbastanza del mastice.

Provarono di tutto, riprovarono, e a Luciano passò la voglia di scherzare perché quella cosa non veniva via con niente.

– Ci vuole dell'acetone, – disse a un certo punto Renzo, il meccanico.

Mio cugino annuí, ormai annuiva a qualsiasi cosa gli dicessero.

Visto che era d'accordo decisero di portarlo dalla Mariangela, la parrucchiera ed estetista, che lei di acetone ne aveva di sicuro.

La Mariangela dormiva da piú di un'ora nell'appartamento sopra la sua bottega, perché dalla festa se n'era andata presto, stufa che le mettessero le mani sul culo; ma a forza di urla e pugni sulla saracinesca la svegliarono e la costrinsero a venire giú in vestaglia.

– Ma che accidenti volete? – borbottò. Non era raro che qualcuno andasse da lei di notte, perché a quanto pare non le piaceva dormire da sola, ma di solito veniva svegliata dal telefono o dal campanello, e non da un baccano simile.

Quando le spiegarono la situazione fece entrare la comitiva e convenne che sí, l'acetone poteva andare bene, ma lei aveva solventi ancora piú forti, roba che avrebbe staccato i bulloni senza svitarli.

Fecero sedere Luciano sulla poltrona davanti al lavandino, gli misero un asciugamano al collo come se dovessero fargli una permanente e lei prese a versargli in faccia 'sta roba che puzzava da fare svenire e ti faceva piangere come se ti fosse morta tutta la famiglia.

A mio cugino gli effluvi dei solventi andavano non solo negli occhi, ma anche nel naso, in bocca; si agitava, si lamentava, tossiva e lacrimava come una fontana. Solo la barba finta pareva indifferente al trattamento.

A un certo punto Luciano alzò una mano a chiedere una pausa, si tolse l'asciugamano dal collo e si alzò barcollando. – Porca miseria, che storia! – disse, senza alcun accento bolognese. Poi chiese una sigaretta, sostenendo che doveva prendere respiro prima di ricominciare con i tentativi.

Andò sulla porta e fece scattare l'accendino. Fu allora che successe il disastro: impregnati di solventi, gli presero fuoco sia la barba finta che la faccia e i capelli, in una specie di esplosione.

Luciano pareva un enorme fiammifero acceso. Prima si buttò le mani in testa cercando di soffocare le fiamme, poi ululando si lanciò a correre, con tutti dietro. Divorò la via principale alla velocità di un missile, svoltò, sbandando per via del ghiaccio, nella traversa in cui abitava, superò senza guardarla casa sua, arrivò in fondo dove iniziava la campagna, poi, come un mortaretto impazzito, lo si vide zigzagare in una vigna finché non inciampò e cadde dentro un fosso pieno d'acqua gelata.

Fu la sua fortuna: si spense.

Allora mio padre, che cominciava a preoccuparsi e forse a sentirsi un po' in colpa, bussò alla porta di uno che abitava vicino al luogo del disastro, entrò e telefonò per far venire un'ambulanza.

Quelli arrivarono, caricarono mio cugino e videro che era ridotto male: la testa gli fumava ancora e il resto era mezzo congelato. La barba finta, o quello che ne restava, era sempre attaccata alla pelle e gliela tolsero in ospedale che ci misero ore, perché prima ci provarono con le buone e poi dovettero usare i mezzi forti, che non voglio neanche immaginare come fecero. Alla fine pareva che Luciano si fosse beccata una fucilata a bruciapelo, una roba che faceva impressione.

Come dicevo, questa storia per lui fu un brutto colpo. Intanto perché venne preso in giro da tutto il paese, poi perché la sua faccia, dopo l'incidente, pareva una braciola di maiale cotta alla griglia. Per me invece fu una fortuna: c'erano servigi quotidiani che non poteva chiedere ai suoi genitori, tipo portare bigliettini a tre o quattro ragazze o comprare la birra e i fumetti.

Cosí per un po' diventai il factotum di Luciano.

Fra i miei compiti c'era anche quello di portare a spasso Pess-can (i miei zii, che lo consideravano un animale degenerato, non volevano neppure toccarlo). Lo legavo al guinzaglio e me lo tiravo dietro in bicicletta finché non iniziava a tirare lui, e sempre in una direzione: quella che portava al bar, dove voleva entrare perché c'era un sacco di gente e con tutte quelle gambe da mordere andava in brodo di giuggiole.

Quando volevo impedire che attaccasse i passanti cercavo di farlo giocare, e l'unico gioco che si potesse fare con Pess-can era quello di lanciare lontano qualcosa cosí correva a riprenderla. Che è pure una roba normale per i cani, ma lui la faceva alla propria maniera: a volte ti riportava ciò che avevi tirato, ma piú spesso con quello in bocca correva per fatti suoi e se provavi a togliergli il bottino dalle fauci cercava di inghiottirlo o ti ringhiava contro.

Un altro problema era che, secondo Pess-can, ogni oggetto che si muovesse nell'aria era destinato al suo divertimento, per cui, ad esempio, se passavi accanto al posto dove i vecchi giocavano a bocce, lui acchiappava al volo le palle che quelli tiravano e se le portava via.

A volte mi stancava e mi faceva ammattire cosí tanto che mi veniva la tentazione di portarlo nel mio orto e, con l'aiuto di un cestone da fieno rovesciato, confinarlo nel cerchio spoglio e letale di Hiroshima, per vedere se si dava una calmata.

Per tornare al mio bisogno di far cassa, dopo Carnevale, visto che Luciano mi pagava per quelle commissioni, misi da parte qualche soldino. E meno male, perché un paio di settimane prima avevo perso all'ultimo minuto un buonissimo affare. E avevo pure perso una persona di cui ho vi ho già raccontato qualcosa.

Era andata cosí: non tutti avevano la tivú in casa, perlomeno nel nostro paese, e anche chi l'aveva in certe occasioni si divertiva di piú a guardarla in compagnia, ché il bello erano i commenti. Quindi, quando c'erano trasmissioni importanti, si andava a vederle nella sala al piano superiore della casa del popolo: un camerone che puzzava di fumo in maniera orrenda, dato che qualcuno aveva avuto la bella idea di mettere alle pareti una tappezzeria di velluto. Di che colore fosse stato il velluto in origine non ho idea, però allora era grigio-marrone per via delle sigarette.

Lo stanzone puzzolente si riempiva soprattutto per il Festival di Sanremo, quando ci andavano almeno i tre quarti degli abitanti del paese, compresi quelli che nella casa del popolo non ci mettevano mai piede e sputavano in terra quando ci passavano davanti, eccetera.

Là dentro però c'erano solo una ventina di sedie, che non bastavano, quindi bisognava portarsele da casa, ed era buffo vedere un sacco di gente che camminava al buio con una sedia in mano: pareva la migrazione di un popolo che doveva abbandonare tutto perché, che ne so, arrivavano i barbari o si scopriva che sotto l'orto del tale stava per nascere un vulcano, e per il viaggio aveva deciso di portarsi non il mangiare e il bere, ma solo l'occorrente per sedersi ogni tanto.

E in effetti c'era chi lo faceva, soprattutto i piú vecchi e quelli che abitavano piú lontano, cosí che ti imbattevi in persone sedute in mezzo a un crocicchio a fumare e chiacchierare, o a lamentarsi del mal di schiena e dei calli ai piedi. Capitava pure che iniziassero a discutere di argomenti su cui ognuno aveva qualcosa da dire, e si accanissero, tanto che si faceva tardi per la tivú e passavano tutta la sera seduti all'aperto e poi tornavano a casa.

L'occasione del Festival di Sanremo, pensai quell'anno, era d'oro ed era pane per i miei denti. Quelli che avevano mal di schiena, o i calli, o semplicemente non volevano faticare, avrebbero forse negato la mancia a un ragazzino volenteroso ed educato che gli portava la sedia fino allo stanzone puzzolente, che alla fine del viaggio per arrivarci si doveva anche salire una rampa di scale? Mai l'avrebbero negata! Anzi, i borsellini si sarebbero aperti a far piovere monete nelle mie mani, e in piú il giorno dopo sarei stato sulla bocca di tutti come il bambino piú buono del paese, o addirittura dell'intera provincia.

Magari mi mettevano pure la foto sul giornale e mi davano uno di quei premi-bontà che si usavano allora (e speravo che fosse un premio in denaro, ovviamente). Mi immaginavo già una scena in cui il babbo di Allegra, che il giornale lo leggeva di sicuro tutte le mattine, la chiamava, indicava la mia foto col dito e le chiedeva: «Ma non è in classe con te, questo bambino straordinario?»

Per farla breve, la sera conclusiva del Festival, quando c'era il maggiore afflusso alla casa del popolo, io mi misi in

moto subito dopo cena e corsi come un matto da una strada all'altra a chiedere a quelli che migravano senza cibo né bevande ma con la sedia: – Vuole che l'aiuti? Gliela porto io!
– Grazie, Gigi! Ma che bravo bambino sei!
– Lo faccio volentieri.
– Ma sei proprio un angelo! Se sapessi che male mi fanno le gambe... e poi ho pure un'unghia incarnita.

Dopo un po', visto che quei convenevoli facevano perdere un sacco di tempo, decisi di ometterli: arrivavo da qualche anziano che camminava portandosi la sedia, gliela strappavo di mano e mi mettevo a correre verso la meta. Però cosí non funzionava: invece di: «Che bravo bambino sei!» qualcuno gridò: – Al ladro! – e il vecchio Marione Rosetti addirittura mi rincorse e mi prese per un orecchio, cosí a spiegargli la situazione persi ancora piú tempo che con i convenevoli preliminari.

Fu una serata massacrante. Feci chilometri di corsa, salii e scesi piú volte quelle lunghe scale, ansimai, sudai, caddi e mi sbucciai le ginocchia, tanto che nell'ultimo viaggio fui io a sedermi in mezzo a un crocicchio a lamentarmi che mi faceva male tutto.

Quando fu il momento di portare su l'ultima sedia avevo la lingua di fuori, una sete bestia e il cuore che galoppava, e se non fosse arrivato il mio amico Francesco non ce l'avrei fatta e mi sarei lasciato morire sugli scalini, che mi avrebbero trovato solo a Festival finito.

Entrai che la trasmissione era già iniziata e nello schermo si vedeva (o meglio si intravedeva, perché c'era un gran fumo) la faccia di Mike Bongiorno, e tutti la fissavano come se quel tipo li stesse ipnotizzando. Nessuna speranza di fare il giro a raccogliere le mance: avrei dovuto aspettare la fine dello spettacolo, correndo magari il rischio che qualcuno mi dicesse: «Sí, certo che ti dò qualcosa, però adesso aiutami anche a riportarla a casa, la sedia, che nel frattempo mi sono venute le vesciche nel ditone». Tirai un sospiro e insieme a Francesco cercai posto. Per fortuna riuscimmo a piazzarci vicino alla Rosalba, che era lí con sua madre.

La Rosalba aveva una trentina d'anni e non era normale, e per capirlo bastava guardarla: era grassa con una faccia rossa e rotonda, tipo maiale, con gli occhi piccolissimi e infossati, l'attaccatura dei capelli subito sopra il naso, peli scuri e dritti sulle guance e soprattutto sul mento, la bocca sempre aperta e un'espressione idiota. Non poteva lavorare, credo non fosse neppure andata a scuola, non riusciva a fare un discorso lungo piú di tre parole, però aveva una capacità incredibile: qualsiasi cosa sentisse, poteva ripeterla tale e quale senza sbagliare neppure una virgola. Non era una donna, era un gigantesco pappagallo.

Vedere il Festival con lei era uno spasso: appena finiva una canzone, lei la ricantava tutta quanta dalla prima all'ultima strofa e non la smetteva finché non ne sentiva un'altra. Qualcuno si arrabbiava perché poi non si capiva cosa dicesse il presentatore, qualcun altro ridacchiava, ma io e Francesco eravamo semplicemente affascinati, la fissavamo increduli ed eravamo orgogliosi di essere compaesani di un fenomeno simile.

Lei era talmente impegnata a ripetere tutto, con la faccia sempre piú rossa e un velo di sudore tra i baffi, che dopo mezz'ora pensai che uno sforzo simile, di gola e di memoria, avrebbe anche potuto danneggiarla: che ne so, magari si surriscaldava e le si fulminava definitivamente quel po' di cervello che aveva in testa.

Mentre ascoltavo i cantanti e la Rosalba, feci anche un rapido e ottimistico calcolo: se ognuno di quelli che avevo aiutato con le sedie mi avesse dato cinquanta lire, ne avrei guadagnate ottocento.

Ottocento lire!

Ma non avevo previsto che sarebbe andato tutto all'aria. In paese c'erano dei ragazzi che portavano sempre i blue-jeans e si pettinavano i capelli in modo strano; si diceva che fossero teddy-boy, che a quanto pareva significava delinquenti degenerati mangiapane a tradimento e vergogna per le loro famiglie. Bene, questi qua, non piú di cinque o sei, si misero in prima fila masticando gomma, ruttando, parlando forte, facendo insomma tutto quello che sarebbe piaciuto fare anche a me ma non potevo. Uno di loro prese addirittura una sedia, se la mise davanti e ci appoggiò i piedi infilati in un paio di stivaletti infangati.

Fu la prima avvisaglia del dramma che stava maturando: Marione, che era ancora agitato da quando, poco prima, aveva creduto che io lo stessi scippando, disse che la sedia era sua e che quel mostro dagli stivali doveva essere buttato fuori, preferibilmente dalla finestra. Seguirono una specie di tafferuglio e soprattutto un coro di grida e rumori cosí forti che ci perdemmo dieci minuti di Festival.

Il peggio comunque successe dopo, quando Claudio Villa cantò una roba melensa che commosse i grandi ma che a me sembrò il lamento di un usignolo chiuso in una stanza con un gatto. Ai teddy-boy fece un effetto ancora peggiore: finsero di vomitare, fischiarono, gridarono: «Buuu!» e cercarono di spegnere il televisore (cosa del resto inutile perché la Rosalba ricantò la canzone due volte di fila, e lei non sarebbe riuscito a spegnerla nessuno).

Altra zuffa, altra confusione.

I ragazzotti si calmarono un po' solo quando salí sul palco Tony Renis. Forse lo sopportavano perché portava il ciuffo e saltellava, o perché aveva un nome straniero, chissà. Renis cantò un brano intitolato *Uno per tutte*, che aveva un po' di ritmo e raccontava di un tizio che passava da una fidanzata all'altra, anzi, ne aveva contemporaneamente tre o quattro e non sapeva decidere quale sposare.

Quel testo piacque molto anche a mio cugino Luciano, che sghignazzando cominciò a fare l'occhiolino alle ragazze presenti come per dire: «Ehi, ma quello della canzone sono proprio io!»

Fu cosí per tutta la sera: ai teddy-boy non piaceva per niente la trasmissione, ma non avevano alcuna intenzione di andarsene perché si divertivano troppo a disturbare. Io da una parte pensavo che avessero ragione, che molte canzoni facevano proprio venire il latte alle ginocchia, ma dall'altra ero preoccupato: aspettavo le mance e sapevo che si stava creando un brutto clima, di quelli che poi la gente non ha piú voglia di mettere mano al borsellino. Feci addirittura il tifo per Claudio Villa e per Luciano Tajoli perché, se vinceva uno di loro, i vecchi che avevo aiutato sarebbero stati contenti e quindi piú generosi.

Invece vinse proprio Tony Renis.

I ragazzotti della prima fila, che un disco di Tony Renis non l'avrebbero comprato neanche se in omaggio gli davano una motocicletta, pur di fare arrabbiare i vecchi applaudirono e cominciarono a saltare, gridare e battere i piedi in terra, mentre dietro di loro montava un ribollire di voci e di movimenti.

Capii che le cose si mettevano male quando vidi l'esperto e saggio Bagarí, che come sempre era venuto tra gli umani a guardare la tivú, filarsela a coda bassa verso l'uscita.

E le cose si misero male davvero: non potei seguire tutto il disastro perché i miei genitori mi presero per un braccio e mi tirarono via, nonostante le mie proteste, ma seppi poi che era finita a sediate e che il teddy-boy con gli stivali non era volato dalla finestra solo perché a Marione era venuto un attacco d'asma e lo avevano dovuto portare di corsa dal medico.

Non ebbi una lira di mancia, quindi. Tutto quel correre con le sedie, tutto quel sudare e faticare per niente. Il bilancio della serata fu che avevo guadagnato una decina di «Ma che bravo bambino!», due «Al ladro!» e basta.

Alla fine di febbraio, dunque, con quanto mi aveva dato Luciano per le commissioni e ciò che avevo messo da parte a gennaio, il mio salvadanaio conteneva duemilaseicento lire. Non ero per niente in media-bici. Mi servivano idee migliori e, soprattutto, un po' di fortuna in piú.

Tornando alla serata del Festival, vi devo raccontare che non finí con la rissa: ci fu un seguito brutto, e io ne venni a conoscenza il giorno dopo. Mi ero alzato tardi e stavo facendo colazione, quando mia madre si sedette accanto a me e prima mi raccontò dei tafferugli avvenuti nella casa del popolo, poi cominciò ad accarezzarmi i capelli e a guardarmi con gli occhi lucidi.

Non faceva mai smancerie simili, se non con mio fratello, per cui capii che mi doveva dire qualcosa.

– Che c'è? – le chiesi allarmato. Magari aveva intenzione di mandarmi a fare delle commissioni, rovinandomi la giornata che era iniziata cosí bene, cioè con le notizie della zuffa.

– È che... ieri sera è successa una cosa molto triste, – rispose deglutendo.

Io, sapendo che stravedeva per Claudio Villa, mi strinsi nelle spalle e risposi che il fatto che avesse vinto Tony Renis non mi sembrava poi cosí tragico, anche se mi aveva fatto perdere i soldi delle mance.

– Non parlavo di quello, – disse lei con la faccia sempre piú addolorata.

– Be', se è perché si sono picchiati, neanche quello mi pare triste, anzi... mi dispiace solo che siete voluti andare via proprio sul piú bello, e io mi sono perso quasi tutta la scena.

– Non è neppure quello.

– E allora cos'è?

– La Tugnina... la povera Tugnina...

– Che ha fatto? – chiesi, e intanto mi venne in mente che l'avevo notata mentre andava verso la casa del popolo con la sedia, anche se non mi ero offerto di aiutarla perché sapevo che non mi avrebbe dato una lira, povera com'era, però poi nella sala della tivú non l'avevo vista.

– È morta.

Mi rimase il cucchiaio del caffellatte a mezz'aria.

– Morta?

Mia madre annuí, tirò un sospiro e mormorò: – Fa male soprattutto sapere com'è successo, – e mi fissò come a chiedermi di indovinare.

Ci pensai un po' su e azzardai: – Se l'è mangiata l'Uomo Nero?

Scosse la testa e sorrise mestamente. – No. Forse perché era stanca, o non si sentiva bene, si è fermata a riposare sulla sua sedia vicino alla siepe dei Ghetti, e l'hanno trovata solo stamattina. Si vede che quando la gente è tornata dalla casa del popolo era troppo agitata, o era troppo buio. Fatto sta che è morta da sola, al freddo, ed è stata tutta la notte lí cosí...

– Ah, – dissi piano, pensando che, se fossi stato meno egoista e l'avessi aiutata a portare la sedia, magari non le succedeva niente. Nella mia mente vidi volare via le immagini delle pagine di giornale che mi descrivevano come il bambino piú buono della provincia.

– Non potrà piú raccontarvi le favole, – disse la mamma.

– Tanto, finivano tutte allo stesso modo, – mormorai tentando di sdrammatizzare e di apparire cinico, ma non riuscii a finire la mia colazione.

6. Marzo 1963

La zia Verdiana era incinta, e a marzo arrivò il momento in cui doveva partorire.

Adesso è meglio che vi spieghi un po' il mio parentado, altrimenti vi ci perdete (a volte mi ci perdevo anch'io). Quella che finora ho chiamato zia Irene, la moglie di Arturo, il pigro che non aveva parlato fino all'età di sei anni, era in verità la zia di mio padre, cioè la sorella del nonno. Non aveva figli. Il cugino Luciano invece era mio cugino per davvero, figlio di zia Carla, sorella del babbo. La zia Verdiana era la sorella di mia madre, ed era lei che stava per fornirmi altri due cugini, in quanto secondo il medico aspettava due gemelli: aveva una pancia enorme, piú grossa della palla gigante del vecchio Carlino.

Insomma, sia il nonno che il babbo e la mamma avevano ricevuto in sorte una sorella. A me invece era toccato Enrico, e 'sta cosa mi seccava molto.

Non che le bambine, tranne Allegra, mi piacessero o mi interessassero gran che, ma sopportare una sorella invece che un fratello sarebbe stato piú facile: non avrebbe usato i miei giochi e le mie cose ma avrebbe avuto le sue bambole, i tegamini, i piattini e tutte le altre scemenze con cui si divertono le bambine; non avrebbe ereditato i miei vestiti; non mi avrebbe seguito a dare il «buon anno», perché le femmine non potevano andarci; se ne sarebbe stata appiccicata alla mamma per imparare a fare la sfoglia, invece che a me; non avrebbe voluto il Sergente Zoppo, che proprio mi piangeva il cuore lasciarlo in consegna ad altri; eccetera.

Ma torniamo alla Verdiana e al fatto che doveva partorire. La cosa in sé non sarebbe stata drammatica se ai miei non fosse venuta la fissa di fare ai nascituri un regalo bello grosso, doppio, perché appunto sarebbero stati due. La mamma una sera, mentre eravamo a cena, annunciò sospirando che i soldi scarseggiavano, siccome il lavoro di mio padre andava sempre peggio, e che io ed Enrico dovevamo offrirci di contribuire, ché in fondo i nuovi cugini ci avrebbero allietata la vita perché sarebbero stati altri due bambini con cui potevamo giocare.

Io dissi subito che di bambini in paese ce n'era già un esercito e che di nuovi in famiglia, visto com'era andata con mio fratello, non ne sentivo il bisogno, e che inoltre non avrei saputo a cosa giocare con dei poppanti, i quali se non nascevano per me faceva lo stesso. Quindi non ci pensavo proprio a dare soldi per i regali, che ne avevo pochi e mi servivano per un progetto importante.

I miei brontolarono e si lamentarono che non avevo buon cuore né senso della famiglia, e che prendessi esempio da Enrico, che lui una bella sommetta la metteva a disposizione di sicuro. Al che mio fratello mise su lo sguardo volpino e annunciò che se ci provavano, a toccare i suoi risparmi, scappava subito da casa.

Saperlo mio alleato in quella vertenza mi confortò, ma rimasi turbato comunque: la storia che mio padre non guadagnava piú la sentivo ormai troppo spesso e cominciava a preoccuparmi. Il fatto che volessero mettermi le mani nel salvadanaio confermò i miei timori, quindi cercai di reagire e di trovare al piú presto una soluzione che salvaguardasse i miei averi e i miei sogni relativi alla bicicletta blu.

– Mi è venuta una bella idea, – dissi.

– Cioè? – chiese la mamma.

– Io ed Enrico non vi diamo una lira, sia chiaro, però ci priviamo volentieri delle trapunte che ci avete regalato a Natale. Sarebbero adatte come dono, no? Sono due, come i bambini che devono nascere alla zia.

Il babbo sbuffò. – Ma ti pare che gli diamo roba usata?

– Hanno appena due mesi, non si vede che non sono nuove! – obiettai.

– Ve le abbiamo comprate perché vi servivano, quindi non dire stupidaggini.

– Ci avete comprato due schifezze, ecco cosa! – sbottai.

– Una è marrone e l'altra è azzurrina, che sono i vostri colori preferiti ma in realtà sono bruttissimi. Non potevate prendercene una blu e l'altra rossa, che almeno erano come la maglia del Bologna?

Mio fratello annuí, di nuovo schierandosi con me. Il tifo per il Bologna era una delle poche cose che io e lui avevamo in comune, oltre ai genitori e all'intenzione di non sprecare danaro per quei marmocchi in procinto di venire al mondo.

– Sono colori splendidi, cosí fini e delicati, – disse la mamma, che come al solito ci teneva a calmare le acque e a far finta che tutto fosse perfetto e andasse bene, anche se aveva appena detto che non andava bene per niente e che non avevamo piú una lira.

– Ma noi *non siamo* fini e delicati! – obiettai.

Il nonno sghignazzò, ma il babbo disse: – Be', Enrico un po' lo è.

Figurarsi se Enrico non era speciale anche in quello. Stavo per dire che secondo me era soltanto capriccioso e strano, e non fine, visto che si metteva di continuo le dita nel naso e ne estraeva caccole che poi appiccicava ovunque e

che non voleva mai lavarsi i piedi, quando la mamma riprese la difesa delle nostre orrende trapunte da orfanotrofio:
– Hanno due colori non solo eleganti, ma anche intonati benissimo fra loro, – affermò.

Sentii che la faccia mi diventava calda per la rabbia. – Se sono cosí belli e intonati, – chiesi, – perché nessuna squadra di calcio li usa per la propria maglia?
– Magari qualcuna ce l'ha, una maglia del genere.

Io, che collezionavo tutti gli anni le figurine dei calciatori anche se non ero mai riuscito a completare un album, mi agitai ancora di piú: che ne sapeva lei di sport? – No, non esiste! E le bandiere? L'avete mai vista la bandiera di una nazione marrone e celeste? Eh?

Al che mia madre si superò, perché cercando di placarmi la sparò grossa: – Sí, – disse, – c'è uno Stato che ce l'ha proprio cosí.

– Quale? – gridai.

– Il nome non me lo ricordo, so solo che è... è molto lontano. Confina con l'Australia.

L'aveva fatta fuori dal vaso. A me la geografia piaceva e a volte me ne stavo ore a guardare le cartine disegnate sul mio sussidiario, per cui potei sbugiardarla pubblicamente:
– Hahaha! L'Australia è un'isola, quindi non confina con niente!

Ci fu un attimo di silenzio, poi la solita storia: mio padre intervenne per dare una mano contro di me. – Anche la Sicilia è un'isola, – disse, – eppure confina con l'Italia.

– La Sicilia è Italia! – lo corressi. Mio padre non aveva finito neppure le scuole elementari, e tra l'altro mi aveva raccontato che invece di frequentare le lezioni andava a pescare nel fiume o a zonzo nei campi.

Inaspettatamente mi si mise contro anche il nonno. – La Sicilia è Italia 'sto par di coglioni, – borbottò. – In trincea con me c'erano dei siciliani e non parlavano italiano proprio per niente.

– Neanche tu parli italiano, – gli feci notare. In effetti usava sempre il dialetto, perché conosceva bene solo quello. Poi rincarai: – E in piú, se i siciliani erano in guerra con te, dalla tua parte, vorrà dire che erano italiani, no?

Scosse la testa come a commiserare la mia ignoranza. – Negli ultimi mesi con noi e dalla nostra parte c'erano pure gli americani, se è per questo. Sono italiani, gli americani?

Io risi ma mio padre guardò in alto, si grattò il mento e sentenziò: – Be', direi di sí. La maggior parte sono italiani.

La conversazione stava diventando decisamente surreale, come molte di quelle che si svolgevano in casa mia.

– Ma cosa stai inventando? – gli chiesi.

Lui sbuffò con aria di sufficienza. – Lo sai tu chi era Rodolfo Valentino?

– No.

– Era un attore americano, che però era italiano, come pure Frank Sinatra e Dean Martin. L'hanno fondata loro, Hollywood, cosa credi? E Fiorello La Guardia, lo sai chi era?

– No, – risposi, – e secondo me non lo sai neanche tu.

– Certo che lo so, io: era il sindaco di Nuova York. E Joe Di Maggio?

– Non può esistere uno che si chiama cosí!

All'improvviso mio padre fece la faccia mesta, si versò un bicchiere di vino, lo bevve d'un fiato e sospirò. – Esiste, eccome: è un giocatore di baseball che è stato sposato con la povera Marilyn.

Il fantasma di Marilyn Monroe, col suo sorriso smagliante, il neo sul viso e i capelli biondi sembrò materializzarsi e levitare sopra il nostro tavolo di cucina: mi parve di sentirne il profumo, di poterlo toccare con mano, e mi venne quasi da spostare il tegame con le polpette al sugo

per evitare che la sua gonna svolazzante ci finisse dentro
e si macchiasse.

La mamma tossí e abbassò la testa, poi cercò di cambiare discorso dicendo che stavano per nascere i pulcini, ma
quando mio padre tirava in ballo il suo amore defunto non
c'era niente da fare, non lo fermavi.

– Le ha pagate Joe Di Maggio le spese del funerale, anche
se con la Marilyn erano divorziati da un pezzo, – mormorò, sempre con la faccia da tragedia. – Al cimitero, prima
che chiudessero la bara, l'ha baciata tre volte di fila e le ha
detto: «Ti amo». E adesso le porta sulla tomba mazzi di
rose rosse tre volte alla settimana.

Tacemmo in segno di rispetto per il dolore di mio padre. Si vedeva benissimo che avrebbe voluto esserci stato
lui, là, a baciare la morta, e che se avesse avuto tanti soldi gliele avrebbe fatte portare pure lui le rose rosse, anche quattro o cinque volte alla settimana, o anche tutti i
giorni, magari.

Il nonno ruppe il minuto di raccoglimento dicendo: – Vabbe', io non lo so se gli americani e i siciliani sono italiani. Di
sicuro, però, non lo sono i ferraresi.

Mi ci volle un po' per riavermi. – Cosa?

– I ferraresi, – ribadí.

Saltò fuori che un tizio di Ferrara, molti anni prima, aveva comprato due vitelli dal nonno al mercato di Forlí e poi
non glieli aveva pagati. Per questo secondo lui i ferraresi non
erano italiani.

Ne avevo abbastanza, mi stavo stufando e confondendo.
Uscii in cortile. Era una bella sera, anche se faceva ancora
freddino, e il tramonto che si spegneva sui campi usava tutte
le sfumature del rosso, del rosa e del viola. Nell'aria si sentivano odori di erba e di fumo; qualcuno, forse, stava già facendo le prove per i falò di San Giuseppe. Quella del 18 marzo,

vigilia della festa del santo, sarebbe stata una sera magica e
non vedevo l'ora che arrivasse.

Dopo un quarto d'ora fui richiamato in casa. I miei, compreso probabilmente lo spirito-con-siringa della nonna Anna,
si erano consultati e avevano decretato che io ed Enrico eravamo esentati dal contributo per il regalo ai nascituri cugini,
però non avremmo ricevuto nulla per Pasqua.

Era una punizione del cavolo perché per Pasqua di doni non
ce ne avevano fatti mai, se si escludono le uova che potevamo
prenderci dal pollaio per colorarle. Siccome colorare le uova
mi faceva schifo e mi pareva una roba da bambine, annuii,
scrollai le spalle e una volta tanto me ne andai a letto presto
senza che dovessero costringermi, rincorrermi e minacciarmi.

La notte sognai che ero a scuola, e la maestra appen-
deva alla parete una carta geografica dell'Italia dicendoci
che quella che c'era prima era sbagliata. Nella nuova, al
posto di Ferrara e dintorni compariva una macchia bianca.

– Ferrara non è Italia, – diceva l'insegnante. – Qualcuno
di voi sa il perché di questa stranezza?

Volevo rispondere ma Allegra mi precedette, che lei sapeva sempre tutto ed era sveltissima ad alzare la mano.

– È per via che un signore di quella città una volta non
pagò due vitelli che aveva comprato al mercato di Forlí, –
rispose smagliante.

La maestra la lodò e disse che quella bambina doveva essere un esempio per tutti noi, somari e sfaticati che non ci
applicavamo affatto.

Io alzai la mano a mia volta, eccitato, per spiegare che
era mio nonno il commerciante a cui non erano stati pagati
i vitelli, e che dunque la mia famiglia aveva avuto un ruolo
importante nel determinare i confini della nostra nazione,
ma la campanella suonò e tutti corsero fuori dall'aula come
se fosse scoppiato un incendio.

Cercai di fermare Allegra, ma lei mi scansò e mi disse:
– Vai a casa a colorare le uova, va'!
Fu un sogno davvero brutto.

Nella vigilia del giorno di San Giuseppe, dal tramonto
a buio inoltrato, si facevano, come ho già detto, i falò nei
campi. I contadini ammucchiavano sarmenti e ramaglie, erba secca, fuscelli e chi piú ne ha piú ne metta, davano fuoco al tutto e con i forconi attizzavano le fiamme per farle
diventare alte e per suscitare faville e fumo.

Era una gara, ognuno voleva fare un rogo piú grande di
quello dei vicini e il paese intero si trasformava in una giuria
che il giorno dopo decretava: «Eh, sí, la focarina di Tizio era
la piú notevole, Caio invece quest'anno è stato moscio e quella di Sempronio era proprio una miseria, pareva un lumino da
cimitero», eccetera. Al di là poi dei commenti generali c'era
una commissione vera e propria che stabiliva una classifica, e
a chi aveva fatto il fuoco piú bello veniva dato in premio un
maiale pronto per l'ingrasso. La cosa si finanziava con una
lotteria che pure quella dava in premio un maiale. Non è che
l'iniziativa, in quanto ai premi, brillasse per fantasia, ma ri-
scuoteva molto successo.

La mia famiglia non aveva campi e frutteti, ma solo un
orto, quindi non partecipava alla competizione dei falò, però
una volta, anni prima che io nascessi, i miei avevano vinto
il maiale alla lotteria. Siccome ne avevano già un altro era
successo che i due suini imbecilli, quello titolare e il nuovo
arrivato, avevano litigato nel porcile e si erano tanto picchiati e morsicati che erano morti tutti e due.

Ma torniamo ai fuochi di San Giuseppe. Il nonno diceva che da altre parti questa cosa si faceva l'ultima sera
di febbraio; a prescindere dalla data e dal luogo, comunque, quella tradizione secondo lui serviva per «far lume

al grano», che cosí sarebbe venuto piú forte e piú ricco di chicchi.

A me come spiegazione pareva stupida, perché il grano cresce benissimo anche al buio, cresce persino sotto la neve; inoltre non capivo perché, per celebrare un santo che era stato falegname, si bruciasse un sacco di legna: era o non era una cosa insensata e irriverente? Al di là di questi dubbi, però, la sera del 18 marzo mi piaceva un sacco lo stesso.

Come tanti altri andavo sull'argine del fiume o sul ponte, che non erano altissimi però nella pianura bastavano a offrire un punto di osservazione da cui vedere uno spettacolo unico: a perdita d'occhio tutte le terre erano punteggiate di fuochi, incendiate di luce.

Era come se si rovesciasse il mondo: non piú un cielo pieno di stelle sopra la campagna scura, ma un firmamento in terra sotto un cielo offuscato dai fumi che si levavano ovunque.

Quando arrivò quel giorno, già nel primo pomeriggio cominciai a girare per i viottoli del paese a vedere i preparativi. Nei campi di Giunchedi stavano erigendo una catasta di fascine alta come una casa, nel podere dei Benelli idem, lo stesso in quello dei Pasini. Sarebbe stato davvero un grande spettacolo.

Passando davanti a casa di Carlino, lo vidi seduto fuori col sigaro in bocca e mi fermai. Lui mi fece un cenno di saluto con la testa e disse solennemente: – Siamo stati fortunati perché, te lo assicuro, stasera non pioverà.

Annuii compunto come se mi avesse regalato un pronostico eccezionale o una perla di saggezza, anche se una previsione del genere avrei potuto farla anch'io: non si vedeva una nuvola da tre giorni, il cielo era di un bell'azzurro carico e nelle ore centrali della giornata la temperatura diventava abbastanza gradevole, anche se poi di notte ci voleva ancora una montagna di coperte per non intirizzirsi nel letto.

Guardai come al solito il rigonfiamento dentro i calzoni del vecchio: secondo me la palla gli era cresciuta ancora e stava diventando da record mondiale. Poi chiesi: – Tu l'accendi, la focarina?

– Mah, – rispose. – Ci sono tanti sarmenti nel mio campo, perché hanno potato i peri, ma Berto stasera va a dare una mano ai Benelli: loro sí che fanno le cose in grande, è un mese che ammucchiano legna!

Berto era un bracciante che coltivava quel po' di terra che Carlino aveva dietro casa. Sapendolo latitante, mi venne un'idea: – Che ne dici se te la preparo io, una catasta? Dopo cena passo e le dò fuoco, cosí anche il tuo grano vede il lume e cresce forte.

– Non ce l'ho, il grano.

Mi venne da dirgli che magari il falò serviva a fargli crescere ulteriormente il testicolo gigante, che in virtú di ciò sarebbe diventato tanto incredibile che lo facevano vedere nelle televisioni di tutto il mondo, ma rinunciai. – Vabbe', – tentai invece, – potrebbero crescere meglio le pere, i pomodori, le zucchine, i…

– D'accordo, – disse lui interrompendomi. – Forse è l'ultimo anno che sono al mondo e il fuoco di San Giuseppe ci terrei a farlo.

Da quando lo conoscevo, ogni anno Carlino annunciava che sarebbe stato l'ultimo per lui, quindi non mi impressionò per niente con quell'affermazione. – Se vuoi comincio subito, – proposi.

– Benissimo. Sul retro, appoggiati al muro, ci sono il forcone e il rastrello.

– Quanto mi dài?

– Hai tutto il tempo che vuoi, – rispose facendo finta di non capire.

– Intendevo i soldi.

Ci pensò su. – Cento lire, – rispose alla fine.
– Facciamo duecento.
– Centocinquanta.
– Va bene –. Fui contentissimo dell'affare, e per quasi due ore ammucchiai ramaglie e sterpi.
– Bravo, Gigi, – mi disse Carlino quando finii, e mi consegnò le monete. Poi aggiunse: – Ah, non importa che passi, stasera: farò appiccare il fuoco da mia nipote quando viene a prepararmi la cena.

Ero raggiante: avevo fatto una fatica bestia ma avevo guadagnato una bella somma. Salii sulla bici e mi avviai, ancora cosí accaldato che la brezza addosso mi faceva l'effetto di secchiate d'acqua gelida. Stavo per arrivare a casa quando vidi venirmi incontro Allegra, anche lei in bicicletta. Il freddo di prima sparí e sentii che qualcosa di caldissimo saliva a incendiarmi e ad arrossarmi il viso.

Mi fermai, e anche lei lo fece.

Il vento le aveva sciolto i capelli biondi, colorato il viso, reso ancora piú lucido lo sguardo. Indossava un paio di calzoni verdi (le altre bambine del paese non portavano mai i calzoni), un maglione dello stesso colore, una giacca viola e scarponcini alti. Era elegante, e soprattutto bellissima.

– Ciao, – riuscii a dire. – Dove vai?
– A spasso. Ho già fatto tutti i compiti, erano facili facili, e a casa mi annoio.
– Ma i tuoi ti lasciano girare come e dove vuoi?
– E perché non dovrebbero? Non sono mica una bambina piccola! Guarda che io giravo da sola anche nelle strade di città, che sono piene di traffico e pericolose.
– Eh, già, – commentai ammirato.
– Tu dove vai? E cos'hai fatto da sudare tanto?

Mi vergognai un po' delle mie condizioni, mi asciugai la fronte con la mano e la mano sui calzoni, poi le raccontai

con un certo orgoglio che avevo preparato l'occorrente per un falò, e le chiesi se la sera sarebbe andata sull'argine a vedere lo spettacolo. – Si strinse nelle spalle. – Non credo, – rispose. – Non mi sembra una gran roba. Forse sto in casa a guardare la tivú.
– Hai la tivú in casa?
– E dove dovrei avercela, in garage?
Non trovai nient'altro da dire. Mi grattai il naso, tossicchiai, giocherellai con le leve dei freni, sempre cercando di farmi venire in mente qualcosa per continuare la conversazione. In realtà avevo una domanda da farle, ma non riuscivo a pronunciarla.

Quando però vidi che Allegra stava per ripartire, raccolsi tutto il mio coraggio e le proposi: – Senti, se vuoi venire con me a vedere i fuochi, stasera... io so qual è il punto migliore dell'argine, quello da cui si vede tutta la campagna.
– Te l'ho detto, non lo so se mi va.
– Vabbe', nel caso ti andasse, io alle sette sarò sul ponte.
– Alle sette? Cosí presto? A quell'ora non avrò ancora finito di cenare.

La sua famiglia doveva avere abitudini meno campagnole della mia, che si metteva a tavola già alle sei di pomeriggio, ma non glielo dissi. – Questa è una sera particolare, – rimediai, – e tutti mangiano prima del solito proprio per andare a vedere le focarine.
– Boh, chi lo sa? Magari, se non c'è niente di bello in televisione...

Mi fece un sorriso, un cenno con la mano e se ne andò.
Corsi a casa. Volevo innanzitutto mettere le mie centocinquanta lire nel salvadanaio, poi darmi una sciacquata, cambiarmi i vestiti, cenare di corsa, ravviarmi i capelli col pettine bagnato ed essere sul ponte almeno mezz'ora prima

dell'appuntamento che avevo proposto. Non credevo che Allegra sarebbe venuta, però mi dissi, riprendendo le sue parole: chi lo sa?

La sera mangiai poco e in fretta per essere pronto molto prima di Enrico e svignarmela senza doverlo portare con me. Non fu difficile batterlo sul tempo perché lui a tavola si distraeva, guardava da tutte le parti, blaterava, masticava piano piano, poi faceva lo schizzinoso e toglieva i filettini di grasso alla carne, i gambi alla lattuga, le croste al pane, la buccia alla mela, inoltre buttava di nascosto a Merdo pezzi di cibo, eccetera: insomma, era una pena.

Quando vide che uscivo piantò una grana, ma per fortuna i miei lo zittirono e gli dissero che l'avrebbero portato a vedere i fuochi solo se finiva la bistecca e la smetteva di frignare. Cosí fui libero, saltai sulla bici e pedalai come un matto arrivando sul ponte in meno di due minuti.

Lassú c'era già la ressa, come se la lotteria quell'anno si fosse arricchita e distribuissero maiali gratis a tutti. C'era chi arrivava con la sedia, come succedeva per la stanza della tivú nella casa del popolo, chi aveva con sé delle coperte per usarle da divano sull'erba dell'argine, chi spingeva carrozzine contenenti bambini urlanti, chi si lamentava di essere stanco e di avere male alle gambe ancora prima che cominciassero i fuochi.

A un certo punto arrivò Francesco: – Ehi, che ci fai qua? – mi disse. – Andiamo verso la salita vecchia, che là di sicuro c'è meno calca.

La salita vecchia era quella accanto alla casa del Capitano, zona tabú per tutto l'anno tranne che nella sera della vigilia di San Giuseppe, quando c'era tanta gente in giro e quell'uomo se ne stava rintanato nelle sue stanze, cosí noi bambini potevamo finalmente penetrare nel suo territorio.

Nicchiai. Avevo voglia di stare con Francesco, ma il pensiero di Allegra e la speranza di vederla arrivare mi frenarono. – Rimango ancora un po' qui, – dissi.
– A fare cosa? Dài, andiamo!

Io a lui di solito dicevo tutto, ma per la prima volta non mi andò di farlo: quella di Allegra era una questione molto privata. – Ho promesso ai miei che li aspetto sul ponte, – mentii.

Mi guardò strano, perché la scusa non stava in piedi (quando mai avevo voluto aspettare i miei?) però non insistette e si allontanò da solo.

Lo guardai andare con un po' di senso di colpa: era o non era il mio migliore amico? I fuochi li avevamo sempre guardati insieme, e adesso lo piantavo in asso per una bambina. Se me l'avessero detto tre mesi prima non ci avrei creduto, anzi, avrei riso come un matto, oppure mi sarei addirittura offeso. Una bambina! Pensai a lei, al suo viso, al suo modo di camminare leggero ed elegante, ai suoi occhi luminosi ed ebbi una specie di contrazione alla bocca dello stomaco.

A distogliermi da quei pensieri arrivò un pugno su una spalla. Era Paolino, che parlando nel naso gocciolante mi chiese: – Hanno già iniziato? Eh? Hanno iniziato?

Non finiva di meravigliarmi, per quanto era scemo. – Secondo te? – feci.

– Secondo me no, non si vede ancora neppure un fuoco.

– Ecco, appunto. E la sai una cosa? Forse non li accendono proprio.

– Perché?

– Non posso dirtelo, il perché. È un segreto. Un segreto militare.

Mise il broncio, storcendo la faccia e lasciandosi cadere un po' di bavetta sul mento. – Dài, dimmelo! – implorò.

– Io non posso, però Francesco, forse, accetterà di sve-
lartelo.
– E dov'è Francesco?
Puntai il dito verso la salita vecchia. – È laggiú.
Partí veloce per andarlo a cercare. Anche di lui mi ero
liberato facilmente.
Adesso dovevo solo evitare di rimanere incastrato con
Enrico, il babbo e la mamma. Non toglievo gli occhi dalla
strada per non trovarmeli addosso di sorpresa.
Di nuovo qualcuno mi toccò la spalla, e mi girai infastidi-
to perché credevo fosse Paolino che tornava alla carica per
sapere il segreto militare. Invece era Allegra.
– Ciao, eccomi qua! – disse.
– Ehi... ma da dove sei arrivata? Non ti ho vista, sulla
strada.
– Siamo passati dall'argine.
Solo da quel verbo al plurale mi accorsi che era con suo
padre, rimasto indietro di qualche metro.
L'uomo ci raggiunse. Era alto, chiaro di capelli come sua
figlia. Sotto un impermeabile scuro indossava giacca e cravatta. Mi guardò in modo interrogativo, al che Allegra mi
presentò: – Questo è Luigi Melandri, un mio compagno di
classe. Anzi, il mio compagno di classe preferito.
Fu come se una cascata di miele dorato mi colasse addosso.
L'uomo sorrise, mi diede la mano come a un adulto e mi
chiese: – Sei tu quello che conosce il punto di osservazione migliore?
Annuii, muto, sentendo che le guance mi si incendiavano.
In realtà, siccome l'argine aveva ovunque la stessa forma e
altezza, non c'era un punto migliore di un altro per vedere la
campagna a perdita d'occhio: avevo detto ad Allegra che conoscevo un posto speciale solo per convincerla a venire con
me. In ogni caso, nella mia ingenuità, avevo pensato che se

avesse accettato l'invito sarebbe arrivata da sola e adesso, sia per la presenza di suo padre sia per il complimento inatteso che avevo ricevuto, morivo dall'imbarazzo.

Fu lei a risolvere la situazione. – Papà, – disse all'uomo, – io e Gigi andiamo piú in là, dove c'è meno gente.

Adesso caccia un urlo e la fa tornare a casa a calci in culo, pensai. Invece l'uomo acconsentí, si accese una sigaretta e si appoggiò tranquillo alla ringhiera del ponte.

– Non vi allontanate troppo, rimanete in vista, – disse solo.

Eravamo seduti sul ciglio dell'argine, cosí vicini che sentivo il profumo dei suoi capelli e la pressione del suo corpo sul mio fianco. Il ponte e il babbo di Allegra erano a non piú di trenta metri di distanza ma, passati i primi dieci minuti in cui mi ero sentito a disagio e osservato, non feci piú caso a nessuno.

Il compagno di classe che preferisco, aveva detto. Lo pensava davvero o mi prendeva in giro? Decisi di non stare a pensarci: l'importante era essere lí con lei.

Per un qualche miracolo i miei famigliari non comparvero, forse erano andati sull'argine dalla salita vecchia o da qualche altro punto. Comparve invece Bagarí, che mi sedette vicino e mi sorrise. Non chiedetemi come fa un cane a sorridere, se ne avete visto anche solo uno nella vostra vita sapete che è possibile.

Allegra mi diede un colpo di gomito: – Guarda che simpatico, quel cagnetto! E com'è grasso!

– Non è un cagnetto, è Bagarí. Cioè, sí, è un cagnetto, ma… insomma, lo conoscono tutti. È grasso perché va a mangiare praticamente in tutte le case del paese, e persino al bar.

– Io non lo conoscevo. Quanti anni ha?

Non lo sapevo proprio: lo avevo sempre visto e non avevo mai pensato che la vita di un'istituzione simile potesse avere limiti. Insomma, non era ipotizzabile una Bagnago senza Bagarí.

– Non so quanti anni abbia, – dissi. – Però... secondo me c'è sempre stato e ci sarà per sempre. Bagarí è *eterno*.

Mi piaceva quella parola che sentivo nelle preghiere e che in fondo rassicurava, promettendo che le cose importanti e buone non sarebbero finite mai.

Allegra rise e mi diede un'altra gomitata, leggera e piacevole come una carezza. Fu un gesto che mi piacque molto, che sanciva una complicità, una vicinanza.

Avevo una voglia matta di prenderle una mano. Le teneva in grembo e sarebbe bastato un piccolissimo movimento. Dieci centimetri, erano, ma mi parve comunque una distanza grande, troppo grande per essere superata, anche se il desiderio di quel contatto era cosí forte, cosí struggente da procurarmi quasi un malessere fisico.

All'improvviso, mentre il buio vinceva sugli ultimi chiarori viola del tramonto, un fuoco sbocciò, lontano, e la gente applaudí. Si cominciava.

Come se quel primo falò avesse dato il segnale, nel giro di due minuti tutta la campagna diventò un enorme braciere, una città illuminata vista dall'alto, un mare di fiamme, un'eruzione di faville. Era uno spettacolo davvero bellissimo, molto piú degli anni passati. O forse mi pareva tale perché lo stavo guardando con Allegra.

Girai il viso verso di lei, che mi sorrise e sussurrò: – Sai che è davvero fantastico? Grazie che mi hai invitato a venire!

Non è altezzosa, non è smorfiosa, non se la tira per niente, mi dissi. O almeno quella sera fu cosí. Come avrei saputo spiegare a Francesco, che la trovava odiosa e la prendeva sempre in giro, che a tu per tu, in fondo, era persino simpatica? Al mio amico dicevo tutto, con lui parlavo di qualsiasi cosa, ma di Allegra non avrei potuto parlare.

Intanto dal podere dei Giunchedi si alzarono fiamme grandiose, in quello dei Benelli torreggiò e oscillò un gigante di fuoco e a sinistra, dove c'erano i campi di Pasini, furono tre gli enormi roghi a illuminarsi in fila e contemporaneamente. Un altro falò prese vita poco lontano dall'argine e si vedevano, neri contro la sua luce, diversi uomini che gli giravano intorno con i forconi, come nei racconti sull'inferno e i diavoli che avevo sentito a catechismo dalla bocca di suor Angela. La giuria, secondo me, non avrebbe avuto un compito facile.

Poi sentii un «Ooohhh!» di meraviglia pronunciato da un coro di voci, e Allegra mi tirò per la manica indicandomi un punto nella direzione contraria.

– Guarda là! – esclamò.

C'era un grande rettangolo di terreno dentro cui, uno dopo l'altro, disposti in modo regolare, si stavano accendendo decine e decine di roghi in un disegno davvero straordinario. Nessuno di quei fuochi era molto grande, ma l'effetto complessivo era strepitoso.

Nel pomeriggio non avevo visto preparare nulla di simile. Cercai con gli occhi qualche punto di riferimento: trovai il tetto della mia casa e da quello capii che la meraviglia era nella mia strada. Individuai la casa del popolo, la cabina della luce elettrica, il curvone, e infine capii con sgomento.

Era il campo di Carlino, quello tutto in fiamme.

Non ero il solo ad avere abbandonato l'argine per andare a guardare da vicino. Ero l'unico, però, ad avere i brividi e a essere disperato per quello che vedevo: tutti i peri del vecchio erano in fiamme, non c'era un metro di frutteto che non ardesse.

Non sapevo se mi angosciasse di piú quel disastro o il fatto di aver dovuto lasciare Allegra, che era tornata da suo padre mentre io mi scapicollavo giú dalla discesa del ponte.

Cos'era successo? Lí c'erano danni per chissà quale cifra e probabilmente per colpa mia, sarei stato io a doverli rifondere e... addio non solo alla bicicletta blu, ma a ogni avere per i prossimi dieci anni, che i miei risparmi non bastavano a risarcirne neanche uno, di quegli alberi che andavano in fumo.

Mentre stavo pensando di organizzare una fuga all'estero o di farmi spiegare dal Morto come si poteva risultare ufficialmente defunti e quindi impunibili, contro il lucore del campo incendiato vidi materializzarsi due figure che venivano piano piano nella mia direzione.

Erano Carlino e sua nipote, che lo sorreggeva.

Il primo impulso fu quello di scappare, poi decisi che tanto valeva affrontare il dramma subito, cosí mi toglievo il pensiero.

Il vecchio sussultava, pareva singhiozzasse.

Sentii il mio cuore sbagliare ritmo e la pelle del corpo che cominciava a formicolare, mentre in gola avevo qualcosa che non andava né su né giú.

Poi, man mano che Carlino si avvicinava, mi accorsi che non stava affatto piangendo: rideva. Rideva come un matto e pareva l'uomo piú felice del mondo.

Passando tra gente che lo applaudiva e gli dava pacche sulle spalle, arrivò da me, mi scompigliò i capelli e disse: – Che roba, eh, Gigi? L'avete combinata bella, ma bella davvero!

– Ma... ma come è successo? – chiesi con un filo di voce.

Carlino si asciugò gli occhi che gli lacrimavano per le risate e per il calore dei roghi. – È successo che tu, sciocco, hai fatto la catasta troppo vicina a un pero, e che lei, – e indicò la nipote, – che non riusciva a darle fuoco, ci ha versato sopra mezza tanica di benzina. Cosí le fiamme si sono alzate tantissimo, hanno incendiato il pero e da quello sono passate agli altri. Ci volevano proprio un bambino e una ragazzotta senza cervello per creare una roba del genere! Non capivo: gli dispiaceva o no? Io e sua nipote eravamo in procinto di essere sbattuti in prigione o ci meritavamo gli applausi che la gente continuava a fare lí intorno?

Poi Carlino spiegò: – Erano anni che volevo buttare giú quegli alberi, che non davano piú niente, mi riempivano il campo di foglie e mi costavano un sacco di soldi in potature. E adesso non solo ho risolto il problema in un batter d'occhio, ma ho pure vinto il maiale!

– Cosa? – riuscii a chiedere.

– Ho vinto, quelli della giuria me l'hanno già fatto sapere. Non c'era mai stata una decisione cosí rapida. Sono proprio contento, guarda: volevo fare un bel falò di San Giuseppe prima di morire, e ho fatto addirittura il piú bello di tutti i tempi! Anzi, l'avete fatto voi due, – aggiunse indicando me e sua nipote.

Andò a finire che non solo non venni punito, ma ricevetti da Carlino ben quattromila lire di mancia per avergli procurato tanto divertimento, tanto successo e un maiale.

Ero quasi ricco, praticamente possedevo già un pezzo della bici blu.

Se avessi anche trovato il coraggio, quando ero sull'argine con Allegra, di prenderle una mano tra le mie, quella sarebbe stata davvero una delle sere piú straordinarie della mia vita.

La bicicletta del nonno, siccome lui aveva una gamba rigida, era a scatto fisso e aveva un pedale bloccato, cosí che per scenderne doveva fare una manovra buffa, sbilanciandosi da una parte finché non toccava terra con l'arto malato, e poi non scavalcava con quello buono. Io, che a volte provavo a usare quel veicolo strano, rischiavo sempre di volare via e rompermi l'osso del collo.

Frenò, fece la sua manovra, atterrò e guardò lontano. L'argine, in quel pomeriggio del 19 marzo, era vuoto e silenzioso. Nei campi si vedevano ancora grandi chiazze nere, i segni dei fuochi della sera prima.

– Torniamo a casa? – gli chiesi. Stava calando il sole e avevo una gran fame.

– Come vuoi, – rispose rimontando in sella.

Quasi tutte le settimane andavo a fare un giro con lui e mi piaceva starlo a sentire quando, passando davanti alle case o ai poderi, mi raccontava le storie di quelli che ci vivevano o ci erano vissuti prima che nascessi, o prima che nascesse il babbo.

Stavo per girare la mia bici e tornare indietro, ma il nonno mi fece cenno di proseguire verso la rampa vecchia dell'argine, quella che aveva portato al ponte abbattuto durante la guerra.

– Passiamo dalla casa del Capitano? – chiesi.

Lui annuí e io fui contento di potere ignorare per due giorni consecutivi le proibizioni che mi tenevano lontano da quella zona.

Mentre stavamo per imboccare la discesa vedemmo un fuoco accendersi nel prato della villa misteriosa. Il Capitano, come ogni anno, faceva un falò solitario a tempo scaduto, quando in giro non c'era piú nessuno.

Frenammo e il nonno fece di nuovo la sua manovra di atterraggio.

Accanto al fuoco, una figura intabarrata in un lungo cappotto manovrava lenta un forcone. Poi alzò gli occhi, ci guardò e fece un cenno con la mano.

Il nonno mi meravigliò rispondendo al saluto.

– Tu lo conosci bene, il Capitano?

– Nessuno lo conosce bene, credo. Comunque siamo entrambi nati, cresciuti e sempre vissuti qui.

Avrei voluto chiedergli se secondo lui quell'uomo era davvero cattivo e pericoloso, che cosa aveva fatto per meritarsi tanto isolamento, e perché i bambini non dovevano neppure incrociare la sua strada, e tante altre cose, ma conoscevo il nonno e sapevo che in quel momento non aveva voglia di parlare e che non mi avrebbe dato alcuna risposta. Del resto mi aveva raccontato la storia di tutte le persone del paese, ma quella del Capitano mai.

Commentai: – Certo che, dopo lo spettacolo di ieri sera, è strano vedere un solo falò con accanto un solo uomo.

– Piú che un solo uomo, è un uomo solo. Troppo solo, – mormorò il nonno.

Riprendemmo a pedalare in direzione di casa e io, che non avevo capito bene ciò che aveva voluto dire, continuai a pensare alle sue parole e mi parvero molto tristi.

7. Aprile 1963

Ad aprile, dopo un assaggio di primavera e una bella fioritura degli alberi da frutto, per un po' tornò a fare piuttosto freddo e la mattina del giorno 10, quando mi svegliai e aprii la finestra, vidi che tutto era grigio, c'era foschia, piovigginava e mio nonno, in cortile, era vestito pesante e portava addirittura la sciarpa di lana attorno al collo. Piú che nella settimana di Pasqua pareva di essere in quella di Santa Caterina, a fine novembre.

La prima tentazione fu quella di rimettermi sotto le coperte, tirarmele fino al naso e annunciare che avevo un gran mal di pancia, cosí da rimanere a casa da scuola: il giorno dopo, giovedí santo, cominciavano le vacanze e non sarebbe stato male anticiparle. Mia madre probabilmente non ci sarebbe cascata, però mi dissi che tentar non nuoce.

La seconda tentazione fu di avvicinarmi al letto di mio fratello, che dormiva della grossa con un filo di bava che gli scendeva sul mento, e spingerlo fino a farlo cadere sul pavimento, cosí da distrarre la mamma con i suoi pianti e strilli: magari, impegnata con lui, mi avrebbe detto: «Va bene, sta' a casa, fa' quello che ti pare, che già rompe le scatole abbastanza questo qui!»

Ma due cose mi fecero desistere: innanzitutto ero quasi certo che il piano non avrebbe funzionato e che mi sarei pure beccato una sberla, poi era il giorno del tema in classe e a me scrivere i temi piaceva, anche perché mi venivano abbastanza bene e ci facevo bella figura con Allegra.

Lei era bravissima in tutte le materie, se prendeva solo 8 metteva il broncio; brillava in storia, geografia, scienze, non sbagliava un calcolo di aritmetica. Se fra noi ci fosse stata una gara di voti io avrei perso in ogni altra occasione, anzi, sarei stato squalificato ancora prima di iniziare, ma in italiano potevo starle alla pari e a questo tenevo molto. Non per ambizione o per senso di rivalsa, sia chiaro, ma solo per farle vedere che in qualcosa me la cavavo anch'io.

Dunque tirai un bel respiro e cominciai a vestirmi.

Fu solo quando misi il naso fuori dalla porta che mi accorsi di quanta umidità impregnasse l'aria: era come muoversi dentro un gigantesco impacco. Quell'inverno pareva non finire mai, o meglio, andava e veniva come se fosse indeciso sul da farsi, e anche se a me il freddo e la pioggia non dispiacevano, pensai che si stesse esagerando. Il cielo era di uno scuro pesante e uniforme, macchiato solo dai pennacchi bianchi, lunghi e sottili del fumo che saliva dai camini delle case, dove si erano di nuovo accesi focolari e stufe.

E proprio un focolare mi regalò, nel pomeriggio, un altro evento eccezionale, di quelli che non si vedono neppure nei film.

Per raccontarvelo devo partire da lontano, dalla Seconda guerra mondiale e dal passaggio del fronte, cioè da prima della mia nascita. A Bagnago si era fermato un reparto dell'esercito canadese che aveva installato un posto di comando e un magazzino in un grande capannone agricolo, di quelli che servono per tenerci la paglia e hanno solo tre pareti, con il quarto lato aperto per potere stivare o togliere le balle usando montacarichi e trattori.

Quando i soldati se n'erano andati avevano lasciato un mucchio di roba, e tutti ne avevano approfittato: chi si era preso un badile, chi un piccone, chi delle casse metalliche, chi viveri e bevande, chi pezzi di lamiera sagomati, eccetera. Qualcuno però aveva sgraffignato anche delle armi. Non che i canadesi le avessero sparse in giro e se le fossero dimenticate, magari c'erano pure stati attenti, ma alla fine qualche abitante del paese piú furbo di loro aveva imboscato munizioni ed esplosivo, oppure, come sosteneva mio nonno, quella roba i soldati l'avevano data di proposito ai partigiani.

Il capannone dove c'era stato il magazzino dei militari, dopo la guerra, era diventato proprietà della cooperativa braccianti che ci teneva le macchine agricole e la legna che accumulava grazie al disboscamento di un terreno. I soci della cooperativa potevano prendersela a un prezzo molto basso, un po' per ciascuno in parti uguali, cosí da risparmiare sulle spese di riscaldamento.

Però saltò fuori che in paese c'era qualcuno che risparmiava ancora di piú perché la legna, di notte, la rubava.

I braccianti se n'erano accorti e avevano elaborato un piano ingegnoso: avevano svuotato un ceppo e ricorrendo a mio cugino Luciano, che affermava di essere uno specialista perché da militare aveva fatto un corso da artificiere, l'avevano riempito con alcuni candelotti dell'esplosivo lasciato dai canadesi, poi richiuso cosí bene che nessuno si sarebbe accorto che era stato manomesso. Tutte le sere, prima di andarsene, l'addetto al capannone prendeva il ceppo farcito, che teneva chiuso in uno sgabuzzino come un cane feroce, e lo metteva in cima alla catasta, in bella vista, sperando che il ladro misterioso l'avrebbe preso e se ne sarebbe servito.

La cosa era stata preparata in gran segreto, ma quando un segreto lo sapeva Luciano non è che fosse proprio al sicuro. A me ad esempio lo aveva raccontato subito, pur facendomi giurare con le dita a croce che non l'avrei rivelato a nessuno.

Ero stato di parola e avevo aspettato per settimane di sentire il botto, impaziente, poi il tempo era passato, era arrivata la primavera, di legna se n'era usata sempre meno e mi ero persino dimenticato della faccenda. Credo che gli stessi braccianti non sperassero piú di trovare chi si scaldava gratis, finché non arrivò quella settimana di aprile cosí fredda.

In quel mercoledí prima di Pasqua, iniziato con la foschia e la pioggerella, verso mezzogiorno il tempo si mise d'improvviso al bello, spuntò un sole inaspettato che intiepidí l'aria e arrivò un po' di vento a ripulire il cielo; però ad asciugare l'umido ci voleva tempo, quindi nelle case le stufe e i camini continuarono ad ardere come fornaci.

Cosí, finalmente, si riuscí a capire chi era il parassita del legname.

Io e Francesco lo avevamo soprannominato Il Tarlo quel ladro senza volto, e ce lo eravamo immaginato in azione al buio, vestito di nero e con una maschera sul volto come Diabolik.

La realtà risultò meno romanzesca, ma fu strepitosa e divertente lo stesso.

Dopo pranzo feci un giro in bici. Prima passai a salutare Carlino, che da quando mi aveva dato le quattromila lire era diventato un mio eroe, quasi alla pari del nonno. Lui, seduto fuori, si grattò la palla gigante con entrambe le mani, annusò l'aria, si inumidí un dito mettendoselo in bocca e lo alzò nella brezza, poi sparò il pronostico.

– Il peggio è passato, – disse, – mi sa che rasserena.

Era rasserenato già da due ore, ma lo ringraziai della preziosa informazione e lo salutai con un cenno della mano. Poi andai al campetto della chiesa per vedere se si poteva giocare un po' a pallone, ma il prato era pieno di fango e non c'era nessuno.

Stavo per tornare a casa, rassegnato ai compiti, che magari se li facevo tutti subito liberavo le vacanze pasquali dalla loro ombra e mi toglievo il pensiero, quando ci fu lo scoppio. Mi attraversò e mi scosse non solo le orecchie, ma tutto il corpo, lo sentii sui timpani come nello stomaco e in gola. Non avevo mai udito niente di simile e mi ci volle un po' prima di capire. Poi, quando realizzai cos'era accaduto, mi si stampò un sorriso in faccia: il Tarlo era stato smascherato. In quel momento fui persino orgoglioso del cugino Luciano, che doveva aver fatto un buon lavoro, dopotutto.

Il boato sembrava venire dalla Bassa dei Porcari, un'area al margine del paese in direzione opposta a quella del fiume. Il nome diceva tutto: si trattava di una zona che fino a qualche decennio prima era palude, e una volta che era stata piú o meno bonificata era diventata sede di allevamenti di maiali perché per l'agricoltura, come diceva il nonno, era poco adatta, essendo il terreno limaccioso e propenso ad allagarsi.

C'erano solo due case abitate, laggiú, proprio perché bastava qualche goccia di pioggia a riportare la Bassa alla sua natura di pantano.

Mi ci diressi a tutta velocità, dritto sui pedali: se fossi arrivato per primo sul luogo dell'esplosione, magari mettevano il mio nome sul giornale e ci poteva anche scappare una ricompensa. Chi me l'avrebbe data e per quale motivo non riuscivo a immaginarlo, però nel dubbio cercai di accelerare sempre piú.

Infilai la carraia principale, che nel tratto piú vicino all'abitato era contornata da file di alberi, poi, seguendo un canale di scolo, svoltai verso le porcilaie, accolto dal fetore che quando il vento soffiava da quella direzione arrivava ad appestare anche il paese.

Passai davanti alla casa di Sergio detto Puzzola, un mio compagno di scuola, che era intatta. Rimaneva una sola op-

zione, dunque: doveva essere saltata per aria quella di Gino
Rospo, una catapecchia a un solo piano contornata da una
flotta di capanni e tettoie e da recinti pieni di suini.

Quando la vidi, trovai conferma alla mia intuizione: aveva il tetto aperto e slabbrato come la cima di un vulcano,
le tegole sparse ovunque e dalle finestre erano volati via i
vetri, le persiane e tutto il resto.

Purtroppo non fui il primo ad arrivare sul posto: c'erano già Sergio Puzzola, sua madre e suo padre Vladimiro,
che era il fratello di Gino. Stavano con la faccia all'insú,
a fissare la vetta di un pollaio in muratura dall'altra parte
del cortile, a una ventina di metri dalla casa. Li raggiunsi,
scesi in fretta dalla bici e seguii il loro sguardo: sui coppi
c'era una sedia a rotelle, e sulla sedia una vecchia con lo
scialle e il fazzoletto in testa. Era la madre di Gino, che
tutti in paese, per comodità e perché era ancora piú brutta di suo figlio, chiamavano La Rospa. Il tetto era ovviamente in pendenza, ed era un miracolo che sedia e vecchia
non ruzzolassero giú: forse le ruote si erano incastrate tra
due file di tegole, ma doveva trattarsi di un equilibrio assai precario.

Mi avvicinai a Puzzola, esterrefatto. – Ma come cacchio
ha fatto tua nonna a volare lassú? – gli chiesi.

Lui pareva molto divertito e si teneva una mano sulla
bocca per soffocare le risate. Invece di rispondermi subito,
mi prese per un braccio e mi condusse vicino alla casa. – Ha
usato la rampa di lancio, – disse sghignazzando.

– Cioè?

Mi indicò la porta spalancata: per evitare che i frequenti
allagamenti della zona invadessero l'interno dell'abitazione,
sulla soglia era stata costruita una specie di dosso di cemento alto almeno quaranta centimetri e degradante sia verso
l'esterno che verso l'interno.

– Mia nonna vorrebbe sempre uscire, ché sono dieci anni che è paralizzata alle gambe e chiusa in casa su quell'accidente di sedia, ma da sola non ci riesce per via di quel coso sulla soglia, e lo zio Gino dice che non ha tempo di portarla fuori, anche perché se la mette in cortile scappa: non hai idea di quanto è veloce con quel trabiccolo. Una volta l'abbiamo trovata sulla strada che porta in paese, diceva che andava in chiesa a sposarsi: sai, non c'è piú con la testa. Insomma, per farle prendere un po' d'aria e tenerla tranquilla, lo zio la piazza davanti alla porta aperta. Quando c'è stato lo scoppio nella stanza, lo spostamento d'aria ha spinto la sedia sulla rampa dell'ingresso e la nonna è decollata. Fortuna che c'era il tetto del pollaio, altrimenti chissà dove sarebbe andata a finire!

– Se non avesse preso quota, – osservai, – si sarebbe spiaccicata sulla parete come un manifesto.

– Già! – convenne Puzzola, sempre piú divertito dalla faccenda.

In quel mentre cominciò ad arrivare altra gente, e nel giro di dieci minuti intorno alla casa sventrata e soprattutto al pollaio c'era tutta Bagnago. Mio cugino Luciano mi raggiunse, mi diede un colpetto di gomito e mi sussurrò raggiante: – Hai visto, eh? Che botto, che capolavoro!

Io non dissi niente, ma Walter, che era il capo della cooperativa braccianti, si parò davanti a lui e gli sibilò in faccia: – Ma quanto esplosivo ci hai messo in quel ceppo? Ti avevo detto un pochino, tanto per capire chi era il ladro!

– Be', l'ho quasi riempito.

– Tu sei davvero scemo, e io che ti ho affidato un incarico lo sono ancora di piú! Lo sai che potevi ammazzare sia Gino che la vecchia?

Luciano non si scompose. – Non sono morti, quindi direi che è andato tutto bene.

L'uomo scosse la testa, si allontanò e raggiunse Gino, che davanti al pollaio urlava in direzione di sua madre: – Scendi! Scendi!

– Ma come vuoi che scenda, poveretta? – gli disse brusca la madre di Sergio. – Bisogna tirarla giú.

La gente prese a mormorare; tutti avevano un piano, una strategia, una proposta, finché Walter, che essendo stato l'ideatore dell'espediente per scoprire il Tarlo doveva sentirsi in colpa, ruppe gli indugi e si offrí volontario: – Trovatemi una scala e una corda. Mi arrampico, imbraco la sedia a rotelle e butto la fune dall'altra parte, cosí voi la fissate a un albero: l'importante è che non scivoli giú, che si rompe l'osso del collo. Una volta che l'avremo messa in sicurezza, vedremo il da farsi.

Gino e Vladimiro corsero in uno dei capanni che abbondavano lí intorno, tornarono con l'occorrente, appoggiarono la scala alla parete del pollaio, diedero la corda a Walter e lui salí.

La vecchia, che pareva un'enorme civetta appollaiata sui coppi e proprio come una civetta girava la testa all'indietro, vide l'uomo con la coda dell'occhio e iniziò a gridare come un'ossessa: – Via, tu! Aiuto! Mi rapiscono, aiuto!

– State buona! – diceva Walter. – Non vi agitate, che cascate di sotto!

– Gino! Gino, ci sono i tedeschi! Nascondi i maiali, che ce li portano via di nuovo! – sbraitava la donna.

Gino urlava piú di lei e non si capiva chi fosse piú scemo. – Sta' ferma! Magari ti prendessero davvero i tedeschi, cosí la smetti di farmi ammattire! Come ti è venuto in mente di volare là sopra, eh?

Ero stupito e allo stesso tempo ammirato dalla imbecillità del Rospo, che intanto continuava: – Adesso Walter ti lega e poi ti tiriamo giú, cattiva!

– Aiuto, mi legano! – continuava lei, al che la gente cercava di tranquillizzarla.

– Non legano voi, legano la sedia, cosí potete scendere e tornare in casa.

– In casa? Non ci voglio andare in casa, ché ci sto chiusa da una vita! Lasciatemi qui nell'orto, che prendo un po' d'aria!

– Non siete nell'orto, siete sul pollaio.

Vladimiro, che era molto piú sensato di suo fratello Gino, le chiese: – Mamma, come stai? Ti sei fatta male?

– Sto bene, – rispose lei. – Prima però ho avuto una vampata: mi sa che mi sta tornando la menopausa.

L'uomo mormorò: – Ci credo che ha sentito una vampata! Che poi vorrei proprio capire cos'è successo: che ci ha messo nel camino quel deficiente di mio fratello, una bomba?

– Eh, sí, era proprio una bomba, – gli disse con aria soddisfatta Luciano. – L'ho preparata con le mie mani, cosí Gino impara a non rubare piú la legna della cooperativa.

Discussero per cinque minuti, per altri cinque si spintonarono senza che nessuno intervenisse a separarli, tanto era una faccenda che in qualche modo andava chiarita e risolta. Poi si stufarono e la smisero, anche perché c'erano questioni piú urgenti da affrontare, tipo fare atterrare la vecchia.

Walter, nel frattempo, dalla scala era passato carponi sulle tegole; procedeva piano piano perché il tetto era decrepito, incurvato e poteva sfondarsi da un momento all'altro.

Era quasi riuscito a raggiungerla, quando la donna sfoderò le armi. In mano aveva un fuso e una rocca: doveva essere l'ultima in tutta Italia che filava ancora, e lo stava facendo anche quando era esploso il camino, tanto che la matassa di lana, nel volo, le si era avvolta intorno al collo come una sciarpa sfilacciata. Con quella, gli occhiali, il fazzoletto in testa e la postura della sedia orientata verso l'alto per via della pendenza, sembrava l'incrocio tra la Befana e un pilota d'aereo della Prima guerra mondiale.

Quando l'uomo le fu a tiro e già stava armeggiando per imbracarla, prima gli sferrò una botta in testa con la rocca, cosí forte che si sentí lo schiocco, poi gli piantò il fuso appuntito in una mano.

Walter fece un salto di lato, si scompose, vacillò e mulinò per qualche istante le braccia e le gambe, finché sparí di colpo alla vista. I travicelli del tetto avevano ceduto e lui era sprofondato dentro, tra i polli, che schiamazzarono come se invece del capo dei braccianti gli fosse piombato addosso un branco di volpi.

La Rospa ululò di gioia e di vittoria.

In tre o quattro corsero dentro il pollaio per soccorrere l'uomo caduto; quando si capí che non si era fatto niente di serio si ricominciò a pensare a come tirare giú la vecchia, che dallo spavento pareva essere passata a un'incontenibile euforia: cantava *Bella ciao*, ridacchiava, agitava minacciosa la rocca di legno.

Tarroni, che era appena arrivato col trattore per portare un carico di paglia e si era ritrovato in mezzo a quel pandemonio, si dimostrò subito lucido ed efficiente.

– Per prima cosa, – disse prendendo la situazione in mano, – aiutatemi a scaricare tutta la paglia accanto alla parete del pollaio, cosí, se la sedia si sblocca e quella poverina rotola giú, perlomeno cade sul morbido.

In molti si gettarono a eseguire l'operazione. Avevano appena finito quando arrivò Paolino, che mi si avvicinò e mi chiese: – Che fanno, la bruciano?

– Eh?

– La Rospa, la bruciano? Ho visto che hanno già preparato il mucchio della paglia da incendiare. Perché la bruciano?

Cos'ha fatto? È una festa tipo la Segavecchia? Eh? Ma a che
ora la bruciano?

Dovetti dargli un pugno sulla spalla per zittirlo, ché quando partiva, con quella voce tutta nel naso e quell'insistenza
nello sparare cretinate, mi dava sui nervi.

– Adesso, – disse Tarroni a cui nel frattempo avevano il-
lustrato meglio la situazione, – bisogna mandare su uno piú
leggero di Walter, un bimbo.

– Ci vuole soprattutto uno a cui non faccia del male, –
intervenne Vladimiro prendendo per un braccio il figlio
Sergio. – Tu... vai su tu, che sei piccolo e sei suo nipote.

Puzzola era sí un bambino, ma leggero non lo era affatto.
Era grasso, e secondo me non avrebbe saputo arrampicarsi
neppure su una sedia. Inoltre non aveva alcuna intenzione
di fare atterrare sua nonna. – Lasciatela là! Vi prego, lasciatela lassú! – diceva.

Sua madre gli mollò uno scappellotto. – Ma ti pare che
possiamo lasciarla sul pollaio? Eh?

– Sí! – rispose lui massaggiandosi la testa con una smorfia.
– Le porterò da mangiare io tutti i giorni, ve lo prometto!

Gino, che cominciava a stancarsi della faccenda e che
probabilmente di sua madre non ne poteva piú da un pezzo, parve prendere in considerazione l'ipotesi di farla vivere sul tetto come una cornacchia. Espresse solo un dubbio:
– E quando piove? – chiese.

– Vado su io con l'ombrello! – insistette Sergio, che in
quanto a ritardi nel cervello era il terzo in classifica tra i
bambini del paese, dopo Paolino ed Enrico-di-Mattina.

Io e Francesco, che nel frattempo era arrivato pure lui
a vedere lo spettacolo, ci stavamo divertendo come mai
ci era successo prima. – Certo che Puzzola è proprio scemo! – dissi.

Lui annuí e confermò.

Sergio detto Puzzola era in effetti uno dei nostri compagni di classe piú incredibili: diceva e faceva cose assurde, non studiava e non prendeva mai una sufficienza, a scuola si portava sempre panini enormi, come se invece che a lezione andasse a un picnic. Oltre a essere grasso e poco sveglio puzzava da morire, come si desume dal soprannome che gli avevamo messo: sulla pelle e negli abiti aveva un misto di sentori che comprendeva quello di maiali, dato che la sua famiglia li allevava, quello di fritto, quello di sporco e chi piú ne ha piú ne metta.

Nessuno voleva stare nel banco con lui, cosí come nessuno voleva stare nel banco con Roberto, uno che continuamente blaterava e sparava fandonie, vantandosi di questo e di quello senza alcun fondamento di verità. Una volta, mentre giocavamo a pallone, io cantai le lodi di Tumburus, difensore della mia squadra del cuore, cioè del Bologna: giocavo nel suo ruolo e mi piaceva paragonarmi a lui. Roberto, candido candido, affermò che Tumburus era suo zio.

Tutti sapevamo che non era vero. Di solito, davanti a queste uscite di Roberto, gli altri ridevano e lasciavano perdere, ma a me facevano cosí arrabbiare che mi ci incaponivo.

– In che modo è tuo zio? – gli chiesi.

Si strinse nelle spalle. – Che significa in che modo? È mio zio e basta.

– Volevo dire: di chi è fratello?

– Di mio padre.

– Tu di cognome fai Amadori, giusto?

– Sí.

– Quindi anche tuo padre fa Amadori.

– Certo, – convenne l'imbecille.

– E com'è allora che il fratello di tuo padre farebbe Tumburus?

Era talmente fanfarone che non si tirava indietro neppure davanti all'evidenza.

– Tumburus è una specie di soprannome. Nome d'arte, si dice, nel caso tu non lo sapessi.

Le strade erano tre: o gli saltavo addosso e gliele davo, o lasciavo perdere e lo compativo, o continuavo nella disputa. Scelsi la peggiore, cioè la terza, obiettando che se uno proprio deve mettersi un nome d'arte, col cavolo che sceglie Tumburus, che è orrendo.

Lui rispose che quel nome proveniva da un antenato, un cavaliere mercenario cosí grosso e forte che volevano chiamarlo Ursus, ma siccome Ursus era già in uso a un altro eroe, come era facile verificare nei film, avevano appunto ripiegato su Tumburus.

Io dissi che Ursus voleva almeno significare qualcosa, perché derivava da orso, ma Tumburus che voleva dire? Derivava forse da tumboro, che è una parola che non esiste?

Roberto affermò che invece quella parola esisteva, eccome, e che se ero ignorante e non la conoscevo era un problema mio. Allora cambiai strategia e passai alla strada numero uno, cioè gli saltai addosso e lo picchiai. Però potevi menarlo quanto volevi, potevi pure ammazzarlo che due minuti dopo riprendeva a raccontare frottole e a sparare stupidaggini: era piú forte di lui e non ci si poteva fare un bel niente.

Sergio Puzzola e Roberto Amadori, per via delle loro rispettive caratteristiche, in classe stavano dunque nel banco insieme, in fondo all'aula, zona da cui proveniva continuamente un rumore di denti che masticavano panini e di una bocca intenta a eruttare chiacchiere e sbruffonate.

Ma torniamo alla nonna di Sergio: era sul tetto e pareva felice come una pasqua, e intanto a terra i preparativi per un'altra incursione si erano fermati.

Poi vidi arrivare Allegra e sua madre. Era o non era una buona occasione per fare una bella figura? Altro che tema

in classe, altro che eroi come Ursus e Tumburus! Andai da
Vladimiro, lo tirai per una manica e gli dissi: – Se Sergio
non vuole salire ci provo io, che sono piú leggero.

Lui fu subito d'accordo e mi indicò la scala, ma dal nulla
sbucò mia madre che tentò di proibirmi l'impresa, dicendo
che il tetto era marcio e che la vecchia pareva agguerrita e
pericolosa assai.

Accorgendomi che Allegra, nel frattempo fattasi piú vicina, aveva sentito le parole della mamma, decisi che a quel
punto tutto era davvero perfetto. Pericoloso? Certo, con-
venni, ma chi avrebbe potuto sfidare il pericolo se non un
impavido come me?

Trovai per terra il coperchio di un paiolo, forse quello
che era stato nel focolare al momento dello scoppio, e decisi di usarlo come scudo. Tenendolo in mano mi feci lega-
re la fune alla cintola, quindi cominciai ad avventurarmi
sulla scala.

La Rospa, dall'alto, aveva girato la testa in un'angolazio-
ne incredibile (doveva essere l'unica vecchia del paese a non
avere le ossa del collo arrugginite e quasi bloccate) e seguiva i miei movimenti. I suoi occhi, resi piú grandi dalle lenti,
parevano quelli di un enorme falco che fissasse la preda. E
la preda ero io.

Sotto quello sguardo maligno il mio coraggio vacillò e
pensai che, Allegra o non Allegra, fosse meglio fare dietro-
front per non finire come Walter.

Ma la bambina dei miei sogni gridò forte: – Stai attento, Gigi, ti prego!

Sapere che si preoccupava per me mi diede una grande
carica. Tirai un respiro profondo, avanzai e giunsi al punto
che potevo salire sulle tegole, ma i miei piedi, nonostante
il cervello ordinasse loro di muoversi, rimanevano incollati
al piolo della scala. Poi vidi che tra la gente c'era pure Loris

Feletti, un geometra con la passione della fotografia: aveva con sé l'apparecchio e scattava a piú non posso.

La carica a quel punto fu completa: se Feletti avesse dato le fotografie al «Resto del Carlino», sul giornale ci finivo davvero, stavolta.

Lasciai la scala e salii sul tetto. Sul lato destro della sedia a rotelle si apriva la voragine dentro cui era sprofondato Walter; dovevo quindi aggirare l'obiettivo sulla sinistra.

Chinato in avanti, attento a non scivolare, procedetti, scudo in mano, e piú mi avvicinavo alla donna, piú i suoi occhi si facevano grandi, furbi e malefici. Chissà cosa stava architettando, quella.

Mi fermai per un attimo sentendo i coppi scricchiolare sotto i piedi, e per trovare conforto guardai giú. Allegra seguiva ogni mio movimento con una mano sulla bocca, Francesco e mia madre pure, e Loris Feletti scattava a ripetizione.

Affrontai la situazione di petto: mi portai a fianco della vecchia, scudo parato, e la fissai. Lei zitta e ferma, io pure, per un tempo che parve infinito. Ruppi il silenzio e provai a trattare.

– Senta, signora Rospa...
– Rospa? Rospa a chi? – gridò lei. – Rospo sarai tu!

Avevo fatto una gaffe, ma come si chiamasse quella donna non lo sapevo proprio.

– Senta, – riprovai, – sono un amico di suo nipote Sergio... non vorrà mica rimanere quassú fino a notte, vero?
– Quassú dove? Sono nel mio cortile e ci sto benissimo.
– Ma c'è umido e tira vento, si ammalerà!
– Sono già ammalata, non vedi che ho perso le gambe?

Ero in bilico su un tetto inclinato, ero teso, anzi impaurito, e nella confusione che avevo in testa stavo per chiederle: «E dove le ha perse? Vuole che la aiuti a cercarle?»

Però ritrovai lucidità e dissi: – Se è già ammalata, è ancora più necessario che scenda.

Lei, all'improvviso, parve essere perfettamente conscia della situazione. Forse ci prendeva in giro tutti recitando la parte della svanita, oppure il suo cervello funzionava a intermittenza, come le lucine dell'albero di Natale. – Non lo so, – disse. – Facciamo così, tu prova a imbracarmi con la corda e io a quel punto decido: o te lo lascio fare, o ti sbatto di sotto come quell'omone grande e grosso e coglione di prima.

Deglutii. – Non può decidere subito, così mi so regolare?

– No.

Parlare con quella era come discutere con Roberto Amadori: non se ne veniva a capo. Era meglio agire e farla finita, ché dopo i sogni eroici di qualche minuto prima cominciavo a sentirmi un po' ridicolo, lassù, con un coperchio di paiolo in mano.

Feci per slegarmi la fune dalla vita e cominciare a imbracare la sedia, quando il coperchio-scudo mi sfuggí, rotolò in tondo e sparí dentro la voragine del tetto. Sentii un botto e una bestemmia dentro il pollaio, dove alcuni uomini, nell'eventualità che sprofondasse tutto e io e la vecchia ci inabissassimo, stavano ammucchiando altra paglia.

– Scusate, – dissi, – non l'ho fatto apposta!

– Stai più attento! – sentii gridare Gino.

Aveva un bel dire, lui: io ci stavo attentissimo ma l'impresa era più difficile di quanto avessi pensato, anche perché le tegole erano non solo vecchie e fragili, ma pure ricoperte da una sottile patina di muschio che le rendeva scivolose.

All'improvviso le lucine nella testa della vecchia si spensero di nuovo: mi fissò, aprí la bocca in un'espressione di terrore e cominciò a gridare: – I tedeschi! C'è un tedesco!

Era proprio fissata.

– Non sono tedesco per niente, – cercai di rassicurarla.

– Sei delle Esse Esse? – mi chiese lei.

– Delle Esse Esse? Io faccio la quinta elementare…

– Perché?

Perché cosa? In che senso? Non sapevo veramente piú che dirle.

Stavo per proseguire nel mio compito, quando da dentro il pollaio qualcuno chiese forte: – Piove?

Piove? Ma se non c'era piú una nuvola! Guardai in alto, poi da un rumore di scroscio sui coppi capii: la Rospa stava pisciando. Cosí, vestita e seduta sulla sedia a rotelle.

Lei gridò: – Oddio! Oddio, mi si sono rotte le acque! Correte a chiamare la Leda, che mi si sono rotte le acque!

Che accidenti voleva dire? E chi era questa Leda?

– Signora, io non le ho rotto niente, non l'ho neppure toccata, – le dissi preoccupato. Poi, a scanso di equivoci e per non essere incolpato ingiustamente, mi rivolsi alla gente in basso e gridai: – Ve lo giuro, non sono stato io!

Risero tutti, chissà perché.

La vicenda stava diventando troppo lunga e complicata per i miei gusti, cosí raggiunsi la sedia a rotelle e cominciai a imbracarla, ché il nonno mi aveva insegnato a fare i nodi piú strani e io li avevo imparati proprio bene.

La vecchia prima mi guardò allocchita, poi mi diede una botta in testa con la rocca, sputacchiò, borbottò, mi implorò di non rubarle i maiali, mi chiese prima se avevano chiamato o no la Leda, poi se volevo comprare delle nespole e infine se era arrivata la sua pensione. Doveva essere nel marasma piú completo e io ne approfittai per finire il lavoro, gettare la corda dall'altra parte del pollaio e battere in ritirata.

Quando toccai terra mi aspettavo perlomeno un applauso, ma non ci fu: erano tutti concentrati nel prosieguo dell'operazione di recupero, cioè nell'afferrare la fune da una parte di quel capanno e nell'appoggiare due assi inclinate alla parete sul lato opposto, nel punto in cui, mollando piano piano la corda, dovevano scendere la sedia a rotelle e la sua occupante.

In cinque minuti La Rospa fu in salvo e tutti parevano sollevati e contenti, tranne lei che urlava a squarciagola che voleva tornare su, che là in alto c'era un bel venticello e si stava proprio bene.

Andai a sedermi all'ombra di un'acacia, dovevo riprendermi.

Arrivò Francesco che voleva ascoltare i particolari della mia impresa, passò il nonno che mi disse: – Bravo! – poi finalmente fu il turno di Allegra. Mi sorrise e stava per parlarmi, quando sua madre, già in sella alla bici, la chiamò e lei dovette andare via di corsa.

Feci per andarmene pure io, ma mi si avvicinò Vladimiro, mi chiamò da una parte e mi mise in mano una banconota.

– Sono mille lire, – disse, – te le sei meritate.

Era stata una giornata con alti e bassi, ma alla fine si era messa alla grande. Altre mille lire! Il mio salvadanaio non era mai stato cosí pieno.

Arrivò il giorno di Pasqua, e come c'era stato detto non ci furono uova da colorare, né uova di cioccolato.

Anche il pranzo della festa fu molto meno ricco del solito. Negli anni precedenti, il sabato santo avevo accompagnato il babbo a un mercato del bestiame in collina, in un paese dove c'erano anche la fiera, le bancarelle, i negozi aperti con ogni ben di dio, ed eravamo sempre tornati con un agnello già macellato e pronto da cucinare. Ma stavolta sul tavolo comparvero solo un pollo lessato e uno arrosto, dei nostri, anche perché al mercato in collina non c'eravamo andati.

Ne chiesi il motivo a mio padre e lui, scuro in faccia e con un sospiro, mi rispose che era un brutto momento, la compravendita dei bovini si era quasi fermata e non c'erano buone speranze per il futuro.

– Ma allora che farai, tu? – gli chiesi.

Tardò a rispondere e lo vidi preoccupato davvero. – Non lo so, non lo so proprio, – mormorò alla fine, e quella sua incertezza non mi piacque per niente.

Le cose quell'anno furono diverse anche per quanto riguardava il lunedí di Pasqua, giornata in cui di solito, stipati nella Seicento, andavamo fino al mare a mangiare pesce in un ristorante sulla spiaggia. Non era un grande viaggio, solo una ventina di chilometri, ma io ed Enrico aspettavamo quell'occasione con impazienza perché il mare, pur se vicino, lo vedevamo non piú di tre o quattro volte all'anno: a Pasquetta per l'appunto e qualche domenica d'estate, quando ci scatenavamo a fare castelli sulla spiaggia, tuffi fra le onde e tornavamo a casa distrutti e con la pelle smerigliata dalla sabbia, dalla salsedine e dal sole.

Invece del pranzo sulla riva dell'Adriatico, avemmo sardine in graticola a casa.

La mamma le aveva comprate da un tipo che passava tutte le settimane con un furgoncino, che prima di arrivare a Bagnago aveva probabilmente fatto il giro di mezza Italia e nel nostro paese portava gli avanzi ormai vecchi e sfatti. Quelle sardine, crude, puzzavano da far vomitare, tanto che Merdo, pur riuscendo ad avvicinarsi al recipiente che le conteneva, si era tirato indietro di scatto e se n'era andato a coda dritta e con l'aria offesa.

Quando furono cotte e servite io non le volli neppure assaggiare, facendo per una volta lo schizzinoso come mio fratello.

– Sono buonissime, una prelibatezza, – cercò di convincermi la mamma ficcandosene una in bocca con espressione di voluttà. Come al solito, voleva far credere che tutto andasse per il meglio.

– Fanno cacare, – dissi io, e mi presi uno scappellotto da mio padre che mi fischiarono le orecchie per un'ora.

Per fortuna in tavola c'erano anche salumi, verdure e formaggi, cosí mangiai quelli, pur se di mala voglia.

In realtà le sardine non mi dispiacevano e forse, se le avessi provate, le avrei pure apprezzate, ma è che mi sentivo defraudato di qualcosa. Perché non eravamo andati a pranzare al mare? E perché il giorno prima non avevamo avuto l'agnello? Perché quei musi lunghi, perché risparmiare persino sulle uova? Stavamo diventando poveri? Saremmo finiti a dormire sotto un ponte, vestiti di stracci? Avrebbero deportato me e mio fratello in un orfanotrofio dove tutto, dai muri, alle coperte, ai mobili sarebbe stato azzurrino con qualche tocco di marrone? Oppure ci avrebbero condotti in un bosco lasciandoci là, come nelle favole? Forse era meglio prepararsi a quell'evenienza e tenere sempre in tasca dei sassolini bianchi per segnare la via del ritorno (cosa che sarebbe stata assolutamente inutile in una fiaba della povera Tugnina, in cui, sassolini o no, io ed Enrico non avremmo mai potuto salvarci perché sarebbe arrivato l'Uomo Nero che ci avrebbe divorati, e la traccia l'avrebbe seguita lui per arrivare a casa nostra e mangiare anche il resto della famiglia).

Cercai di non pensare a quelle ipotesi di miseria incipiente e a tutto il resto; mi dissi che il babbo era un buon commerciante e che il nonno sarebbe intervenuto a risolvere la situazione, ogni situazione. Era un tipo tosto, lui.

Per fortuna, nei giorni successivi, quell'atmosfera di cupezza e di disagio lasciò il posto a una certa agitazione in casa, perché ci furono due avvenimenti su cui concentrarsi.

Il primo fu il battesimo delle due gemelline che nel frattempo la zia Verdiana aveva sfornato. Per educazione e vincolo famigliare dovemmo andare tutti a seguire l'evento, e i miei insistettero affinché io ed Enrico ci vestissimo a festa; ci misero pure delle cravattine a farfalla tenute da un elastico, una roba ridicola e scomoda che io non vedevo l'ora di togliermi perché mi strozzava e mi faceva sentire un pagliaccio. A mio fratello invece piaceva mettersi elegante e prima di uscire si era addirittura rimirato nello specchio.

In chiesa non ci andavo quasi mai, e trovai la cerimonia di una noia mortale. Avrei voluto fare come il nonno, che là dentro non ci entrava per principio e che era quindi rimasto fuori accanto alla porta, impaziente che quella faccenda terminasse. Si affacciava ogni tanto e gridava, facendo rimbombare tutta la chiesa e disturbando il parroco: – Allora, non avete ancora finito? Ma quanto vi ci vuole? – Secondo me non vedeva l'ora di partecipare al rinfresco che sarebbe seguito a casa della zia, dove perlomeno avrebbe potuto mangiare cose buone e soprattutto bere senza economie.

In effetti c'erano dolci a non finire e anch'io mi abbuffai. Poi fu il momento dei regali alle nasciture, a cui erano stati imposti i nomi di Rita e Catia.

Il nonno, che era ateo e mangiapreti, quando li sentí borbottò che erano nomi del cavolo, dato che erano certamente ispirati a santa Rita da Catia. La mamma gli fece osservare che la santa in realtà si chiamava Rita da Cascia; lei di santi se ne intendeva, aveva una scatola piena delle loro immaginette e credo le collezionasse come io facevo con le figurine dei calciatori: ho due sant'Antonii, mi manca san Pancrazio, eccetera.

Il nonno però rimase della propria opinione e disse che sarebbe stato meglio, le gemelline, chiamarle Rosa e Anita come la madre e la moglie di Garibaldi. Era fissato con 'sto Garibaldi quasi come La Rospa lo era con i tedeschi.

Poi intervenne mio padre dicendo che Catia era un nome russo, quindi di ispirazione comunista, altro che religione e santi. Al che il nonno puntualizzò che gli stavano sui coglioni sia i comunisti che i santi, quindi il suo disappunto rimaneva.

Tutta quella disputa mi confermò che appartenevo a una famiglia davvero strana, cosí mi allontanai in cerca di altri dolci, finché non mi venne incontro la zia Verdiana con una delle bimbe e mi disse: – Gigi, la vuoi tenere in braccio?

Era l'ultima cosa al mondo che desideravo, però me la ficcarono tra le mani guardandomi come se mi avessero accordato un grande privilegio, per cui dovetti fare buon viso a cattivo gioco. La poppante dopo tre secondi cominciò a urinare come una fontana e io la riconsegnai in fretta, un po' allarmato dal fatto che era la seconda volta in pochi giorni che tentavano di pisciarmi sui piedi: prima la vecchia sul tetto, poi la Rita o la Catia che fosse (non si distinguevano l'una dall'altra).

Ma torniamo ai regali: la mia famiglia, con l'astensione mia e di Enrico, donò alle neonate due sonaglini, cioè aggeggi con un manico da cui partiva un cerchio recante delle sfere d'argento che, se scuotevi, suonavano come campanelli. Roba di un'inutilità e di una bruttezza uniche, secondo me, e perdipiú care perché, appunto, d'argento.

Mio fratello, dopo aver guardato in faccia le bambine, disse che erano talmente uguali da sembrare la stessa persona, quindi si sarebbe potuto regalare un sonaglino solo. Il babbo obiettò che, per quanto identiche, erano comunque due e quindi avevano entrambe il sacrosanto diritto di scuotere gli aggeggi e suonare. Il nonno intervenne dicendo che avessero azionato i sonagli insieme avrebbero fatto un rumore cosí fastidioso che ti veniva voglia di ucciderle. Sí, dovevo prenderne atto e rassegnarmi, la mia era una famiglia davvero particolare.

Il secondo evento, alla fine del mese, furono le elezioni politiche, di cui come sempre si fece un gran parlare. Non ci capivo molto, ma mi piaceva sentire i miei che discutevano come se fossero candidati al parlamento.

Andò a finire che il Partito comunista guadagnò voti, mentre il Partito repubblicano ne perse un sacco e si ridusse a poco o niente. Il nonno disse che si era davvero alla frutta, se sparivano i repubblicani, che il mondo era allo sbando, che Mazzini, Garibaldi e altri due o tre di cui non ricordo i nomi si stavano sicuramente rivoltando nelle tombe e avrebbero dovuto lanciare sul creato maledizioni e sciagure, che la gente non meritava altro.

Me li immaginai, Mazzini e Garibaldi (le loro facce le conoscevo bene perché nella stanza del nonno c'erano i loro ritratti), magari accompagnati da Ugo La Malfa, che a cavallo scorrazzavano per Bagnago arrabbiati neri, arrivavano alla casa del popolo, salivano di sopra e rompevano il televisore a colpi di spada, cosí la gente la smetteva di andare là a vedere la tivú, che una cosa tira l'altra e finiva poi che, a forza di frequentare quel posto, tutti votavano per i comunisti.

La mamma non rinunciò alla sua missione di mediatrice e pacificatrice, disse che i repubblicani erano pochi ma buoni e i comunisti pure loro non erano male.

Mio padre non si capiva da che parte stava: parlava un po' bene e un po' male di tutti. Secondo me era quasi comunista, ma gli dispiaceva deludere il nonno e tutti gli antenati, repubblicani. Lui frequentava sia il circolo del Pri che la casa del popolo, non si schierava mai né pro né contro questi o quelli. Dunque non sapevo per chi votasse, né sapevo a chi andassero le simpatie politiche della mamma.

E in ogni caso, non me ne importava niente: per il momento il partito del mio cuore non era in lizza, anche se aveva un simbolo ben preciso in cui comparivano sia la faccia di Allegra che la bicicletta blu.

Quando pensavo a quella bici e alla mia compagna di scuola mi rasserenavo, mi rinvigorivo e vedevo il futuro con ottimismo, tanto che, crisi del mercato del bestiame o no, mi dicevo che non saremmo diventati affatto poveri e che tutto sarebbe andato per il meglio.

Del resto cosa poteva succederci mai, protetti come eravamo dai santini di mia madre, da Garibaldi e Mazzini che ci guardavano dalle pareti e persino da Marilyn Monroe, sorridente in una cartolina infilata nell'anta di vetro della credenza, dai calciatori del Bologna ritratti nelle figurine che avevo incollato sulla testata del mio letto e dalla foto di Rin Tin Tin, ritagliata da un giornale, che Enrico aveva affissa con le puntine da disegno alla testata del suo?

8. Maggio 1963

A metà maggio, quando c'era la festa religiosa del paese, avrei dovuto fare la cresima e la prima comunione, dato che avevo l'età giusta e che per mesi mi ero sottoposto alla tortura del catechismo. Durante quelle lezioni, molto piú terrificanti delle ore scolastiche, suor Angela aveva cercato di insegnare a me e a una ventina di bambini un sacco di preghiere piene di parole strane. Lo aveva fatto con urla, occhiacci strabuzzati in maniera orrenda e bacchettate sulle mani, come se quelle litanie, di cui non capivamo quasi niente, volesse imprimercele nella memoria con la stessa grazia che si usa per incidere disegni sulla corteccia di un albero mediante un coltello.

A me quella roba entrava da un orecchio e usciva dall'altro, anche perché a casa il nonno mi disincentivava: quando la mamma me la faceva recitare per vedere se la conoscevo, lui sghignazzava, diceva che parevo il pappagallo del parroco e mi faceva il verso.

Tra le poche cose che avevo appreso c'era quella di non toccare l'ostia con i denti, eventualità che secondo suor Angela mi avrebbe condannato alla dannazione eterna, oltre che a spaventose malattie della bocca. Mi ero allenato a lungo con pezzetti di pane, attraverso sforzi penosi che mi facevano sembrare una gallina con il mal di gola, e alla fine avevo raggiunto un risultato accettabile, anche se mi si indolenzivano le mascelle e la lingua e addirittura mi lacrimavano gli occhi. Ma al momento fatidico quell'allenamento sarebbe servito? Magari, in preda all'emozione, mi confondevo e cominciavo a masticare, condannandomi per sempre. Era una cosa che non mi dava pace, perché mi pareva di correre un rischio troppo grande: la dannazione eterna non è mica uno scherzo, e le malattie della bocca pure, che una volta avevo avuto le afte e non ero riuscito a mangiare per una settimana.

Insomma, successe persino che una notte me la sognai, questa prova cosí difficile: il prete, forse facendolo apposta, invece di appoggiarmi l'ostia sulla lingua me l'appiccicava sugli incisivi come un francobollo su una cartolina. Allora i denti mi cadevano tutti insieme sul pavimento, poi davanti a me si apriva una voragine fiammeggiante che dava direttamente sull'inferno. Io facevo un salto indietro per svignarmela ma in quel mentre arrivava a tutta velocità, con un forte stridore di gomme, un camion carico di suore che era riuscito chissà come a entrare in chiesa e a fare lo slalom tra i banchi, l'altare e la gente. Paralizzato dalla paura, mi bloccavo, e il camion mi investiva buttandomi nel buco.

Oltre a fare il giocoliere con la bocca per manovrare l'ostia, standoci attento come se si trattasse di inghiottire un porcospino vivo, avevo imparato anche a rimanere fermo a mani giunte con lo sguardo rapito rivolto ai cieli, aspettando che il vescovo mi ungesse la fronte e mi desse il rituale schiaffo sulla guancia. La mamma diceva che si trattava di un semplice buffetto, ma suor Angela, che in gioventú doveva aver fatto il crociato, ci godeva a terrorizzarci e affermava che per diventare soldati di Cristo dovevamo soffrire, e piú forte il vescovo ci menava, meglio era, cosí saremmo stati pronti al dolore e a dare la vita per la Chiesa.

Io di dare la vita per la Chiesa non avevo alcuna intenzione, e piú che un soldato di Cristo mi sarebbe piaciuto diventare un marine degli Stati Uniti, ché quelli erano davvero forti e nei fumetti della serie *Collana eroica* facevano cose straordinarie e vincevano sempre.

Riguardo al vescovo, poi, una certa preoccupazione la nutrivo davvero: l'avevo visto in occasione delle cresime precedenti e avevo potuto constatare che era un omone di almeno un quintale, con una pancia enorme e il naso rosso come una fragola matura. Forse beveva, e se fosse venuto alla cerimonia ubriaco, grande e grosso com'era, magari invece di uno schiaffetto mi dava uno sganascione che mi buttava dietro l'altare.

Insomma, per farla breve, sottopormi a cresima e prima comunione non mi entusiasmava e ne avrei fatto volentieri a meno, anche perché sapevo che avrei dovuto vestirmi come un damerino con tanto di abito della festa, pantaloni e giacchetta in tinta, scarpe lucide, cravattino a farfalla tenuto dall'elastico, che ho già detto quanto l'odiavo, guanti bianchi e tutto il resto.

Solo il pensiero di comparire davanti ad Allegra addobbato a quel modo mi faceva venire i sudori freddi, perché secondo me non sarei stato affatto carino ed elegante, ma solo ridicolo e impacciato come quel cane vestito di tutto punto e col cappello che avevo visto una volta al circo mentre un istruttore lo faceva camminare su due zampe, o come Merdo quando io e mio fratello, per farlo divertire, gli infilavamo una calza della mamma in testa e lo imbracavamo con le mutande del nonno.

Però, c'era un però: niente cresima, niente regali, e io quell'anno di regali, in denaro s'intende, avevo proprio bisogno. Già immaginavo una scena di questo tipo: io seduto su una specie di trono con un vassoio in mano, la guancia tumefatta per un manrovescio del vescovo che avevo sopportato in silenzio e senza reagire scalciandolo negli stinchi;

davanti a me, la fila dei parenti in attesa di riempirmi il vassoio di banconote, in una gara a chi mi dava di piú.

Quando si arrivò al dunque, però, che già avevo maturato forti sospetti non avendo visto alcun preparativo in merito, i miei una sera annunciarono che sarebbe stato meglio aspettare un altro anno. Potevo diventare un soldato di Cristo solo nel 1964, insomma, che non cadeva il mondo e che l'esercito della fede se la sarebbe cavata anche senza di me.

La mamma dicendolo aveva gli occhi lucidi, perché lei a certe cose teneva, invece il babbo non fece una piega e il nonno addirittura brindò contento, osservando che in fondo mi avevano battezzato, seppur contro la volontà sua, della defunta nonna Anna e di tutti gli antenati, e quello bastava e avanzava.

Protestai, dissi che i miei amici e compagni di classe sarebbero stati cresimati e schiaffeggiati dal vescovo quell'anno e io non volevo essere la mosca bianca, e in piú c'era il problema dei regali, che mi servivano subito. Inoltre, per cosa mi ero slogato le mascelle nelle prove e avevo passato notti insonni, se non dovevo sottopormi alla pericolosissima prova dell'ostia che non può toccare i denti?

Fu a quel punto che saltò fuori la verità: in casa non c'erano i soldi né per farmi un abito nuovo adatto all'importanza della cerimonia, né per preparare un pranzo come si deve, dato che sarebbe stato d'obbligo invitare una marea di parenti affamati.

Ci risiamo, pensai. Insistetti per farmi spiegare la situazione, anche perché, se io ed Enrico dovevamo essere condotti in un bosco e lasciati là, era meglio che lo sapessimo per tempo, cosí potevamo prepararci.

Il babbo allora mi raccontò che negli ultimi mesi alcuni commercianti con cui faceva affari avevano dichiarato fallimento e non avevano onorato debiti importanti con lui, che quindi si ritrovava in difficoltà. Per capirci meglio: aveva comprato diversi bovini dagli allevatori della zona, li aveva portati nei mercati e venduti a questi grossisti; loro non lo avevano saldato mentre lui, invece, gli allevatori li aveva pagati, cosí non avevamo piú il becco di un quattrino, anzi eravamo sotto.

– Ma perché non hai dichiarato fallimento anche tu? – gli chiesi arrabbiato. Se bastava fare quello per non pagare i debiti, non capivo perché a un espediente tanto semplice non potesse ricorrere pure la mia famiglia. Eravamo i piú fessi, noi?

Sia lui che il nonno misero su un'espressione grave e fiera e dissero che i Melandri non fallivano, che eravamo sempre andati a testa alta e dovevamo continuare a farlo.

Non sapevo se fosse meglio andare a testa alta senza una lira o a capo chino con un bel conto in banca, ma il nonno parlò di onore, di onestà, di come il nostro casato fosse senza macchia e senza paura, tanto per cambiare menzionò pure Garibaldi e Mazzini, che non so cosa c'entrassero in quella storia, e alla fine mi convinse o quasi, perché nessuno piú del nonno, secondo me, sapeva cos'è la vita e come la si deve vivere.

Mio fratello, che era appena stato a portare un cestino di uova al negozio di alimentari e aveva le tasche piene di monete da consegnare alla mamma, annunciò che dichiarava fallimento e che quei soldi li teneva per sé.

La mamma gli intimò di non scherzare e di darglieli subito, al che lui replicò che di andare a testa alta non gli importava un fico secco e che preferiva riempire il salvadanaio.

Dovettero agguantarlo in tre e prendergli le monete con la forza.

Si avvicinava il giorno delle cresime e prime comunioni, e io sarei stato uno dei pochi a saltare l'appuntamento.

Al mio amico Francesco ne spiegai il motivo, con lui era quasi sempre sincero, ma con gli altri cercai di inventare scuse che non facessero sfigurare la mia famiglia. A Paolino, ad esempio, che da mesi chiedeva se lo invitavo alla mia festa, dissi che non mi sarei sottoposto alla cerimonia perché non lo volevo fare, il soldato di Cristo.

– Credevo ti piacesse, – rispose, – dato che vuoi sempre giocare alla guerra.

– Sí, ma ai soldati del Signore, a quanto ne so, non dànno armi; io invece voglio avere perlomeno un fucile mitragliatore, oppure guidare un carrarmato.

– E allora?

– Allora preferisco fare il soldato di qualcun altro.

Si cominciava a parlare di guerra in Vietnam, a cui pareva che gli Stati Uniti volessero partecipare, forse perché era andata a monte quella di Cuba e si ritrovavano con le mani in mano, e di certo, spiegai a quel piccolo deficiente, una volta finito l'anno scolastico avrei fatto le valigie, mi sarei messo in divisa e sarei corso laggiú.

A dire la verità, fino a qualche settimana prima non avevo la piú pallida idea di dove fosse, il Vietnam; lo avevo dovuto cercare sulle cartine del mio libro di scuola e mi ero accorto che stava in capo al mondo, in un posto che per gli americani doveva essere molto piú scomodo di Cuba per andarci a combattere. Chissà perché poi non si limitavano ad attaccare il Canada, che era confinante e ci sarebbe voluto uno sforzo minimo per mandare qualche stormo di bombardieri e un po' di marine.

Paolino si bevve tutto, ovviamente: mi guardò ammirato e chiese se poteva venirci pure lui. Obiettai che era troppo piccolo, avendo solo otto anni, ma ebbe un fugace lampo di buon senso e obiettò che anche i miei dieci anni non erano poi un gran che.

– Taci e pensaci su, – gli ordinai. Con lui 'sta cosa funzionava sempre: a tacere magari ci riusciva, ma a pensare no, quindi si bloccava e non replicava piú.

La domenica della festa andai comunque a messa: ero troppo curioso di vedere gli altri tirati a lucido e di osservare il vescovo impegnato a distribuire sberle. La seconda di queste cose alla fine fu deludente: si trattava solo di innocui buffetti, come aveva detto la mamma, e nessuno stramazzò a terra, né si lamentò. Vedere i miei compagni in ghingheri, invece, fu molto piú divertente.

Le femmine, infagottate in incredibili abiti bianchi e lunghi e con tanto di velo in testa, parevano spose nane o caricature di suore.

Francesco, che come ho già detto era di famiglia ricca, portava una specie di uniforme bianca ornata di alamari, cordoni di seta intrecciata e galloni sparsi dappertutto. Altro che soldato di Cristo, pareva perlomeno un colonnello. A dire il vero, anzi, somigliava a un buffo generale messicano che avevo visto una volta in un film sulla battaglia di Alamo, ma non glielo dissi per paura che se ne avesse a male.

Sergio, invece, l'avevano infilato in un completo blu che probabilmente era stato progettato per durargli anni, sfidando la crescita: era enorme e gli cadeva da tutte le parti. Doveva averglielo cucito sua madre tra una frittura e l'altra, perché nonostante fosse nuovo di zecca aveva il tipico odore di casa Puzzola. Inoltre se lo sporcò ancora prima di arrivare al sagrato della chiesa, mangiando una focaccia dolce che grondava zucchero unto come se nevicasse.

Roberto Amadori, da parte sua, non rinunciò a sparare fandonie neppure in quella sacra e solenne occasione. Ogni cresimando doveva avere un padrino, cioè uno che lo accompagnava e che in chiesa gli stava alle spalle, forse per sorreggerlo nel caso il vescovo avesse esagerato col ceffone. Lui arrivò con un signore sulla trentina, credo uno zio, che portava una cravatta viola e nel taschino della giacca un fazzoletto dello stesso colore.

Forse prendendo spunto da ciò, Roberto disse a tutti che quell'uomo era Gonfiantini, difensore della Fiorentina (doveva essere fissato col pallone e con i parenti di serie A), che aveva rinunciato alla convocazione per l'ultima di campionato pur di essergli accanto. Finita la partita a Vicenza contro la Lanerossi, continuò, anche il portiere Albertosi, sempre della Fiorentina, sarebbe saltato in macchina per correre a Bagnago e partecipare alla sua festa, che non se la sarebbe persa per niente al mondo: piuttosto avrebbe rinunciato a giocare a calcio per sempre.

Siccome mancava ancora un po' all'inizio della funzione e la sparata di Roberto mi aveva fatto girare le scatole piú del solito, forse perché ero frustrato a causa della forzata rinuncia alla cresima e soprattutto ai regali, montai sulla bici, corsi a casa, presi l'album delle figurine e cercai quella di Gonfiantini: non era il tizio che faceva da padrino ad Amadori, non gli somigliava neppure.

Staccai la figurina, me la misi in tasca e tornai alla chiesa. I miei compagni erano ancora fuori, riuniti intorno a Francesco che stava dando la dimostrazione di come riuscisse, nonostante l'impaccio dell'uniforme da generale messicano, a incrociare le braccia dietro la testa e da lí a riportarle in avanti all'altezza della fronte fino a congiungere le mani, e inoltre a toccarsi la punta del naso con la lingua. Lasciai che finisse lo spettacolo, che meritava ammirazione. Una volta che Francesco si fu ricomposto ed ebbe riacquistato sembianze umane, intervenni e con immenso gusto sbugiardai Roberto davanti a tutti.

Lui cercò di difendersi, di obiettare qualcosa, ma non gliclo permisi: quella volta scelsi subito l'opzione numero uno, cioè la strada della violenza punitiva, quindi lo spintonai facendolo cadere a terra, tanto che dovette partecipare alla cerimonia tutto impolverato che pareva un barbone. Per evitare che i genitori del mio compagno picchiato o il suo padrino, lo pseudoGonfiantini, mi trovassero e si vendicassero, entrai di corsa in chiesa e mi confusi tra la gente accalcata in fondo.

Quando ci fu la cerimonia ero lontano dalla fila dei cresimandi, ma non tanto da non vedere, con una specie di groppo in gola, quanto fosse bella e radiosa Allegra nel suo abito bianco.

Era davvero l'unica a non essere ridicola, e se lo Spirito Santo era sceso lí dentro si era di certo posato su di lei, su di lei sola.

Per pranzo la mamma, sfidando i nostri conti in rosso, aveva preparato i cappelletti, il bollito e la crostata, ma io, per sottolineare che ero in collera, mangiai poco, dissi che il brodo era insipido anche se in realtà era perfetto, che la carne era dura anche se non era vero e uscii di casa che gli altri non avevano ancora finito. Mio fratello volle seguirmi e non ci fu niente da fare, dovetti portarlo con me.

Andammo alla chiesa, perché la festa era tutta concentrata lí: nel campetto c'erano le bancarelle di giocattoli e dolciumi e un teatrino per lo spettacolo dei burattini, l'oratorio era stato trasformato in un bar in cui si vendevano bomboloni, piadine, gelati e bevande di ogni tipo, e nello sterrato di fronte c'erano un sacco di sedie schierate davanti a un palco su cui, a partire dalle quattro del pomeriggio, ci sarebbe stato lo spettacolo musicale. Tra quello e le sedie avevano lasciato il posto per chi avesse voluto ballare.

L'anno prima si era esibito Robertino, un bimbo cantante in gran voga, e la gente aveva fatto a botte per correre ad ascoltarlo. Mio fratello si era addirittura fatto fare l'autografo e lo teneva nel salvadanaio, come se qualcuno potesse cercare di rubarglielo. Robertino era bravo, in effetti, a Bagnago aveva riscosso un notevole successo e tutti si aspettavano che il parroco riconfermasse la sua presenza, ma siccome costava troppo aveva ripiegato su un altro bambino, molto meno noto, un certo Fabietto. Già da due settimane in tutto il paese c'erano i manifesti col suo nome, la sua foto e la scritta: «L'usignolo di Faenza».

Io ed Enrico per un po' fummo gli unici ad aggirarci tra sedie vuote e bancarelle prive di avventori. Tutti i miei amici dovevano essere ancora a tavola, impegnati a districarsi fra decine di portate e in attesa di aprire montagne di doni, e mi venne una grande tristezza, mi sentii un povero derelitto. I genitori di Francesco mi avevano invitato a pranzo, ma avevo declinato perché volevo dimostrare ai miei genitori che la delusione mi aveva tolto la fame e ogni voglia di festeggiare. Però, mentre scalciavo cartacce e annusavo odor di zucchero filato e di croccante appena cotto, rimpiansi di non avere accettato, e se non avessi avuto Enrico al seguito sarei corso là almeno per mangiare una fetta di torta.

Stufo di compiangermi a quel modo, cercai di elaborare un pensiero che mi tirasse un po' su: immaginai che arrivasse Allegra, mi prendesse una mano e mi dicesse: «Ehi, Gigi... ma che ci fai qui da solo?»

«Non sono da solo, purtroppo c'è anche quell'impiastro di mio fratello».

«Mollalo e vieni con me, dài!»

«Credi che sia facile mollarlo? Quello è come una zecca su un cane, si attacca che ci vuole la forza per liberarsene».

«Invece è semplice: lo distraiamo, poi io e te ce la battiamo insieme».

«Per andare dove?»

«A casa mia, naturalmente: la mia festa non ha senso se non ci sei anche tu».

Io mi schermivo, ma lei insisteva, quasi mi pregava e le si inumidivano gli occhi. Allora la seguivo, commosso a mia volta, lasciando mio fratello al proprio destino.

Ma Allegra non venne, né potei mollare subito Enrico. Ci riuscii solo dopo una mezz'oretta, quando arrivò il suo amico Gianni con i genitori, che si offrirono di tenerlo con loro.

A quel punto ero libero, cosí andai a vedere gli orchestrali che montavano gli strumenti. Poi, per capire meglio com'era fatto, girai intorno al palco. Dietro era stato preparato, con paraventi e tende, uno spazio in cui i suonatori potevano cambiarsi e mettere le loro cose; poi, parcheggiato di traverso, c'era il loro furgone, molto piú povero, vecchio e scassato di quello con cui era arrivato Robertino l'anno prima.

Oltrepassato il furgone, mi trovai davanti Fabietto in carne e ossa.

Stava lí nascosto e da solo, stravaccato su una sedia, col broncio. Avrei avuto il muso anch'io, se mi avessero vestito a quel modo: aveva i pantaloni azzurri, una giacca fatta di lustrini blu sovrapposti e luccicanti che parevano le squame di un pesce tropicale, la camicia bianca stretta al collo da un cravattino a farfalla rosso, i capelli impomatati di brillantina. E poi, a differenza di come appariva nelle foto sui manifesti, era grasso, molto grasso, piú di Sergio detto Puzzola. La giacca gli tirava cosí tanto che non si capiva come facessero i bottoni a non saltare via. Insomma, piú che a un usignolo somigliava a un tacchino.

– Ciao, – gli dissi.

– Ciao, – rispose fissandomi. Poi chiese: – Che ore sono?

Non possedevo l'orologio, quindi feci spallucce.

Sospirò, si agitò sulla sedia e forse per via di quel movimento la sua pancia emise un brontolio che pareva un tuono lungo e minaccioso.

– Madonna, che fame! – sbuffò.

– Fame? Non hai pranzato?

Scosse la testa. – No, i miei non vogliono che mangi prima di cantare, altrimenti mi viene su tutto. Però se non metto qualcosa sotto i denti svengo.

Non sapevo se avrebbe potuto davvero perdere i sensi, ma se la pancia gli avesse fatto rumori simili mentre era sul palco col microfono in mano, sarebbe stato un bel problema.

Gli sedetti accanto. Emanava un profumo invadente, oltre alla brillantina dovevano avergli messo addosso un litro di acqua di colonia.

Fabietto tirò su col naso, mi studiò, si guardò intorno e mi chiese: – Senti, me lo faresti un favore?

– Boh... se posso.

– Mi andresti a prendere qualcosa da mangiare?

– Ma se poi i tuoi ti vedono?

– No, sono sul palco a montare l'impianto e per un po' avranno da fare.

– Che cosa vuoi?

– Cos'hanno al bar?

– Un po' di tutto.

– Anche i bomboloni?

– Urca, è la loro specialità!

– Bene, prendimene tre, e un'aranciata.

– I soldi li hai?

– Fai mettere sul conto dell'orchestra. Alla fine ci sarà qualcosa anche per te, se mi aiuti.

– Quanto?

– Diciamo che ti puoi prendere, che ne so, un gelato e una gazzosa.

Di un bel gelato avevo voglia davvero, perché a pranzo non avevo mangiato abbastanza, ma ciò che mi serviva era il denaro sonante. – Niente da fare, – dissi. – Io ho appena pranzato e non mi va niente.

– Allora cosa vuoi?

– Che ne dici di duecento lire?

– Duecento lire? Ma sei matto?

Feci per alzarmi e andarmene. Usignolo o non usignolo, io per quel ciccione non ci lavoravo gratis, piuttosto andavo a vedere i burattini con i piú piccoli. Fra l'altro ad assecondarlo rischiavo grosso: il primo pericolo era che mi scoprissero i suoi genitori e se la prendessero con me, il secondo era che arrivasse davvero Allegra e mi trovasse a fare il cameriere.

– D'accordo, – mi fermò lui, – ti dò quello che vuoi, basta che fai in fretta e che stai attento a non farti vedere.

Lo rassicurai e andai al bar dell'oratorio, presi ciò che mi aveva chiesto e dissi di segnare nel conto dell'orchestra. Al che l'Elvira, che serviva al banco, obiettò che l'orchestra non aveva aperto conti.

– Sono degli spilorci, mica come i suonatori di Robertino dell'anno scorso, che erano dei gran signori e ordinavano persino lo spumante e il cognac. Pensa che questi qui si sono portati da bere da casa, ho visto che hanno una cassa di bottiglie d'acqua nel furgone.

– Be', se non avevano il conto, lo apra adesso: me l'ha chiesto Fabietto in persona.

La donna mi fissò con aria sospettosa e a me venne la pelle d'oca, perché l'Elvira, che era la sorella del parroco e fungeva anche da sua perpetua, era intrattabile e manesca, come avevo potuto sperimentare durante il catechismo. Ci metteva meno di un secondo a darti uno scapaccione. Alla fine però mi consegnò la roba e segnò in un quaderno.

Tornai da Fabietto con le vettovaglie. Lui si alzò, mi fece cenno di seguirlo e andammo sul retro della chiesa, là dove c'erano solo erbacce e cespugli e nessuno poteva vederlo.

Si chinò in avanti per non sporcarsi gli abiti e cominciò ad addentare i bomboloni cosí di foga che pareva non mangiasse da un mese. La crema gli schizzava fuori dalla bocca e lui la raccoglieva con grandi colpi di lingua, deglutiva a fatica perché si ingozzava troppo in fretta e ogni tanto buttava giú un sorso di aranciata che, essendo frizzantissima, gli faceva venire le lacrime agli occhi e gli causava rumori preoccupanti in gola e nello stomaco.

Si fermò solo quando ebbe spolverato tutto; a quel punto venne scosso da un sussulto e temetti che stesse per vomitare, ma si trattava solo di una specie di rutto soffocato.

– Adesso va un po' meglio, – borbottò.

Non avevo mai visto nessuno far fuori tre bomboloni e una bibita in meno di un minuto.

Fabietto si guardò le mani unte. – Dov'è che potrei lavarmi? – mi chiese.

– Non so... forse al bar.

– Al bar? Ma scherzi? Se vado là, i miei mi vedono e si accorgono che ho mangiato. Fatti venire in mente un posto piú sicuro.

Ci pensai su ed ebbi un'idea. Lo feci entrare in chiesa da una porticina laterale e gli indicai l'acquasantiera. – L'unica soluzione è quella, – dissi.

Annuí, la raggiunse, vi si lavò le mani e la bocca come in un lavandino e infine tornammo dietro il furgone. Si sedette, ma dopo poco ricominciò a smaniare. – Ho ancora fame, – si lamentò.

Non potevo crederci. – Accidenti, – gli chiesi, – ma da quant'è che non mangi?

– Mangio poco, da un paio di settimane i miei mi hanno messo a dieta perché secondo loro sono grasso.

– Be', non hanno mica tutti i torti.

Se ne risentí. – È il vestito di scena che frega, in realtà non sono grasso per niente. Quasi per niente.

Non replicai: contento lui...

Ma contento non era. Tempo due minuti e mi propose una nuova missione al bar: – Prendimi una piadina col salame e un'altra aranciata, – disse.

– Una piadina col salame dopo i bomboloni?

– Perché no?

Obbedii, in fondo ciò che mangiava non era affar mio: l'importante era che alla fine mi pagasse per i miei servigi.

Ingurgitò la piadina nello stesso tempo record in cui aveva mangiato i dolci, poi volle andare di nuovo in chiesa a lavarsi. Per farla breve, prima che iniziasse lo spettacolo fece fuori un'altra piadina, stavolta con la mortadella, altri due bomboloni e poi passò ai gelati: tre moretti e un ghiacciolo al limone che quello, affermò, faceva digerire. Usò cosí tante volta l'acqua santa per pulirsi la bocca e le mani che la trasformò in un pantano oleoso e pieno di briciole.

Poi, quando fu il momento, salí sul palco e io andai tra il pubblico ad ascoltarlo.

La gente applaudí, i suonatori attaccarono; la madre di Fabietto, con un cembalo in mano, saltellava qua e là e faceva da seconda voce, mentre suo padre suonava la chitarra; poi c'erano un batterista, uno con la fisarmonica e un altro col contrabbasso.

Prima il piccolo cantante fece alcuni pezzi di Claudio Villa e di Peppino di Capri, poi qualcosa di Celentano. Alla fine di ogni brano aveva il fiatone e la faccia sempre piú rossa.

C'erano coppie che, volendo ballare il valzer, chiesero un po' di liscio, cosí dovette intonare *Romagna mia*.

Poi comparvero i teddy-boy del paese, vestiti sempre al solito modo anche se era festa, e dissero che volevano sentire un po' di musica piú moderna e vivace.

– Twist, twist! – gridarono in coro.

Fabietto allora cantò un twist, e la cosa prevedeva che dovesse anche abbozzare i passi di quel ballo. Si scosse, agitò braccia e gambe, si dimenò con un gran movimento di pancia e di natiche, mentre il suo viso diventava sempre piú paonazzo. Il pubblico apprezzava, si divertiva, applaudiva, anche perché vedere Fabietto ballare era davvero uno spasso.

– Ancora twist, dài! – gli gridarono i teddy-boy che nel frattempo, vicino al palco, si erano messi a ballare pure loro.

Ne fece un altro, un pezzo di Edoardo Vianello intitolato *Guarda come dondolo*, sempre agitandosi come un indemoniato.

E lí successe il dramma.

A un certo punto rallentò il dondolamento limitandosi a ondeggiare come un ubriaco, sbiancò, lanciò uno sguardo disperato a sua madre, poi si immobilizzò portandosi una mano sulla bocca. Ma la mano non bastò a fermare la catastrofe: vomitò con un getto cosí potente che riuscí a raggiungere i teddy-boy che ballavano.

La musica si fermò di botto, i ragazzi che erano sotto il palco corsero indietro gridando disgustati, la gente cominciò a mormorare e a ridere. Io ero impietrito: anche se se lo meritava, perché lo avevo avvertito che stava esagerando ma non mi aveva dato ascolto, quel mio coetaneo mi faceva un po' pena. Se ne stava lassú, impalato e sofferente, con gli occhi di tutti addosso.

Poi fu come se gli si muovesse dentro qualcosa di enorme, il che mi ricordò quando a scuola ci avevano fatto vedere una farfalla che usciva dalla crisalide. Fu percorso da una

specie di lento brivido, si chinò in avanti e invece della farfalla espulse un fiotto di vomito ancora piú grande del primo.
I suoi genitori posarono gli strumenti, lo raggiunsero e
si misero a parlottare con lui, che evidentemente confessò, prima di riprendere con i conati. Fu allora che assistetti
a una cosa davvero straordinaria: uno che dà di stomaco,
piange, cerca di scappare correndo in tondo e viene preso a
scapaccioni allo stesso tempo.

I bambini piccoli che stavano guardando i burattini si accorsero di ciò che stava accadendo, mollarono il teatrino e
si fiondarono gridando di gioia verso il palco. Arrivò anche
Il Morto in bicicletta, mi si fermò vicino e disse: – Non sapevo che ci fosse anche la commedia, oggi.

– Non è una commedia.

– E allora cos'è, 'sta roba?

Glielo spiegai e lui asserí che prima di allora non aveva
mai visto una cosa tanto comica, né da vivo né da morto.

La gente continuò a rumoreggiare; c'era chi rideva piegato in due e chi chiedeva a gran voce che la smettessero di
menare Fabietto. Allora tutti i suonatori e il bambino ab-
bandonarono la scena. Lo spettacolo era finito.

Salí sul palco don Guido, il parroco, che si scusò dell'in-
conveniente e disse che bisognava essere comprensivi con
chi, chissà per quale motivo, si era sentito all'improvviso
poco bene.

Io il motivo lo conoscevo, ma non lo dissi in giro. Ripeto, provavo per Fabietto una certa solidarietà, e poi non
volevo mettermi contro di lui denunciandolo pubblicamente, visto che mi doveva duecento lire.

Gli orchestrali si spogliarono degli abiti di scena, tornarono sul palco per smontare gli strumenti e li riposero nel
furgone. Ero tentato di raggiungerli per riscuotere il mio
compenso, ma temevo che Fabietto mi avrebbe indicato ai

suoi come responsabile di avergli procurato i viveri, cosí ci rinunciai. Forse fra un po' sarebbe stato meglio, mi sarebbe venuto a cercare e avrebbe saldato il suo debito. Ma non andò cosí. Mezz'ora dopo il furgone partí alla chetichella, e io me ne accorsi solo perché lo vidi allontanarsi sulla strada. Raggelato, capii: quei soldi non li avrei mai avuti. Avevo fatto il cameriere e il complice per niente.

Piú che di festa, quella stava diventando proprio una giornata del cavolo, anche se avevo avuto la soddisfazione di smascherare Roberto davanti agli altri e di vedere la scena di Fabietto. Il fatto è che con Allegra non ero riuscito a parlare, altro che invito a casa sua; e poi l'incasso mancato di ben duecento lire…

Incavolato e depresso, recuperai mio fratello e stavamo per metterci sulla via di casa, quando mi sentii prendere per un orecchio.

Era l'Elvira, che mi gridò: – Ehi, tu, te la vuoi filare senza pagarmi il conto?

– Quale conto? – chiesi cercando di liberarmi dalla sua presa.

– Non fare il furbo con me! Per tutte le cose che hai preso al bar, mi devi mille lire!

– Ma… ma era per l'orchestra! Insomma, era per Fabietto!

– Buoni, quelli! Hanno rovinato lo spettacolo, che è stata una vergogna vedere cos'hanno combinato! E in ogni caso il conto non l'hanno saldato, quindi tocca a te.

– A me?

– E a chi se no? A te l'ho venduta, quella roba, e se l'hai data ad altri non mi interessa. Fuori i soldi!

Mi sentii mancare la terra sotto i piedi: mille lire! A parte che non l'avevo con me, si trattava di una cifra grossa che avrebbe intaccato di brutto i miei risparmi.

A quel punto Enrico, che girava sempre col borsellino in tasca anche se aveva solo sei anni, lo tirò fuori, prese una banconota da mille e la porse all'Elvira. Lei l'intascò senza una parola, mi sparò un'ultima occhiata feroce e se ne andò. Non sapevo che dire: da mio fratello non mi sarei mai aspettato un simile atto di generoso soccorso.

E infatti non lo era. Mi disse subito che cinquecento lire avrei dovuto rendergliele non appena fossimo arrivati a casa, e in cambio delle restanti cinquecento avrei dovuto dargli, e per sempre, il Sergente Zoppo, le figurine dei calciatori e la mia Colt, che era ovviamente un giocattolo ma era di metallo e sembrava vera.

Replicai che era troppo: quelle che pretendeva erano le mie cose piú belle e preziose, quindi poteva scordarsele.

Senza battere ciglio, lui mi comunicò che in tal caso avrebbe dovuto raccontare ai nostri genitori la faccenda, cioè che mi ero indebitato. – Se eri furbo, – mi disse, – potevi dichiarare fallimento con l'Elvira, ma non l'hai fatto e adesso sono cavoli tuoi.

Non ci avevo nemmeno pensato; del resto la storia che potevi fare debiti e poi cavartela con una formula, cioè con quella dichiarazione di fallimento che entusiasmava tanto mio fratello, a me suonava poco chiara. A ogni modo era tardi per rimuginarci sopra, e inoltre sapevo che a casa nostra c'era una parola, sopra ogni altra, che non si doveva né pronunciare né sentire: debiti. Se Enrico mi avesse accusato di un tale crimine, ingiustamente perché io avevo solo reso un servigio a Fabietto senza comprare nulla per me, sarebbero stati guai seri.

Dovetti fare buon viso a cattivo gioco e accettare le sue condizioni.

Ormai non possedevo piú niente: anche in altre occasioni e per i piú svariati motivi avevo dovuto cedere cose mie

a Enrico. Se avessimo dovuto abbandonare la casa e la famiglia, ad esempio per andare in orfanotrofio, come mio
bagaglio sarebbe bastata una borsa della spesa, a lui invece
sarebbe occorso almeno un carro.

Accompagnai, chiuso in uno sdegnoso silenzio, mio fratello a casa, poi inforcai la bici e cominciai a girare per il
paese, tanto per farmi sbollire la rabbia o sfumare la tristezza.
Stava calando la sera ed ebbi la forte tentazione di pedalare verso la villa del Capitano, in barba ai divieti. Se
quell'uomo, contro ogni parere degli abitanti di Bagnago, fosse stato buono, dato che era solo da tanto tempo mi
avrebbe accolto a braccia aperte e forse mi avrebbe persino
adottato. In quel caso gliel'avrei fatta vedere, a Enrico e
ai miei: altro che cresima negata, altro che sardine per cena, altro che debiti: avrei girato sempre a cavallo, con una
Colt vera alla cintola, pieno di soldi e di cose bellissime e
tutte mie per l'eternità. Se fosse stato cattivo e pericoloso
come tutti dicevano, invece, mi avrebbe catturato e magari mangiato come faceva l'Uomo Nero, cosí poi avrebbero
dovuto soffrire e rimpiangermi, pentendosi di non avermi
apprezzato e trattato meglio.

Immerso in quei pensieri mi trovai a passare davanti
alla banca, sopra la quale c'era l'appartamento in cui viveva la famiglia di Allegra, e all'improvviso sentii la sua
voce chiamarmi.

Era in cortile, ancora con l'abito bianco della cresima;
corse al cancello, l'aprí e venne da me.

– Ciao! – disse. – Dove vai?

– Da nessuna parte, faccio solo un giro prima di cena.

– Perché non sei passato di qua, nel pomeriggio? Avevamo un rinfresco in cortile, c'erano anche le mie amiche
di città. Ci siamo divertite e abbiamo mangiato un sacco di
cose buone.

Se me l'avessi detto prima, pensai, certo che ci sarei venuto, invece di rimanere davanti alla chiesa a fare debiti e guardare uno che vomitava. – Sarà per un'altra volta, – mormorai.

Lei fece un passo indietro, si prese la gonna con le mani e si esibí in alcune mossette vezzose. – Ti piace? – chiese. Se un simile atteggiamento l'avesse tenuto qualsiasi altra bambina, l'avrei giudicata una smorfiosa insopportabile, ma fatto da Allegra quel gesto era solo simpatico ed elegante.

– Sí, – risposi, – è un vestito stupendo; ma come mai lo indossi ancora?

– Voglio tenerlo per tutto il giorno, finché non andrò a letto.

– E perché?

– Perché poi non lo metterò piú, mai piú. Non è un po' triste, questa cosa?

Invece di rispondere a tono, e senza pensarci, dissi: – Sei bellissima.

Mi fissò con i suoi occhi azzurri, e mi sembrò di precipitarvi dentro. – Grazie del complimento, – disse.

– È solo la verità.

Rimanemmo entrambi in silenzio, poi si aprí una finestra dell'appartamento, comparve suo padre, mi salutò con la mano e disse alla bambina di salire, ché c'era una zia al telefono.

Lei tornò in cortile e chiuse il cancello senza mai smettere di guardarmi; poi, prima di girarsi e di entrare in casa, mi buttò un bacio con la mano.

9. Giugno 1963

A giugno dovetti sostenere l'esame di quinta elementare, quindi è un mese di cui potrei fare solo questo striminzito riassunto: studiai, feci esercizi e passai notti insonni perché, se fosse andata male, altro che bicicletta blu! Non solo non mi avrebbero permesso di comprarla, ma mi avrebbero deportato, pensavo, in un qualche campo di lavori forzati e mi ci avrebbero lasciato per almeno dieci anni, perché l'altra cosa che i miei non avrebbero mai tollerato, oltre ai debiti, era che venissi bocciato. Quindi cercai di impegnarmi, anche perché, se non fossi stato promosso, l'anno dopo non avrei potuto frequentare la prima media con Allegra. Immaginare una classe in cui lei non ci fosse mi intristiva tantissimo e mi faceva venir voglia di abbandonare la scuola per andare a fare, che ne so, il pastore o il ragazzo di bottega del barbiere, quello che spazza i capelli dal pavimento e che sta lí per ore a guardare il titolare al lavoro, che dev'essere una roba di una noia mortale.

Già da fine maggio faceva caldo, molto caldo, e ti poteva venire in mente qualsiasi cosa tranne che sudare sui libri, ma non c'era davvero modo di evitarlo. Mentre molti degli altri bambini del paese se ne andavano al fiume a pescare e a fare il bagno, o al campetto a giocare a pallone, noi di quinta ci trovammo dunque agli arresti domiciliari, pieni di lavoro e di preoccupazioni.

Cercai di condividere quel peso con Francesco, che magari in due lo affrontavamo meglio, ma finiva sempre che invece di studiare ci mettevamo a fare chiacchiere, a giocare, a distrarci, a raccogliere le ciliegie dai grandi alberi che aveva sul retro della casa. Alla fine desistetti, perché nel tentativo di prepararci in coppia avevamo soltanto sprecato giorni e giorni e ci eravamo presi entrambi il mal di pancia per via delle ciliegie.

Il tema di italiano non mi preoccupava: l'ho già detto, scrivere e inventare mi riusciva piuttosto facile. Neppure storia mi spaventava: bene o male la conoscevo, perché alla mamma piaceva molto e spesso mi aiutava a impararla. Il Risorgimento e la Prima guerra mondiale, inoltre, erano argomenti «di famiglia»: c'ero cresciuto, sotto gli occhi di Mazzini e Garibaldi che dai quadri appesi alle pareti di casa seguivano ogni mio passo, come se fossero dei parenti stretti, e poi il nonno mi raccontava sempre le loro vicende, anche se sospettavo le trasformasse a suo piacimento.

Certo, c'era chi le trasformava ancora di piú. Indovinate chi? Roberto Amadori, naturalmente. Un giorno a scuola aveva affermato che il suo bisnonno aveva fatto parte della spedizione dei Mille. Ci abbiamo ancora la sua camicia rossa in un cassetto del comò, disse. Ce la fai vedere? chiedemmo noi sghignazzando. La porti a scuola? aggiunse seria Allegra, che evidentemente non si era ancora resa conto di che tipo fosse Roberto. Lui obiettò che non si poteva spostarla e neppure guardarla, tanto era delicata; essendo cosí antica, disse, se la si espone all'aria si sbriciola e sparisce, come è successo a certe mummie dei faraoni che una volta portate alla luce si sono vaporizzate lasciando tutti di stucco a guardare nei sarcofagi vuoti.

Non potendo perquisirgli la casa per dimostrare che nei cassetti non c'era alcuna camicia garibaldina, io e Francesco ci occupammo perlomeno di smentirlo sulla faccenda del suo antenato: chiedemmo in giro e andammo a vedere la tomba della famiglia Amadori, scoprendo che il bisnonno di Roberto, certo Evaristo, era nato il 2 gennaio del 1860. Non vedevamo l'ora di dirlo in classe, sperando che la maestra, per punizione, costringesse quel fanfarone del nostro compagno a girare per tutte le aule con un cartello al collo su cui stava scritto: «Sono il piú grande bugiardo del mondo e il mio bisnonno non era un garibaldino, era solo uno scemo come me». Però lei quel giorno era di buonumore, come le succedeva non piú di due o tre volte all'anno, e sorridendo disse che il caso del bisnonno di Roberto era davvero eccezionale, il piú straordinario nella tradizione della gioventú patriottica italiana, perché uno che partecipa alla spedizione dei Mille alla tenera età di quattro mesi è davvero degno di nota e di grande ammirazione.

Davanti a quelle parole rimasi spiazzato e provai quasi un senso di straniamento: mi figurai Garibaldi che correva verso le linee nemiche con tutte e due le braccia occupate, una a impugnare la spada, l'altra a portare il piccolo Evaristo che, vestito di una camicina rossa, gridava: «Viva l'Italia!» Anzi, lo pensava solo, perché non credo che a quattro mesi sapesse già parlare.

Riguardo al Primo conflitto mondiale avevo le esaurienti informazioni del nonno, stavolta di prima mano, anche se l'idea che mi ero fatto sul suo andamento rischiava di essere un po' troppo sbrigativa. Io la vedevo a questo modo: finché mio nonno era stato in prima linea, le cose erano andate bene. Poi si era ammalato mangiando un salame marcio che aveva trovato non so dove, almeno cosí mi aveva raccontato, e per un paio di settimane l'avevano ricoverato in un ospedale da campo nelle retrovie. Senza di lui, il fronte aveva ceduto e c'era stata la disfatta di Caporetto. Era dovuto tornare di corsa in trincea, anche se ancora non si era rimesso completamente, e dopo un po' gli italiani avevano potuto scatenare una controffensiva e avevano vinto la guerra.

Me lo immaginavo, il nonno, che quando tornava al suo reparto guardava storto gli altri e sbuffava: «Porca miseria, non vi si può lasciare da soli neanche un minuto! Vabbe', adesso sono qui e rimediamo. Dove cavolo è il Piave? Laggiú? Bene, toglietevi le scarpe che lo attraversiamo e cacciamo via gli austriaci una volta per tutte!» Con le scarpe in mano e sparando avevano guadato il Piave, che cosí poté tranquillizzarsi e smetterla di mormorare, ed erano avanzati di corsa fino quasi a Vittorio Veneto, dove mio nonno, che era in testa a tutto l'esercito, doveva ricevere almeno un chilo di medaglie. Ma una delle ultime granate sparate dai nemici lo aveva ferito in una gamba, il merito della vittoria se l'era preso qualcun altro e il suo nome, ingiustamente, non compariva neppure sui libri.

Insomma, in storia ero a posto. Sulla geografia mi sentivo meno tranquillo: tra regioni, Stati, catene di montagne, fiumi, laghi, mari, capitali e altro c'erano centinaia e centinaia di nomi da ricordare. A me, essendo curioso per natura, piaceva guardare l'atlante e sapere dell'esistenza di luoghi mai sentiti nominare prima, però erano davvero troppi.

Se mi avessero lasciato scegliere l'argomento avrei potuto parlare di San Marino, l'unica nazione straniera in cui ero stato. Quali sono le caratteristiche di questa piccola repubblica? mi avrebbero chiesto. E io, a colpo sicuro, le avrei elencate per esperienza diretta: sta quasi tutta sul Titano, avrei detto, un monte che quando non c'è la nebbia si vede anche da qui; infatti basta affacciarsi alla finestra del piano di sopra o andare sull'argine del fiume, ed ecco che compare l'azzurra vision di San Marino, come scrive Giovanni Pascoli in una poesia, quella in cui parla anche di rane e di tacchini (e avrei fatto la mia bella figura e accresciuto il voto di italiano). Solo che a guardarlo da qui pare un triangolo rettangolo (ed ecco che sarebbe cresciuto il voto in geometria), invece quando ci arrivi ti accorgi che non è triangolare per niente, anzi, è fatto in un modo che non si capisce. Inoltre, San Marino è una nazione tutta in salita e piena di curve. La lingua ufficiale è un dialetto quasi uguale al nostro. Sei sicuro? avrebbe insistito chi mi interrogava. Certo, avrei risposto, perché quando ci siamo andati, qualche anno fa, ha cominciato a bollire l'acqua nel radiatore della Seicento, tanto la strada era ripida, e le curve sono cosí tante che mio fratello ha vomitato che non la finiva piú e ha trasformato l'automobile in un porcile. Non sbaglio neppure sulla lingua perché a un certo punto è arrivato un vigile, dato che la nostra macchina ferma bloccava la via (e quindi tutto lo Stato, che è piccolo), e ha gridato a mio padre: *Cavív d'int 'e mez!*, Toglietevi di mezzo! Proprio come avrebbe detto un vigile delle nostre parti, e c'è mancato poco che il babbo e quel tizio in divisa si picchiassero.

E se invece di una cosa facile come San Marino mi avessero chiesto, che ne so, dove sono gli Urali e a cosa servono? O i fiumi della Puglia?

Ma la materia in cui mi sentivo davvero debole era l'aritmetica. Non mi piaceva, la rifiutavo, non mi riusciva. Mi ingarbugliavo con i numeri, mi ci perdevo.

E la geometria? Peggio ancora: lí davvero sudavo freddo. Che poi, che senso avevano tutte quelle regole? Passi, che ne so, per i quadrati e i rettangoli: le case, le stalle, i poderi, le vasche del letame, i campi da calcio di solito hanno quelle forme, quindi può essere utile saperne calcolare l'area; passi anche per il cerchio, che alcune cose rotonde esistono; ma le altre figure? A che serve, ad esempio, sapere com'è fatto e come si misura un ottagono? Qualcuno l'ha mai vista di persona una cosa fatta a ottagono? Chi rispondesse di sí, secondo me mentirebbe. Solo un caccia-balle come Roberto Amadori avrebbe potuto dire: «Oh, sí, io non solo ho visto degli ottagoni, ma addirittura ne ho due o tre nell'armadio, nascosti sotto i maglioni, però non ve li posso far vedere perché mia mamma non vuole».

Una volta che Il Morto era venuto in visita al nonno e si stavano scolando una bottiglia di sangiovese, glielo ave-vo chiesto: – Voi due, che siete vecchi decrepiti e quindi siete al mondo da tanto tempo, vi ci siete mai imbattuti in un ottagono? In uno vero, intendo, non in uno finto come quelli che ci sono sui libri.

Il Morto aveva risposto che ne aveva viste di tutti i co-lori, quindi probabilmente anche quella roba lí. Il nonno da parte sua, annuendo gravemente, aveva affermato che durante l'ultima guerra, quando era passato il fronte, oltre ai canadesi c'erano anche dei polacchi, dei negri, persino dei mongoli e degli altri esseri ancora piú strani, e che forse c'erano stati pure degli ottagoni. E non finti, ma veri, ec-come! Veri anche troppo, che tutta 'sta gente faceva con-fusione, rubava i polli e il vino, calpestava gli orti e spesso dava noia alle donne e alle ragazze. Anzi, pensandoci me-glio, gli pareva di ricordare che quegli ottagoni che dicevo io fossero proprio i peggiori.

Avevo lasciato perdere, rassegnandomi al fatto che di geometria io, il nonno e Il Morto non sapevamo un tubo. Solo che loro non lo dovevano mica fare, l'esame di quinta.

Io invece lo feci, e incredibilmente mi andò bene. Non sbagliai neppure il compito di aritmetica. Forse perché in ta-sca, nei giorni delle prove, portavo un talismano miracoloso.

Era successo che all'inizio di giugno era morto papa Gio-vanni XXIII, detto il Papa Buono, quello che potevi pure non andare a messa ma lui, di propria iniziativa, ti mandava

ugualmente delle benedizioni a domicilio: «Quando tornate a casa, fate una carezza ai vostri bambini e dite che è la
carezza del papa», aveva declamato una volta, e l'avevano
fatto sentire pure alla radio. La mamma in quell'occasione si
era commossa fino alle lacrime e aveva durato tutto il giorno
a rincorrermi per farmi carezze dicendo che me le mandava
il santo padre, e il nonno si era arrabbiato e le aveva detto
di smetterla, che magari 'ste carezze papaline mi danneg-
giavano e mi si bloccava la crescita.

Quando il Papa Buono era morto avevano fatto un sacco di messe in tutte le chiese, avevano suonato le campane a lutto e fra noi bambini aveva cominciato a circolare la
voce che avrebbero sospeso gli esami scolastici: tutti pro-
mossi senza prove, una specie di amnistia, come se, quale
ultimo gesto di generosità e compassione, Giovanni XXIII
invece di mandarci a casa una carezza, che non ci serviva
a niente, ci avesse pensato su e avesse deciso di farci spe-
dire una pagella piena di 10, che di quella invece avevamo
un gran bisogno.

Ero rimasto cosí entusiasta di quella prospettiva che una
notte avevo fatto un sogno, al riguardo: eravamo tutti riuniti nella scuola e le maestre ci dicevano che non saremmo
potuti uscire, né avremmo potuto mangiare, rivedere i nostri famigliari e neppure andare al cesso finché non avessimo finito gli esami, che sarebbero durati tantissimo perché
a ogni bambino toccavano almeno un centinaio di domande, fra l'altro difficili.

Le femmine si mettevano a strillare con le mani nei capelli, io e Francesco cominciavamo già a pensare a un eroico
e complicatissimo piano di evasione, quando si affacciava
il bidello che annunciava: «C'è un tizio vestito in modo
strano che vuole dire qualcosa», e subito dopo entrava il
Papa Buono.

Le maestre a quel punto facevano un «Oooh!» di me-raviglia e di spavento, e una di loro esclamava: «Ma che ci fa lei qui, che è morto?» Il papa la guardava male e rispondeva che si facesse i fatti suoi. Poi tirava fuori un foglio e leggeva le sue ultime disposizioni che, affermava, avevano valore di dogma (non sapevo di preciso cosa significasse, ma i ricordi di catechismo mi suggerivano che si trattasse di una specie di legge suprema). Per questo dogma non solo gli esami erano soppressi, ma per il futuro, anzi per l'eternità, gli ottagoni non sarebbero piú stati tollerati. Se uno avesse osato disegnare un ottagono avrebbe commesso un peccato mortale e sarebbe finito dritto all'inferno, e se anche l'avesse fatto di nascosto, Dio lo avrebbe comunque visto e punito.

Noi applaudivamo contenti, e il papa, prima di sparire, si avvicinava a Roberto Amadori e gli faceva un paio di carezze, al che il nostro compagno si metteva a piangere disperato sapendo che non sarebbe mai cresciuto, rimanendo per sempre una specie di nano.

Al di là dei sogni, gli esami si fecero lo stesso, ma la mamma, che di messe in suffragio del papa morto ne era andate a sentire almeno una decina, era tornata da quelle funzioni con un sacco di santini che lo raffiguravano, incrementando la sua collezione di molti pezzi e convincendosi che, se ne avessi portato con me almeno uno, l'esame di quinta mi sarebbe parso una passeggiata. Be', andò veramente cosí: feci bene i compiti e azzeccai quasi tutte le risposte, ritrovandomi d'un colpo nelle vacanze estive, libero da ogni assillo che non fosse quello di rimettermi a racimolare quattrini, dato che lo studio forzato per diverse settimane aveva bloccato i miei guadagni.

Seconda metà di giugno, vacanza, bisogno di soldi: tutto portava alla possibilità e alla necessità di raccogliere fiori

di camomilla. Ce n'erano dappertutto, riempivano campi
e argini, fossi e cavedagne, e Cleto Rosetti, uno dei figli di
Marione, li comprava a peso. Insomma, mi bastavano un
recipiente adatto e un po' di buona volontà per conquistare
un altro pezzo della bicicletta blu.

Dopo gli esami mi presi un paio di giorni di riposo assoluto, durante i quali non feci che dormire e leggere fumetti,
poi una sera chiesi alla mamma di svegliarmi presto il mattino seguente, ché sarei andato a camomilla.

Lei affermò che era una buona idea, con la raccolta si poteva rimediare qualche soldino.

Alla parola «soldino» mio fratello drizzò le orecchie e disse
che ci voleva venire pure lui. Era una cosa che avevo messo
in conto e mi ero già preparato un'obiezione: l'erba in quella stagione brulicava di insetti di ogni razza e lui degli insetti
aveva il terrore, quindi era meglio se non mi seguiva. Rimase
spiazzato perché davvero, se si ritrovava sulla pelle un animaletto di qualsiasi foggia o dimensione, strillava che pareva
lo scannassero.

Ci pensò, tirò su col naso, poi disse che si sarebbe portato l'aggeggio a stantuffo che spruzzava il Ddt, aprendosi la
strada con quello come facevano i soldati con il lanciafiam-
me. Io replicai che cosí avrebbe avvelenato anche la camomilla, e lui ribatté che tanto non la doveva mica bere lui, a
lui non piaceva neppure.

Ci fu una lunga trattativa e alla fine, con la mediazione
della mamma, raggiungemmo un accordo: sarebbe venuto,
ma al primo strillo che avesse fatto lo avrei riportato indietro senza discussioni.

Accettò, cosí la mattina dopo, entrambi con un piccolo
sacco in mano, ci avviammo in direzione dell'argine del fiume, dove pensavo che si potesse fare un buon lavoro. Ma

ancora prima di arrivarci vidi che là c'erano molti altri bambini con i loro sacchi. Del resto la raccolta della camomilla, a quasi sei mesi di distanza, era una specie di secondo «buon anno»: tutti i ragazzini l'aspettavano e vi si dedicavano per raggranellare qualche lira.

Mi fermai un minuto a pensare, poi optai per la zona del canale del mulino vecchio, che fra l'altro era vicina alla casa di Cleto, cosí quando i sacchi fossero stati pieni avremmo raggiunto il punto della consegna in pochissimo tempo.

Ci avviammo a piedi in quella direzione, passando davanti alla banca e quindi alla casa di Allegra. Non era la via piú breve, ma ogni volta che ero in giro transitavo di lí con la speranza di vederla.

Fui esaudito: era in cortile e mi chiamò. – Dove andate? – chiese.

Come sempre, sentire la sua voce e trovarmela di fronte mi causò un'emozione forte, una specie di brivido caldo.

– A raccogliere la camomilla, – dissi.

– In che senso?

Ma che domanda era? Se me l'avesse fatta qualcun altro avrei scrollato sdegnosamente le spalle e avrei tirato dritto senza rispondere, ma con lei era diverso. Le spiegai la faccenda e mi resi conto che, pur sveglia com'era, non sapeva che per bere una camomilla bisogna prima raccogliere i fiori, seccarli e farne una polverina da mettere nell'acqua calda. La polverina la conosceva e la usava, ma forse non si era mai chiesta da dove arrivasse.

Mi venne da ridere.

– Sei proprio una cittadina, sai?

Non se la prese, anzi rise con me e si offrí di aiutarmi. Non avevo osato sperare in una fortuna simile!

– Vado a chiedere alla mamma, e se mi dà il permesso mi cambio e vi raggiungo, – disse.

– Ti cambi?

– Certo: vuoi che venga cosí?

Aveva un vestitino azzurro e sandaletti marroni ai piedi. Mi sforzai di pensare a qualche motivo per cui non si potesse raccogliere la camomilla con un vestito azzurro e i sandali marroni, ma ci rinunciai.

– Va bene, – conclusi.

Sparí in casa.

Io, che non sentivo la voce di mio fratello da un po', mi girai a cercarlo con gli occhi e vidi che aveva appoggiato la testa al muretto di recinzione e dormiva. Era chiaramente nella versione Enrico-di-Mattina e la cosa da una parte mi tranquillizzò, dato che cosí sarebbe stato meno invadente e fastidioso, ma dall'altra mi preoccupò perché sapevo di dover rimorchiare un peso morto. Stavo per fargli un urlo in un orecchio, quando riapparve Allegra con un paio di calzoni corti rosa, una canottiera bianca, ai piedi un paio di scarpe di tela e in mano una borsa della spesa.

– Vado bene cosí? – mi chiese raggiante.

Annuii e risposi che non c'era niente di meglio dei calzoncini rosa e di una canottiera bianca, per raccogliere la camomilla.

Uscí dal cancello e ci incamminammo. Dopo qualche passo si bloccò e chiese: – E tuo fratello?

Mi girai: era ancora là con la testa appoggiata al muretto e aveva lasciato cadere il suo sacco in terra. – Dorme, – risposi.

– Dorme? In piedi?

– Già, come i cavalli. E questo è niente: fa cose ancora piú strane.

– Davvero?

– Ci puoi giurare. Io direi di lasciarlo lí: prima o poi si sveglierà e tornerà a casa, oppure lo raccatterà qualche passante e lo riporterà di peso da mia madre.

- Ma non possiamo...

In quel momento sulla strada passò un camioncino e suonò il clacson. Fu una sfortuna perché Enrico si svegliò, raccolse il proprio sacco e ci raggiunse camminando a zig-zag come un ubriaco. Aveva sulla fronte il segno rosso di dov'era stato appoggiato al muro. - Allora, andiamo? - disse.

- *Noi* andiamo, tu invece è meglio che torni a casa, ché stai morendo dal sonno.

- Non ho sonno per niente, - bofonchiò.

- Infatti, si vede!

- Be', adesso mi è passato. Ma questa viene con noi?

- Sí.

Studiò Allegra per qualche secondo, poi chiese con un'espressione maliziosa: - Voi due siete fidanzati?

Sentii che la faccia mi diventava rossa e feci per mollargli uno scappellotto, ma lo evitò con una mossa velocissima. Si stava trasformando in un Enrico-di-Pomeriggio sotto i miei occhi.

Allegra cercò di salvarsi in corner.

- E tu? Tu ce l'hai la fidanzata?

Non sapeva con chi aveva a che fare: non si poteva cavarsela cosí con Enrico-di-Pomeriggio. - L'ho chiesto prima io, - ribatté mio fratello. - Siete fidanzati o no?

Di nuovo cercai di mollargli una sberla e di nuovo la scansò. Non avevo mai provato tanto imbarazzo in vita mia e cercai di farmi venire in mente qualcosa da dire per cambiare discorso, ma Allegra mi precedette: - Tu che ne dici, Enrico? Secondo te?

- Secondo me, sí.

- E sei contento di questa cosa?

Mio fratello prima fece spallucce, poi le chiese: - Sei ricca?

- Eh?

– Tu, sei ricca? Abiti nella banca, devi avere un sacco di soldi.

Allegra rise e mi fissò, come se si aspettasse che dicessi qualcosa anch'io.

Che dovevo dire? Io *volevo* che fosse la mia fidanzata, lo volevo piú di ogni altra cosa, o perlomeno era una delle tre cose che desideravo sopra tutte: le altre due erano la bicicletta blu con le finiture cromate e la vittoria dello scudetto da parte del Bologna.

Questo ultimo desiderio si era fatto molto piú forte da quando, circa un mese prima, il Milan aveva vinto la coppa dei campioni, cosa mai riuscita a una squadra italiana, battendo in finale il Benfica. Avevamo guardato la partita alla tivú della casa del popolo, nello stanzone puzzolente, e al ritorno mio fratello aveva annunciato che, essendo stufo di tifare per il Bologna, che non vinceva mai niente, da quel momento teneva ufficialmente per il Milan. Io c'ero rimasto male. Per questo volevo che il Bologna vincesse lo scudetto, e lo vincesse con un margine tale da far rimpiangere a Enrico di averne tradito la fede.

Ma torniamo a quella mattina. Mio fratello si era incaponito nella sua domanda e insisteva: – E allora, siete fidanzati?

Lei continuando a camminare mi prese sottobraccio, si appoggiò a me quasi mettendomi la testa su una spalla e rispose: – Chi lo sa? Può darsi.

Feci il resto del percorso come in trance.

Può darsi, aveva detto, e la pelle calda del suo braccio contro quella del mio, e il suo profumo, e la luce dei suoi capelli biondi nel sole…

Avevo nel cuore e nei pensieri una montagna di panna montata soffice e dolcissima.

A fianco del canale, prima delle vigne di Pasini e poco lontano dalla carraia che portava in direzione della Bassa dei Porcari, c'era una punta di terra incolta piena d'erba. A poche decine di metri c'era la casa di Cleto Rosetti, e nell'ampia corte si vedevano i teloni su cui i fiori di camomilla venivano messi a seccare, già in parte coperti di prodotto appena raccolto. Ogni tanto arrivava qualche bambino col sacco, insieme a Cleto lo pesava, poi i fiori venivano sversati con gli altri.

Era una buona posizione. Tirai un sospiro, constatai che di camomilla nei dintorni ne cresceva in abbondanza e dissi che potevamo cominciare.

Allegra osservò che quei fiori sembravano margherite.

– Non vorrei raccogliere quelli sbagliati, – si preoccupò.

– Di margherite adesso non ce ne sono quasi piú, – le spiegai, – e poi quella della camomilla è una pianta molto piú alta, vedi? Devi prendere gli steli tra le dita aperte, poi chiudere le dita e tirare verso l'alto, cosí in mano ti restano solo i fiori. Se rimangono un po' di stelo e di foglie fa lo stesso, ma poi Cleto ci paga di meno. Piú il fiore è pulito, piú vale.

Annuí e cominciò a raccogliere, stando sempre a un passo da me.

Mio fratello ci seguiva. Tempo due minuti e cacciò un grido, poi gettò via il sacco, prese a darsi manate sulle braccia e sulle gambe e fuggí verso la strada.

Allegra si allarmò. – Che gli succede?

– Niente, – dissi senza smettere di raccogliere. – Ha paura degli insetti, fossero anche formichine. Glielo avevo detto di rimanere a casa, ma con lui non si ragiona.

– E se l'hanno punto?

– Certo, a volte pungono, ma anche se capita è un pizzicore che si sente appena, a meno che non si tratti di un'ape o di una vespa.
– E se l'hanno punto un'ape o una vespa?
– No, tranquilla: farebbe delle urla tali che sarebbe già accorso mezzo paese. E in ogni caso, gli starebbe bene.
– Ma dài... andiamo almeno a vedere come sta.
Come vuoi che stia? le avrei voluto chiedere. Però cercai di dimostrarmi buono e premuroso; posai il sacco, mi avviai verso Enrico e Allegra mi seguí. Lo raggiungemmo che si era seduto sul ciglio della strada, col broncio.
– Che c'è? – gli chiesi.
– Niente.
– Non fare il furbo con me: ci sono gli insetti, hai paura ma non vuoi tornare a casa perché ti piace rompermi l'anima, vero?
– No, mi piace prendere un po' di soldi.
– Ne hai già un mucchio, di soldi, e devi accettare che per raccogliere la camomilla si devono mettere le mani tra l'erba, e tra l'erba ci vivono gli animaletti. Che non fanno niente, non hanno mai ammazzato nessuno, anzi, non fanno paura a nessuno, tranne che a te. Vero?
– Non mi fanno paura, mi fanno senso.
– Non cambia niente: non sei adatto a raccogliere la camomilla, quindi adesso te ne torni a casa.
– Neanche per sogno.
– E invece ci vai, e di corsa.
– E se non ci vado, che succede?
– Succede che le prendi.
– E io dico alla mamma e al babbo che ti sei fidanzato con questa qui.
Allegra gli passò una mano sui capelli e rise, ma non c'era niente da ridere: non volevo che Enrico dicesse quella cosa

ai miei, ché poi mi sarei dovuto sorbire battutine, frecciate, domande e chissà cos'altro.

– Vuoi tornare a casa o no?

– No, cambio solo zona.

– E dove pensi di andare? Guarda che gli insetti sono dappertutto.

– Vado un po' piú in là, verso la casa di Cleto, dove c'è l'erba bassa.

– Là di camomilla non ce n'è.

– Sí che c'è.

Sbuffai.

– Va bene, – dissi per liberarmi della questione e starmene in pace e da solo con Allegra, – va' dove vuoi, basta che non ti allontani troppo.

Annuí, andò a raccattare il sacco e si incamminò.

Tornai dov'ero prima e ricominciai a raccogliere. Avere Allegra al fianco mi dava gioia, mi emozionava, ma avrei voluto trovare qualcosa da dirle, qualcosa di bello, di grande; o trovare qualcosa da fare, un gesto carino e azzeccato, senza accontentarmi di lavorarle accanto in silenzio.

A un certo punto vidi che aveva degli insetti sulle braccia e sulla canottiera. Mi avvicinai a lei e con leggeri colpi delle mani li tolsi.

– Tranquillo, – disse, – a me non fanno mica paura.

Continuai lo stesso: era un po' come farle carezze, era un modo di preoccuparmi per lei, di occuparmi di lei.

Allegra posò la borsa, mi venne di fronte, vicina vicina, mi ravviò i capelli all'indietro e disse: – Hai gli occhi verdi, lo sai?

Be', a dire la verità non lo sapevo. Me li vedevo tutti i giorni o quasi, nello specchio, ma non ci avevo mai fatto caso.

Lei seguitò: – Verdi con dentro delle pagliuzze dorate. Sono molto belli. E i miei come sono?

Deglutii e risposi con un filo di voce: – Azzurri.

– Questo lo so, – ed era come se si aspettasse che aggiungessi qualcosa..

Ci provai: – Azzurri, brillanti. Stupendi.

Eravamo in un posto silenzioso e verde, il sole ci scaldava e ci avvolgeva, ipnotico e inebriante, nell'aria c'era odore di fieno e le nostre mani profumavano di fiori di camomilla. La bocca di Allegra era a dieci centimetri dalla mia, sentivo il calore del suo respiro. Era come se una forza enorme da una parte mi spingesse a raggiungerla con le mie labbra, con il piacere che si pregusta prima di assaggiare un frutto delizioso e maturo, dall'altra mi bloccasse in un'esitazione dolorosa e sconosciuta.

Poi arrivò Paolino. Non ci potevo credere che quel piccolo deficiente riuscisse sempre a piombarmi tra i piedi nei momenti meno opportuni, ma invece eccolo lí, a cavallo della sua bicicletta, con cui si era spinto tra l'erba fino a raggiungerci.

– Ciao, – disse. – Che fate?

Oh, niente, avrei voluto rispondergli, forse stavo per baciare Allegra, cioè per realizzare uno dei miei desideri piú grandi, ma sei arrivato tu e hai rovinato tutto. Invece gli dissi: – Raccogliamo la camomilla.

– E poi la vendete?

– No, ce la mangiamo.

– Davvero? Cruda?

– No, la facciamo al forno.

– Viene buona?

– Urca! Una meraviglia.

Allegra mi diede una piccola gomitata, come a suggerirmi di smetterla; ma lei quel tipo non lo conosceva bene e non sapeva che era impossibile imbastire con lui una conversazione normale. In ogni caso sbuffai e dissi: – La vendiamo, no?

– Ci fate su tanti soldi? – chiese.

Io Paolino l'avevo visto raccogliere camomilla ogni anno, come tutti i bambini del paese, e non mi capacitavo di domande simili. Che ad Allegra piacesse o no, non potevo proprio fare a meno di continuare a prenderlo in giro.

– Quest'anno non ci guadagniamo neppure una lira, – risposi.

– Come mai?

– Diamo tutto in beneficenza.

– A chi? Alle suore?

– No, alla famiglia del papa. Lo sai che è morto, vero?

– Sí, lo so. La sua famiglia è povera?

– Eh, certo: adesso che lui non c'è piú, chi lo porta a casa lo stipendio?

Rimase per mezzo minuto con la bocca semiaperta e lo sguardo fisso per terra.

– Già, chi lo porta a casa? Fate bene a dargli qualcosa, a quei poveretti.

A quel punto mi venne un'idea brillante.

– Tu non dài niente? Non partecipi alla colletta?

– Io non ne ho, di soldi.

– Sí, però le mani ce le hai. Potresti andare a camomilla anche tu.

– E poi a chi la devo dare? Chi è che raccoglie le offerte?

– Io. Per cui adesso corri a casa, procurati un sacco e comincia a darti da fare. Quando è pieno portalo a me, che a trasformarlo in beneficenza ci penso io.

Annuí, girò la bici e se ne andò a tutta velocità.

Allegra si mise le mani sui fianchi mi guardò storto.

– Ma... ma Gigi! Ti pare di aver fatto una bella cosa?

– Figurati, fra due minuti non si ricorderà neppure di quello che gli ho detto. Paolino non è a posto col cervello, sai?

– Un motivo in piú per non approfittarne.

Aveva ragione. Era proprio una bambina a posto, oltre che bellissima. Sospirai e ricominciai a raccogliere.

– Giusto, – dissi. – Mi sono comportato come fa di solito mio fratello.

– Cioè?

– Cioè lui se la prenderebbe davvero, la camomilla di Paolino. Non sai cosa combinerebbe, per cinquanta lire.

– Chi, Enrico? Ma se è un bambino cosí fragile, che ha paura persino delle formiche! Poverino.

Non risposi, sarebbe stato troppo lungo spiegarle la vera natura di mio fratello. – Uhuh, – mormorai, e ripresi il mio lavoro.

Quando i nostri sacchi furono pieni, ci avviammo verso la casa di Cleto. Il sole era alto, dovevano essere le undici passate, ma se ci fossimo sbrigati con la pesatura saremmo potuti tornare al lavoro fino all'ora di pranzo, poi continuare nel pomeriggio e fare cosí un giornata piena e piuttosto redditizia.

Attraversammo la punta di terreno con l'erba alta, superammo un fossato su una passerella di legno e ci ritrovammo in un largo prato, già facente parte dell'appezzamento dei Rosetti.

Da una parte, seduto con le gambe incrociate all'ombra di un enorme fico, c'era mio fratello.

– Che fai, dormi ancora? – gli chiesi.

Scosse la testa e indicò il sacco, cosí pieno che stava dritto da solo.

Non era possibile che, lento com'era e sempre attento agli insetti, avesse raccolto una quantità di camomilla superiore alla mia. Lo raggiunsi, aprii il suo sacco, guardai, immersi le mani: non solo era zeppo di fiori, ma il prodotto era pulito, senza un gambo, senza un foglia: roba di prima scelta.

Lo fissai con aria indagatrice: – Come hai fatto?

– Che ti frega? E se proprio vuoi saperlo, questo è il *terzo* sacco. Ne ho già consegnati e venduti altri due, – e cosí dicendo si fece suonare le monete nelle tasche.

– Raccontamela giusta! Te lo chiedo di nuovo: come hai fatto? Ti ha aiutato Paolino?

– No, non l'ho neppure visto.

Riguardo a quello doveva essere sincero: prima di tutto se Paolino fosse tornato e avesse raggiunto mio fratello l'avrei visto passare, e poi, aiuto o non aiuto, non ci sarebbe stato il tempo materiale per raccogliere tre sacchi, neppure lavorando in due.

– Fammi vedere le mani! – gli ordinai.

– No.

Gliele aprii con la forza: le mie e quelle di Allegra erano tutte macchiate di verde e di giallo, le sue no. Lo presi per un orecchio: – Se non mi dici come...

Allegra mi afferrò il braccio, mi costrinse a lasciare Enrico e mi rimproverò.

– Ma cosa fai? Perché lo tratti cosí? Se è stato piú bravo di noi...

– Sí, figurati!

Mio fratello si massaggiò l'orecchio, si fece venire ad arte gli occhi lucidi, tirò su col naso e cercò con lo sguardo il sostegno della mia amica.

Sospirai e decisi di lasciar perdere: se l'avevano aiutato, meglio per lui. – Andiamo, – dissi.

Ci incamminammo verso la corte e vedemmo Cleto che lavorava di forcone accanto ai teli.

– Ne abbiamo tre sacchi, – gli dissi.

Lui posò l'attrezzo, si asciugò la fronte con la manica della camicia ed esclamò: – Bene, bene, proprio voi!

Che aveva voluto dire? Mah! Mi aspettavo che ci conducesse alla bilancia, invece chiamò la moglie, che uscí di casa e ci raggiunse. L'uomo, senza pesare, controllò il contenuto dei nostri sacchi e lo versò su un telone.

Non capivo. Provai a dire: – Perché...

La donna si avvicinò a Enrico e gli sibilò in faccia: – Prima ti ho visto, sai?

– Visto cosa? – intervenni, dato che mio fratello se ne stava zitto.

– L'ho visto che prendeva i fiori da sopra uno dei nostri teloni, mentre mio marito era giú in fondo che pesava. Avevo il ragú sul fuoco e non sono corsa fuori subito, tanto immaginavo che ci avrebbe riprovato e sarebbe tornato. Adesso deve restituire i soldi che gli sono stati dati, e quello che avete portato tu e questa bimba non lo paghiamo, perché probabilmente avete rubato anche voi.

– Rubato? Noi? Ma se è da stamattina presto che raccogliamo questa camomilla!

Anche Allegra, con un filo di voce, disse la sua: – Le giuro, signora, che...

– Vabbe', anche se l'avete raccolta nei campi fa lo stesso. Consideriamo che sia un risarcimento, capito, Gigi? Che sia il motivo per cui non corro a dirlo ai vostri genitori. In quanto a questa signorina, siccome è con voi, ci rimette come voi. E basta. E adesso fuori i soldi, tu! – ordinò a mio fratello.

Enrico consegnò le monete, poi si girò e scappò via. Io e Allegra lo seguimmo lentamente, senza fiatare.

Fu solo quando arrivammo alla fontana e ci sedemmo su una panchina che trovai la forza di dirle: – Mi dispiace, mi dispiace moltissimo. Te li darò io, i soldi che ti spettavano.

Mi accarezzò una spalla. – Ma figurati! Che mi importa dei soldi? Non li avrei voluti in ogni caso, lo facevo solo per aiutarti. E poi mi sono divertita molto, stamattina.

– Davvero?

– Sí. Mi piace stare con te.

– Anche a me piace stare con te. Mi piace un sacco.

Lei guardò sulla strada. – Dove sarà andato tuo fratello?

– A casa.

– Sicuro? Non è che scappa via perché ha paura che i tuoi...

– Magari scappasse via! Invece farà finta di niente, non racconterà nulla, forse correrà al suo salvadanaio, si metterà qualche spicciolo in tasca e li farà vedere alla mamma dicendo che li ha guadagnati con la camomilla. Non hai idea di quanto può essere furbo.

– Be', sí, un'idea stamattina me la sono fatta... è proprio un tipo particolare.

– Chiamalo particolare! È una peste, ecco cos'è!

– E tu, la racconterai ai tuoi genitori questa storia?

Scossi la testa. – No. Prima di tutto perché alla fine la colpa la darebbero a me, che sono il piú grande e dovevo stare attento a Enrico, poi... poi non mi va di fare la spia. Minaccio sempre di farla, ma finisce che non ci riesco. Diciamo che non sono furbo come lui.

– Diciamo che sei in gamba, – concluse lei.

Non mi sentivo in gamba per niente, a dire la verità. Mi sentivo solo come uno che ha raccolto camomilla sotto il sole per ore senza beccare un quattrino.

Mi alzai dalla panchina e andai a lavarmi le mani e la faccia sotto il getto della fontana. Allegra mi raggiunse, fece lo stesso, poi ridendo mi spruzzò d'acqua. Giocammo a quel modo per un po', e ben presto la delusione e la rabbia per come si erano messe le cose da Cleto svanirono.

Allegra aveva quella capacità, quel potere: mi bastava guardarla, mi bastava ridere con lei o solo averla accanto per sentirmi bene davvero.

– Devo tornare a casa, – disse quando sentí le campane della chiesa suonare il mezzogiorno.

– Aspetta ancora un po'.

– Cinque minuti, va bene?

Annuii. Cinque minuti erano meglio di niente.

Si asciugò il viso, si accoccolò sulla panchina e disse: – Sai una cosa?

– Cosa?

– Quando ci siamo trasferiti qui, sei mesi fa, ho pianto come una disperata. Non volevo venirci, credevo che ci sarei stata malissimo. Invece mi piace, e adesso sono contenta di essere in questo paese, perché cosí io e te ci siamo conosciuti.

– Anch'io sono contento. Ma rimarrete qui per sempre?

– Non lo so, ma... credo che ci resteremo per tanto tempo.

Quella risposta mi tranquillizzò. Non volevo che se ne andasse da Bagnago, che sparisse.

Ero vissuto dieci anni senza Allegra e ora, sempre piú spesso, mi chiedevo come avevo fatto, senza di lei.

10. Luglio 1963

Mio padre non andava piú nei mercati, né visitava piú gli allevatori per acquistare bestiame. Il lavoro è fermo, diceva, e chissà quando ripartirà. Il mio lavoro è finito per sempre, affermava pessimista altre volte, con lo sguardo fisso nel vuoto e una voce che tradiva sconforto e smarrimento. Mi dispiaceva vederlo cosí, e non solo perché quella situazione ci faceva tirare la cinghia. Il fatto era che non avendo piú impegni ciondolava tutto il giorno in casa o in cortile, stava tra i piedi alla mamma che non riusciva a fare con comodo le faccende domestiche, oppure voleva intervenire nelle quotidiane operazioni che il nonno svolgeva nell'orto, nel pollaio e nel porcile. Insomma, cercava di rendersi o di sentirsi utile ma non lo era affatto, né agli altri né a sé stesso.

Era piú che altro un impiccio, una presenza che trasudava inutilità e malumore. A volte pensavo che fosse come avere in casa un fantasma, di quelli che tanto per farsi sentire scuotono catene o fanno altri rumori strani, appaiono in un corridoio, aprono i cassetti o chiudono le porte e magari ti sporcano un lenzuolo solo per metterselo addosso e spaventarti. Uno che non serve a niente ma ce l'hai sempre tra i piedi e ti dà noia, ecco.

C'era una casa diroccata al margine del paese, sul canale del mulino vecchio, che a volte noi bambini usavamo per farci le prove di coraggio: si diceva che ci fossero gli spiriti e non era facile trovare la forza di entrarci e di aggirarsi dentro quelle stanze quasi buie. Be', io mi ero convinto che la prossima volta che ci saremmo andati ci avremmo trovato dentro mio padre, immobile in un angolo, che quando ci vedeva provava a impressionarci facendo mestamente: «Buuu!» e noi ridevamo e gli dicevamo che era meglio se lasciava perdere.

Tanto per fare qualcosa il babbo cercava di intervenire, che ne so, sul cibo del maiale, osservando che c'erano troppa crusca e poca acqua, al che il nonno sbuffava e faceva finta di non sentirlo, o sui tempi di cottura del ragú, allora la mamma gli metteva in mano il cucchiaio di legno e gli diceva che lo facesse lui, il sugo, se era tanto bravo ed esperto. Il problema è che mio padre non aveva mai preparato né la broda per il porco né il ragú, quindi i suoi commenti servivano solo a fare arrabbiare il resto della famiglia.

Mia madre a volte gli chiedeva: – Ma non inventi piú niente? Non ci vai piú nel tuo laboratorio? È da un po' che non fai uscire qualche bella nuvola di veleno dalle finestre della rimessa!

Lui scuoteva la testa, diceva che non riusciva a concentrarsi, che la passione per la chimica era e doveva essere, appunto, una passione, uno di quei passatempi che ti fanno rilassare nelle pause del lavoro. Ma se il lavoro non c'è, da cosa ti devi rilassare? Da cosa devi svagarti? E si possono avere passioni quando non si hanno pensieri che per l'avvenire e per il portafoglio? Non si può. Le passioni sono un lusso che adesso non mi posso permettere, sospirava. Poi aggiungeva che non se le poteva permettere nel vero senso della parola, perché le sostanze che gli sarebbero servite per gli esperimenti costavano, e dunque non era il caso.

Quando si accorse che a casa o nell'orto dava piú che altro fastidio, cominciò a stare tutto il giorno al bar. Passava dalla casa del popolo al circolo dei repubblicani, facendo la spola tra i due grandi cortili ombreggiati da tigli come se lo pagassero per quel lento via vai. Là se ne stava per ore seduto fuori a un tavolino a fare osservazioni su questo e quello, a dire banalità sul tempo o sullo sport, oppure a sentire e a raccontare storie e aneddoti. E quest'ultima era forse la cosa piú interessante che si potesse fare, nei bar, perché spesso quelle narrazioni erano davvero belle e divertenti, soprattutto quando uscivano dalla bocca di certi soggetti che potevi ascoltare per ore senza annoiarti.

A Bagnago il migliore era un certo Pirini. Anche lui, come mio padre, frequentava entrambi i circoli, e credo che una delle dispute piú forti fra repubblicani e comunisti riguardasse proprio la quantità di tempo che quell'uomo passava nelle rispettive sedi: insomma se lo litigavano perché, anche se raccontava una vicenda già sentita mille volte, sapeva sempre renderla affascinante con l'aggiunta di nuovi particolari, che ti chiedevi se li pensava la notte o se gli venivano fuori cosí, d'istinto.

Un altro esercizio nei lunghi pomeriggi all'ombra dei tigli era, per gli uomini che li vivevano (anzi li vivacchiavano), quello di perdersi in discussioni infinite e senza senso.

Una volta che c'ero anch'io, perché mi piaceva stare ad ascoltare i grandi, magari con un gelato in mano, mio padre e alcuni altri cominciarono a parlare del cane da caccia che Valerio Brighi, il gestore della pompa di benzina, teneva in un capanno della Bassa dei Porcari, sul bordo di ciò che restava della palude. Mio padre diceva che quel cane era maschio, Renzo il meccanico asseriva invece che era femmina. – Lo so bene perché l'anno scorso ha fatto i cuccioli, – sosteneva.

– Se quel cane ha partorito, allora posso farlo anch'io, – ridacchiava il babbo. – È un maschio e si chiama Bill. L'hai mai vista una cagna che si chiami Bill?

– Bill era il setter di Secondo, il fratello di Valerio, ed è morto da due anni almeno. Non ti ricordi? Secondo gli sparò perché, quando andavano a caccia, invece di riportargli i fagiani uccisi se li mangiava.

Durarono a lungo in quel modo, tirando in ballo le complicate genealogie dei cani da caccia di Bagnago e dintorni e dei loro proprietari. A me non interessava un tubo di quell'argomento, però ero affascinato dalla capacità che avevano di perdere tempo in questioni simili.

A un certo punto un ragazzo venne a chiamare Renzo dicendo che c'erano persone che lo aspettavano in officina, ma lui rispose che avrebbero dovuto pazientare, che al momento aveva cose piú importanti da fare che riparare automobili o motociclette.

La cosa importante e urgente che doveva fare era controllare una volta per tutte il sesso di quel cane. Cosí lui, il babbo e altri sei o sette uomini, fra cui un paio di sfaticati, un paio di pensionati e altrettanti turnisti dal pomeriggio libero, salirono sulle biciclette e partirono verso la Bassa per sciogliere finalmente il dubbio che li avvinceva in una spirale senza uscita.

Da una parte rimasi sconcertato da quella spedizione, dall'altra non me ne seppi sottrarre. Dunque li seguii perché a quel punto mi avevano contagiato, irretito, e non potevo resistere senza conoscere la risposta all'enigma.

Vi è mai successo di dimenticarvi, che ne so, il nome di un cantante o di un calciatore, che li avete sulla soglia della memoria e sulla punta della lingua ma non vi vengono fuori? Magari non vi frega niente di quel nome, assolutamente niente, però finché non lo trovate non avete pace. Be', a me in quell'occasione capitò lo stesso, e pedalai dietro quel branco di perditempo, e non vedevo l'ora di arrivare al capanno e di trovarmi davanti quell'accidente di cane.

Se per caso non fosse stato là perché, che ne so, nel frattempo era morto di cimurro e l'avevano seppellito, lasciando cosí l'interrogativo in sospeso, credo che non ci avrei dormito la notte o che avrei chiesto, strillando e rotolandomi per terra come un indemoniato, una riesumazione del corpo, sperando che si potesse ancora distinguerne il sesso.

Il cane invece c'era, per fortuna, e quando vide avvicinarsi tutta quella gente cominciò ad abbaiare e a strattonare la catena, innervosito e furioso. Quando però tutti gli si fecero intorno, chi trattenendolo dal collare e chi aprendogli le gambe posteriori per scrutargli e tastargli le vergogne, ci rimase cosí male che non riuscí piú neppure ad abbaiare e si limitò a guardarsi intorno costernato, con gli occhi che denotavano una terribile umiliazione.

Tanto per non lasciare anche voi sulle spine, era maschio, e mio padre vinse tre birre perché avevano pure scommesso. Non appena la spedizione tornò nel cortile del bar se le bevve una dopo l'altra, ché la pedalata e la tensione gli avevano fatto venire una gran sete.

Non l'avevo mai visto bere piú di una birra, prima. Anche con il vino non aveva mai ecceduto, ma cominciò a farne fuori parecchio ogni volta che ci mettevamo a tavola.

Io non capivo perché, se davvero eravamo diventati poveri, dovesse spendere soldi per bere e una sera glielo chiesi. Mi guardò in una maniera cosí dura che temetti volesse picchiarmi, poi fece un gesto di fastidio con la mano e disse che non beveva affatto piú del solito, e che di certo non sarebbe stata qualche birra a mandarci in rovina. Il problema era quello del lavoro, non quello del bicchiere, disse.

Allora provai a chiedergli: – Perché non fai un altro mestiere? I padri dei miei amici fanno gli operai, o i contadini, o i braccianti...

Sbuffò, rimproverandomi di non capire. Era un bravo commerciante di bestiame, un bravo mercante, come diceva lui: quello aveva sempre fatto, e quello doveva e voleva fare.

– Ma se adesso non si può piú...

– Lo sai cosa faceva tuo nonno? – mi interruppe alzando la voce.

Certo che lo sapevo. – Il mercante, – dissi.

– E il tuo bisnonno?

Anche questo credevo di saperlo. – Il mercante.

– E il tuo trisnonno?

Non lo sapevo, ma tentai: – Il mercante pure lui?

– Esatto. E il tuo quadrisnonno?

Dato che la parola quadrisnonno non l'avevo mai sentita e mi faceva sprofondare negli oscuri abissi del passato, praticamente nel Medioevo o giú di lí, cercai conforto nelle nozioni scolastiche. – Il feudatario?

– Eh?

– Il feudatario? – ripetei, pensando che non avesse sentito. – Oppure il vassallo, il valvassore...

– Ma cosa dici?

Forse avevo esagerato. – Il valvassino? – ritentai. – Il soldato? Il servo della gleba? L'ammalato di peste? Il...

– Il mercante, faceva!

– Il mio quadrisnonno?

– Sí!

– Come si chiamava?

– E che ne so?

– Ma se non sai neppure il suo nome, come puoi dire che faceva il mercante?

– Lo dico e basta! Tutti i nostri antenati sono stati mercanti!

– Anche il quinquisnonno, e il sestil... seste...

– Tutti!

Come mi succedeva spesso, lasciai viaggiare la fantasia e mi immaginai i nostri avi dell'età della pietra, i Melandri primitivi. Uno di loro possedeva una mandria di mammut. Possedeva nel senso che affermava fosse sua, ma non è che quegli animali potesse metterli nella stalla o mungerli, ché non si lasciavano mica avvicinare, essendo enormi e poco socievoli.

Un giorno questo Melandri andava nella caverna di altro tizio e gli chiedeva se voleva comprare i mammut, al che quello ci pensava un po' su, si grattava la barba poi rispondeva: «Sí, ci sto: è da un pezzo che vorrei averne qualcuno».

Facevano un contratto, si stringevano la mano, magari invece delle pacche sulle spalle che avevo visto scambiarsi nei mercati quando avevo accompagnato il babbo si davano a vicenda qualche botta di clava in testa, poi il mio antenato tornava contento dalla sua famiglia, a cui raccontava di avere concluso un buon affare.

«E quanto ti ha pagato quello là per i mammut?» gli chiedeva la moglie.

Lui rimaneva a bocca aperta, allocchito, e dopo qualche secondo rispondeva: «Adesso che ci penso, non mi ha pagato proprio per niente!»

La donna si metteva le mani sui fianchi, lo guardava storto e gridava: «Certo che non ti ha pagato, i soldi non sono ancora stati inventati! Bell'affare, hai fatto!»

Allora il mio antenato si intristiva e si sentiva un po' scemo. Nei giorni seguenti adibiva una caverna a laboratorio e, lavorandoci giorno e notte, inventava la birra, che con quella poteva svagarsi e tirarsi un po' su.

Lasciai svanire quella visione e riportai l'attenzione al babbo, che nel frattempo diceva: – Sí, tutti gli uomini della nostra famiglia hanno fatto i mercanti, e mi piacerebbe che lo facessi anche tu perché è una tradizione, capisci?

– Ed Enrico?

Cambiò tono. – Enrico è sensibile, è fine; non credo che porrebbe occuparsi di bestiame e andare nelle stalle o nei mercati. Lui è... Uno che ruba la camomilla? avrei voluto dire. Che pensa solo al proprio interesse? Che se mi fa un prestito poi vuole indietro il doppio di ciò che mi ha dato? Ma troncai lí la conversazione, perché quando mio padre si agitava era meglio lasciarlo perdere.

Capitava pure che, non avendo altro da fare, si interessasse un po' troppo a me e a mio fratello, ci controllasse, ci chiedesse dove andavamo e perché: prima non era mai successo. Oppure mi sgridava per delle inezie e non sopportava di essere contraddetto.

La mamma un giorno, stupendomi, mi disse di stargli alla larga. Insomma, non usò proprio quelle parole ma mi fece capire che non dovevo urtarlo.

– Quando un uomo perde il lavoro e la stima in sé stesso, – mormorò preoccupata, – può diventare imprevedibile e persino cattivo. Non dargliene occasione.

Cercherò di non dargliela, mi ripromisi, perché davvero quell'uomo che ciondolava sempre nel bar con una bottiglia in mano mi pareva di non conoscerlo piú.

Dato che a casa non tirava una bella aria, cominciai a starmene in giro il piú possibile sfidando i rimbrotti di mio padre, che tra l'altro non sempre arrivavano: infatti a volte mi tormentava con domande, mugugni e osservazioni, altre volte invece mi ignorava e pareva non gli importasse niente di quello che facevo.

Per fortuna riuscii quasi sempre a non dovermi portare appresso Enrico, che se ne stava tutto il giorno a casa del suo amico Gianni. La famiglia di quest'ultimo, che allevava cavalli, aveva da poco acquistato un pony e mio fratello ne andava pazzo. Seppi anche che lui e Gianni avevano messo su un'attività: facevano pagare trenta lire agli altri bambini che volevano salirci in groppa, e cinquanta a chi voleva farci un giro dentro il recinto. Non me ne stupii e giurai a me stesso che mai e poi mai avrei speso un soldino per sedermi su un pony pulcioso e riempire le tasche di mio fratello e del suo degno compare.

Era un luglio caldissimo, e la campagna velata di polvere se ne stava zitta e stremata sotto la cappa enorme di un cielo a volte abbagliante, a volte grigio di afa. Ogni tanto si incupiva e chinava la testa sotto la sferza di temporali improvvisi, pieni di tuoni e di folgori, e quelli erano momenti che mi piacevano molto e mi facevano stare alla finestra o al riparo di qualche tettoia ad ascoltare il rombo di brevi e violente piogge o grandinate, e a guardare il brivido scuro che pareva attraversare il paese e i campi, seguito dall'odore intenso della terra bagnata e dell'erba che tornava a respirare.

Ero in vacanza, le opzioni per fare cose lontano da casa erano innumerevoli. Se nel primo pomeriggio, nel pieno della calura, me ne andavo spesso al fiume, un mondo verde, ombreggiato e odoroso d'acqua lenta, quando rinfrescava un po' correvo invece al campetto della chiesa per giocare a pallone.

Mi piaceva il calcio e mi divertivo un sacco, almeno finché, verso le sei di pomeriggio, non suonava la sirena della segheria e non chiudeva la fabbrichetta di macchine agricole che stava a qualche chilometro di distanza, a Sagnano. A quel punto, prima una torma di ragazzotti e di adulti si precipitava dalla segheria al campo, poi, in bici o in motorino, arrivavano quelli della fabbrica. Erano vestiti di tute blu o marrone, coperti di segatura o di morchia e indossavano scarpe pesanti che se ti colpivano lasciavano il segno.

Dopo tante ore di lavoro quegli operai erano come puledri liberati da un recinto: avevano una gran voglia di correre, ti aspettavi quasi che nitrissero e scalciassero all'indietro, e quando arrivavano, per noi la partita finiva. Non è che ci cacciassero, potevamo restare, ma a nostro rischio e pericolo, perché quelli non ci andavano leggeri. Se ci colpivano ci facevano ruzzolare via come birilli, se si scontravano tra di loro invece provocavano nuvole di segatura o di farina, perché c'erano anche quelli che lavoravano al mulino.

Noi bambini, dunque, odiavamo le sei del pomeriggio e quel suono di sirena, e ci chiedevamo come mai, pur essendo stanchi, gli operai avessero ancora tanta energia e per sfogarla dovessero proprio invadere il nostro territorio e il nostro gioco.

Per un po' ce ne stavamo ai bordi del campo a guardarli, e spesso a ridere di quel loro correre frenetico e goffo, infagottati com'erano in abiti da lavoro sporchi e scomodi; poi ce ne andavamo alla spicciolata, rincuorandoci con un dato di fatto: i giocatori delle sei ci spodestavano, ma per poco. Noi in fondo avevamo tutta la giornata libera e loro solo quello spicchio di pomeriggio, quella specie di ora d'aria dopo la prigione del lavoro.

Alle partite di pallone non rinunciavo, ma a tutto il resto sí, se potevo stare con Allegra. Andai un paio volte con lei al fiume, dalle parti del ponte, e cercai di insegnarle a pescare. Tutto andava bene finché non abboccava qualche pesciolino: a quel punto non solo non riusciva a toccarlo per toglierlo dall'amo, ma voleva pure che lo ributtassi in acqua. Altre volte giravamo per le carraie in bicicletta, avvolti dall'odore della campagna e dal sole che rendeva i suoi capelli dello stesso colore del grano tardivo che ancora rimaneva in qualche campo. Un giorno addirittura mi invitò a fare merenda nel cortile di casa sua.

Cercai di farle vedere tutte le cose e gli angoli di Bagnago che non conosceva, o quelli che a me piacevano in modo particolare. La portai sul campanile della chiesa, attento a che non ci scoprisse l'Elvira, la sorella del parroco, che stava sempre di sentinella per impedire che qualcuno si arrampicasse lassú salendo gli innumerevoli gradini della scala di legno stretta e ripida. All'interno del campanile c'era poca luce e a ogni piccolo rumore o scricchiolio ci immaginavamo quella donna scorbutica che, in agguato nell'ombra, ci assaliva all'improvviso.

Allegra quella volta aveva paura e mi prese la mano, e me la tenne anche quando arrivammo nella cella campanaria, alta sopra il paese, sospesa sulla pianura. Da lí si vedevano in lontananza la linea bluastra dei monti, le macchie degli alberi che affogavano case e strade, il luccichio degli acquitrini nella Bassa dei Porcari. Lei soffriva un poco di vertigini; volle affacciarsi a guardare sotto, ma per farlo si avvinghiò a me, mi si appiccicò contro, sempre stringendomi forte la mano. Sentire il contatto caldo della sua pelle, il movimento rapido del suo respiro e persino i colpi del suo cuore diede le vertigini anche a me.

Quelle ore passate insieme erano fatte di un tempo speciale. Se stare con Francesco o con altri amici era come mangiare una pesca, cosa buona e divertente ma usuale, normale, ché di pesche ce n'erano in quantità, stare con Allegra era come riempirsi la bocca di cioccolato: un gusto raro e intenso che ti arrivava dappertutto; un piacere che pareva finire sempre troppo in fretta ma contemporaneamente sapeva perdurare e lasciare qualcosa di forte.

Quello con lei, insomma, era un tempo *denso*. Denso e saporito come una crema allo zabaione, come la maionese fatta in casa, come il caramello che la mamma preparava per mescolarlo alle mandorle e fare il croccante.

Ma era anche un tempo che non durava mai abbastanza, sempre condizionato da una serie di limiti che avrei voluto annullare, ma non si poteva o non ci riuscivo.

Il primo consisteva nel fatto che, pur se lasciata abbastanza libera, Allegra non lo era come me, non lo era come i bambini maschi del paese, che in estate si trasformavano in piccoli nomadi senza orologio e senza regole. Lei aveva orari da rispettare, raccomandazioni da ascoltare e da onorare. A casa sua c'era il momento della merenda pomeridiana che non si poteva ignorare, come se senza quello spuntino avesse potuto morire di fame o di stenti; poi c'erano un padre da cui farsi trovare in casa quando la banca chiudeva, parenti da accogliere o da visitare. Una sua zia ad esempio viveva a Cervia, e spesso Allegra la raggiungeva con sua madre perché là c'erano la spiaggia e i cugini. Poi c'era il giorno della passeggiata in città, quello dell'arrivo dei nonni, quello dei compiti. Insomma, in troppi me la rubavano e io ne soffrivo.

Un altro limite, invece, riguardava proprio il tempo che passavamo insieme, da soli o in gruppo. Se con noi c'era qualcun altro, sentivo quelle presenze come intrusioni. Se eravamo soli, ero combattuto tra la gioia inebriante della nostra esclusiva vicinanza e il dubbio, il tentennamento che limitava ogni mio gesto, ogni mia frase: le avrei voluto dire di continuo che era bellissima, che stavo bene solo avendola accanto, che le volevo bene, ma temevo fossero parole da misurare, non sapevo quali e quante potessi pronunciarne senza esagerare, senza mettere in imbarazzo lei e me, senza sbagliare.

Avrei voluto prenderle la mano intrecciando le nostre dita, accarezzarle i capelli, persino baciarla, ma i gesti rappresentavano un campo ancora piú complicato e rischioso di quello delle parole. Insomma, a ripensarci oggi posso dire che tutto

veniva solo abbozzato in una specie di gioco stupendo e difficile di cui entrambi eravamo, credo, pienamente consape-
voli: un agire trattenuto, sotteso, a volte quasi sofferto ma
sempre emozionante.

Il mio amico Francesco, come ogni anno, a luglio non c'era
perché passava tutto il mese con la famiglia sulle Dolomiti.
Avevo dunque sempre odiato luglio e le montagne che me
lo portavano via. Adesso invece, pur sentendomi in colpa,
sospiravo di sollievo perché se fosse stato a Bagnago avrei
dovuto districarmi fra il desiderio di stare in sua compagnia
e quello ancora piú forte di stare con Allegra. Sarebbe stato
difficile combinare le due cose, cosí come sarebbe stato doloroso scegliere. Mi sarei lacerato fra due bisogni diversi e
in qualche modo inconciliabili, perché a Francesco Allegra
non piaceva, quasi la detestava. Ne prendevo pian piano coscienza, e la cosa mi addolorava molto: piú quella bambina
diventava importante e indispensabile per me, piú mi sarei
allontanato da chi, fino a pochi mesi prima, aveva rappresentato il mio punto di riferimento piú certo.

Negli anni precedenti, quando mi arrivavano le carto-
line di Francesco piene di vette, stelle alpine e marmot-
te, passavo ore a immaginare come doveva essere stare in
quei luoghi meravigliosi, e come sarebbe stato bello poter
raggiungere il mio amico e correre con lui sui sentieri e nei
boschi. Adesso invece, la sera nel letto o in lunghe ore so-
litarie passate con un giornaletto fra le mani, pensavo ad
Allegra e quasi solo a lei.

A volte, con un improvviso terrore, mi pareva di non ricordare bene qualche particolare del suo aspetto: la curva
del collo, la forma che prendevano i capelli quando se li tirava dietro le orecchie, il movimento delle mani; e allora mi
assaliva una specie di angoscia, di spasimo, di urgenza che
placavo solo quando l'incontravo di nuovo e potevo guar-

darla a lungo, stupendomi della perfezione e dell'armonia dei suoi lineamenti.

Succedeva che se ne accorgesse e mi chiedesse, sorridendo maliziosa: cosa guardi? Io arrossivo e rispondevo: niente, anche se avrei voluto confessare che guardavo la sua bellezza per non dimenticarne neanche un particolare.

C'erano comunque altre cose che dovevo conciliare fra loro, oltre alle mie frequentazioni e ai miei affetti: ad esempio, dovevo trovare il tempo sia per Allegra sia per qualche lavoretto che mi avvicinasse un altro po' alla bicicletta blu. Ciò che mio fratello aveva combinato con Cleto mi impediva, almeno per quell'anno, di contare sulla raccolta della camomilla. Cos'altro potevo fare per prendere qualche soldo?

Non è che le opportunità fossero moltissime.

Nei film americani che avevo visto, i bambini durante le vacanze estive facevano sempre due cose per riempire i loro salvadanai: distribuivano i giornali, consegnandoli casa per casa con un lancio dalla bici in corsa, oppure falciavano i prati dei vicini.

A Bagnago, constatai con delusione, non sarebbe stato possibile perché chi leggeva il giornale lo faceva al bar o dal barbiere, e infatti tanta gente andava in quei posti solo per sfogliare i quotidiani, oppure li comprava all'edicola, cioè al sali e tabacchi dove vendevano un po' di tutto, dalle sigarette alle riviste, alle gomme da masticare, ai quaderni. A nessuno veniva in mente di farselo tirare in cortile, il giornale, che magari cadeva nel fango, oppure se lo prendeva il cane e lo trasformava in un mucchio di coriandoli, o finiva tra l'insalata e si riempiva di lumache.

Falciare i prati, neppure a pensarci. Intanto perché di prati ce n'erano pochi. Chi aveva un po' di spazio intorno a casa, col cavolo che lo sprecava per della semplice erba: o ci

faceva il giardino, che qualche fiore fa bella figura e all'oc-
correnza lo si può portare sulle tombe del cimitero, oppure
lo trasformava in orto. C'era la fissa, dell'orto; piantavano
lattuga, pomodori, piselli o zucchine nei posti piú strani:
ai lati della porta d'ingresso, sul bordo della strada, addirittura dentro pneumatici da trattore adagiati da qualche
parte e riempiti di terra. Mi stupivo sempre che nessuno
cercasse di farlo sui tetti. Chi proprio non aveva uno spazio privato, coltivava a verdure piccoli appezzamenti sugli
argini dei canali.

Un vero e proprio prato lo avevano solo i genitori di Francesco, che però se lo curavano da soli; il Capitano, davanti
alla sua casa tabú, ma glielo falciava Raniero, un bracciante
che veniva da fuori e che era l'unico a frequentare quell'uomo; poi la zia Irene.

Quello dell'Irene, però, piú che un prato era una specie di giungla, o forse di savana: Arturo era troppo pigro
per tenere l'orto ma lo era anche per curare il verde, e la
zia non poteva piú lavorare la terra per via dei dolori a
tutte le ossa del corpo, comprese quelle sconosciute che
aveva solo lei.

Dunque, era l'unica occasione per fare come i bambini
americani. Cosí una mattina andai dagli zii e glielo chiesi,
se avevano bisogno che gli dessi una tosata a quello schifo
di prato, ché una roba tanto selvaggia e incolta non si vedeva neppure nei film, tranne quando mostravano le praterie
del West con gli indiani, i bisonti e i coyote, ma quella era
un'altra storia.

Arturo ci pensò su, affermò che in quell'erba di bisonti
e di coyote magari non ce n'erano, ma di sicuro vi si anni-
davano un sacco di zanzare, di calabroni e di bacherozzi,
quindi una sfoltita poteva servire. La zia Irene una volta
tanto non obiettò. Mi immaginai già intento a spingere la

falciatrice meccanica, ma mi dissero che non l'avevano e che avrei dovuto lavorare di falcetto.

Guardai la savana e pensai che con un falcetto a mano, chinato o inginocchiato a menare colpi su quel fitto, mi sarei prima di tutto spaccato la schiena e fatto mangiare dagli insetti, poi ci avrei messo all'incirca due mesi, se non mi fossi fermato mai né a mangiare né a dormire, né ad andare al cesso. Per non perdere la bella occasione, comunque, cercai di farmi venire un'idea, e quando mi si accese in testa la comunicai raggiante: avevo un diserbante, dissi, che potevo spargere nel giro di mezz'ora risolvendo il problema per sempre. Forse per l'eternità, esagerai, pensando alla chiazza detta Hiroshima nel mio orto.

Il problema era che l'effetto bomba atomica della sostanza inventata da mio padre lo conoscevano anche loro, quindi conclusero che era meglio sopportare le zanzare e i bacherozzi che trovarsi davanti a casa il deserto nucleare.

Ci rimasi male e mi misi in giro in bici, impegnandomi a pensare a qualche lavoretto alternativo.

Notai Carlino seduto fuori e mi fermai, per vedere se aveva qualche perla di saggezza da comunicarmi. Lui quel giorno mi disse che il pesce gli piaceva piú della carne, anche se aveva il difetto che puzzava. Ah, sí? chiesi io. Lui rispose: certo, il pesce puzza di pesce, però una volta che te lo metti in bocca non si sente piú. Poi fra sé e sé mormorò che avrebbe fatto volentieri una scorpacciata di anguille, o anche di tinche e di carpe al forno. Persino di rane, che non sono pesce ma non sono neanche carne e nessuno ha mai capito che accidente sono, però fritte hanno un ottimo sapore e sono buone quasi quanto i calamaretti.

E perché non le mangi queste cose? gli chiesi io. Perché qua nessuno li vende, i pesci d'acqua dolce o le rane, rispose: o te li peschi da solo o niente, e io di andarli a pescare non

sono piú capace. E se li pesco io, poi me li compri? tentai.
Come no! assicurò Carlino.

Ora, siccome di quel vecchio dotato di una palla gigante mi fidavo e già avevo fatto buoni affari con lui, gli dissi che ci avrei provato.

Decisi di prendere due piccioni con una fava: avrei procurato pesci e rane a Carlino, guadagnandoci una bella somma, e avrei fatto vedere ad Allegra come si catturavano portandola in un bel posto che non le avevo ancora fatto conoscere, cioè le buche.

Quelle che chiamavamo cosí erano tre stagni vicini e profondi, poco lontani dall'argine del fiume, che un tempo avevano funzionato come maceri per la canapa. Al fiume li collegavano alcuni grossi tubi che servivano a ricambiare l'acqua, che poi i contadini usavano per irrigare, e forse questo aveva fatto sí che si riempissero di pesci. Il babbo diceva che qualcuno, molti anni prima, ci aveva messo dentro anche delle anguille. Insomma, in qualsiasi modo ci fossero arrivati, i pesci c'erano e c'erano pure centinaia o forse migliaia di ranocchi, che la sera e la notte gridavano cosí forte che li sentivi fin dal paese.

Non avevo mai pescato laggiú da solo perché i Giunchedi, proprietari dei campi in cui stavano gli stagni, non volevano che ci andassero bambini, memori del fatto che là dentro ne era caduto e annegato qualcuno.

Per sapere quale attrezzatura fosse la piú adatta e per potermi avvicinare alla zona avevo dunque bisogno dei consigli e della presenza di un adulto, che poi, se i contadini non fossero stati nei dintorni, avrebbe dovuto lasciarmi da solo con Allegra, dato che quando ero con lei non mi piaceva avere nessun altro fra i piedi.

A chi potevo chiedere una cosa simile? Non certo a mio padre, che pure qualche volta alle buche mi ci aveva portato. C'era un solo candidato per quella cosa: mio cugino Luciano, a cui del resto avevo fatto diversi favori rendendomi suo complice con i bigliettini da portare alle ragazze e gli acquisti di birra e fumetti, quando si era ritrovato con la testa bruciacchiata.

Cosí mi rivolsi a lui. Prima mi torturò per mezz'ora con un interrogatorio su Allegra, pugni sulle spalle e scompigliate di capelli. – E bravo il mio cuginetto! – diceva. – Ha la fidanzata! Ma com'è? È carina? È quella bimba bionda con cui ti ho visto girare in bici? Eh, sí, è proprio bella! Ma guarda un po', il mio Gigi... è proprio tutto suo cugino, lui! – e via di seguito.

Quando si placò e la smise con le domande e le strizzatine d'occhio, riuscii finalmente a farmi dire che era meglio dotarsi di due canne, una lunga con l'ancorina per le rane, che si prendevano con facilità, e una normale con un amo medio per le anguille e le carpe. Te le dò io già pronte, promise, e io tirai un sospiro di sollievo perché di canne ne avevo una sola, e in quanto agli ami, anche se me ne rimanevano due o tre di quelli piccoli che usavo al fiume per le scardole, non ne possedevo né ad ancorina né di grandezza media, dato che l'ultimo l'avevo usato mesi prima in classe, appiccicandolo col nastro adesivo alla sedia di Roberto Amadori che con quello si era strappato i calzoni e ferito a una natica.

– Ci accompagni, domani pomeriggio? – gli chiesi.

– Cavolo, sí... È un pezzo che non pesco nelle buche, ne ho proprio voglia!

– Ehm... insomma... te l'ho detto, ci dovresti portare là perché cosí se ci vedono i Giunchedi non fanno problemi, però poi...

– Però poi vi devo lasciare soli, vero?

– Sí.

– E bravo il mio Gigi! È proprio tutto suo cugino, lui!
– ripeté, e di nuovo scompigliate di capelli e ammiccate.
– Senti, non è che questa cosa di me e Allegra la vai a
dire in giro, eh?
– Ma figurati! Quando mai ho tradito un segreto, io?
Sempre, avrei voluto rispondergli, ché sei come un secchio
sfondato, non trattieni niente. Però annuii facendo finta di
fidarmi, perché avevo comunque bisogno del suo aiuto. Poi
concordai un appuntamento: ci saremmo trovati alle cinque
di pomeriggio del giorno dopo sul ponte, e di lí, percorrendo
l'argine, avremmo raggiunto la zona delle buche.
  Quando l'indomani io e Allegra arrivammo sul luogo
dell'incontro, Luciano era già là, fermo a cavallo della sua
bicicletta. Portava due canne da pesca, un tascapane a tracolla e teneva Pess-can a guinzaglio.
  Allegra fece per avvicinarsi al cane dicendo: – Che carino! – ma la fermai in tempo, ché Pess-can aveva già aperto
la bocca per addentarle la mano.
  – Attenta, – le dissi, – questo è Pess-can, mica Bagarí,
che potresti anche invitarlo a cena.
  – Perché, che farà mai? Pare cosí dolce!
  – Già, pare. Invece è pericoloso come una vipera. Non
si chiama mica Pescecane per niente!
  Luciano ridacchiava. – Eh, sí, – disse, – è la mia guardia
del corpo. Guai a chi mi tocca!
  – Veramente morde pure te, se non ci stai attento, – pre-
cisai.
  – Be', ogni tanto ci provava, ma dopo una bella cura di
calci in culo ha capito chi comanda.
  E chi comanda? avrei voluto chiedergli. Sei sicuro che
non sia lui? Mi ricordavo ancora come un incubo le volte
che avevo dovuto portarlo a spasso, che mi pareva di girare con una tigre.

Luciano propose di avviarci: lui avrebbe aperto la strada con Pess-can, io e Allegra dovevamo seguire a qualche
metro di distanza. Questo per dire quanto fosse affidabile
quel cane, che bisognava lasciargli intorno uno spazio di si-
curezza come a una bomba inesplosa. Allegra continuava a non crederci: – Ma dài! È piccolo,
e ha un'espressione cosí tranquilla!
   – Anche le vespe sono piccole, – dissi io. – Anche gli scor-
pioni. Anche i microbi delle malattie. Magari, se li guardi col
microscopio, i microbi hanno un'espressione tranquilla e pare
che sorridano, però ci devi stare alla larga lo stesso.
   Mio cugino gongolò a quelle parole, come se possedere
un cane perfido e cattivo fosse un vanto.
   – Sai, – raccontò soddisfatto ad Allegra, – una volta sono
venuti a trovarmi due amici che erano militari con me. Gli
avevo raccontato che Pess-can è pericoloso, e questi quando lo hanno visto si sono messi a ridere e a sfottermi. Uno
di loro ha voluto prenderlo in braccio, perché ha notato che
scodinzolava come se gli facesse festa. Non lo sapeva che era
un trucco: infatti, quando lo ha tirato su, si è preso un morso
nel naso che ha sanguinato per un'ora. Forte, eh?
   Allegra annuí per educazione, ma forse in quel momento capí due cose: la prima, che Pess-can era un essere subdolo; la seconda, che mio cugino Luciano era un po' particolare pure lui.
   Arrivammo all'altezza del podere dei Giunchedi, nel
punto in cui i grossi tubi partivano dal fiume. Lasciammo
le biciclette ai piedi dell'argine, li seguimmo e raggiungemmo le buche. Luciano le guardò e scelse quella di mezzo,
che era la piú grande.
   – Qui, – disse.
   A me ispirava di piú l'ultima, che aveva qualche parte in ombra, e glielo dissi, ma lui con aria da intenditore

indicò le sponde dello stagno prescelto e sentenziò: – Li vedi quelli?

Annuii guardando alcuni aironi cinerini fermi come statue e delle garzette bianche che zampettavano qua e là.

– Loro non sbagliano: sono i migliori pescatori del mondo, quegli uccelli, e lo sanno dove c'è piú pesce.

Ci sedemmo sulla riva. Si stava bene, tirava un refolo d'aria, il silenzio era rotto solo da qualche gracidio, dagli strilli delle rondini che ci saettavano sopra la testa e dal rombo lontano di un trattore. Luciano lo ascoltò per qualche secondo ed esclamò soddisfatto: – I Giunchedi stanno lavorando dall'altra parte del podere e per oggi non ci verranno, qui.

Ne fui contento: voleva dire che presto mio cugino se ne sarebbe potuto andare e io sarei restato da solo con Allegra. Ma lui, che quando si trattava di caccia, pesca o raccolta di tartufi si divertiva come un bambino, disse che prima di sparire voleva insegnarci bene il da farsi.

Cosí cominciò a usare la canna con l'ancorina: bisognava manovrare fino a portare quello strano amo a tre braccia sotto la pancia di una rana, poi tirare in alto, in modo che le punte agganciassero l'animaletto.

Allegra alla prima cattura inorridí e ci chiese quasi in lacrime se potevamo soprassedere.

Capivo che vedere una rana infilzata nella pancia non fosse proprio uno spettacolo divertente, ma... Incerto sul da farsi, proposi di passare alla pesca delle carpe e delle anguille, quindi inserimmo i lombrichi nell'amo. Ma ad Allegra neppure quello piaceva e girò la testa da un'altra parte, come d'altronde aveva fatto le volte che eravamo andati al fiume.

Pensai che portarla a pesca non era stata una bella idea, ma speravo pure che prima o poi si sarebbe abituata alle piccole crudeltà che comportava, che si sarebbe innamorata come me di quegli stagni e soprattutto che mi avrebbe consentito di prendere qualcosa da portare a Carlino, altrimenti non avrei beccato una lira.

Luciano da parte sua sghignazzava: – Eh, le ragazze! Tutte cosí, sono! Però se le porti al ristorante, vedi come li mangiano, gli animali!

Dopo un po' gli sussurrai, a malincuore, che era meglio lasciar perdere, che lo ringraziavamo ma di pescare non ci andava piú. Allegra a quelle parole mi accarezzò un braccio poi me lo strinse forte, come a ringraziarmi di avere capito.

Io avevo capito sí, ma mio cugino non aveva capito affatto. Decise solo di fare una pausa, durante la quale portò Pess-can all'ombra di alcuni arbusti a cui legò il guinzaglio, fumò una sigaretta, poi propose di ricominciare. Insomma, non voleva né smettere né andarsene.

Gli feci gli occhiacci, le smorfie, le provai tutte per fargli capire che doveva stare ai patti. Approfittando del fatto che Allegra si era allontanata per andare a fare la pipí dietro un albero, Luciano mi venne vicino e mi chiese: – Ma non mi avevi detto che dovevi prendere un po' di pesci e di rane da portare a Carlino?

– Sí, ma se devo far soffrire Allegra ci rinuncio.

– Oddio, ma come siamo teneri e innamorati! – mi sfotté ridendo.

Non mi andava di replicare, cominciavo a sentirmi a disagio e a maledire quella spedizione, anzi, a maledire l'idea di avervi coinvolto Luciano, che era inaffidabile come il suo cane.

Allegra nel frattempo tornò, si sedette, sospirò.

Mio cugino, incorreggibile, le chiese: – Ti diverti?

– Un sacco, – rispose lei guardando in terra.

Stavo per alzarmi e portarla via per mettere fine a quella situazione, quando Luciano aprí le mani come a schermirsi.

– D'accordo, – disse, – prendo le mie canne e me ne vado. Prima però vi faccio vedere una cosa speciale e a te, Gigi, risolvo il problema con Carlino.

– Quale problema? – chiese Allegra.

– Niente, – risposi io.

Luciano trafficò nel tascapane e ne estrasse una cosa. Subito non capii di che si trattasse, poi con sgomento mi accorsi che era una bomba a mano. Lui l'accarezzò, la soppesò e disse: – I canadesi non hanno mica lasciato solo la dinamite: ci sono anche aggeggi come questo, e io so come usarli.

Come usarla, quella bomba, lo avrei saputo anch'io. Ne avevo viste altre perché se ne trovavano ancora in giro, residuati del passaggio del fronte, e i fumetti di guerra erano pieni dei loro disegni. Non era difficile capirne il funzionamento: c'era una sicura ad anello da strappare e una levetta da alzare, tutto lí. Ma un conto era guardarla nei fumetti, una bomba, un altro era vederla tra le mani di quello sciagurato di mio cugino.

– Che vuoi farne? – gli chiesi con un filo di voce.

– Via il dente, via il dolore! – rispose lui soddisfatto. – Con questa risolviamo tutto in un attimo: non si devono né infilare i vermi nell'amo né vedere i pesci o le rane che soffrono. Un gran botto, e fine. Svelti, andate indietro di una ventina di metri!

– Cos'è quella roba? – chiese Allegra preoccupata. – Perché ci dobbiamo allontanare?

La presi per una mano e la costrinsi a correre fino a un fossatello, mentre Luciano, sempre piú eccitato, si accingeva ad azionare la granata per lanciarla nello stagno.

Avevo sentito dire che qualcuno lo faceva, cosí tutto quello che era nell'acqua, rane o pesci che fossero, morivano e venivano a galla che dovevi solo raccoglierli come pere cadute da un ramo, ma non credevo che avrei mai visto di persona una roba simile, e tantomeno che avrebbe dovuto vederla pure Allegra.

– Uno, due, tre! – gridava intanto mio cugino, e al tre strappò la sicura, alzò la levetta e lanciò la bomba. Successe tutto in pochi secondi, ma fu come vederlo al rallentatore. Quando quell'aggeggio micidiale volò in alto, Pess-can si liberò con uno strattone dall'arbusto a cui era legato e cominciò a correre, e mentre la granata scendeva verso l'acqua spiccò un gran salto e la prese al volo, com'era abituato a fare con qualsiasi cosa si muovesse nell'aria. Luciano prima gridò: – Nooo! – e poi rivolto a noi: – Giú!

Il cane era caduto nello stagno, e con la bomba ben stretta fra i denti ne stava uscendo per dirigersi verso il suo padrone, soddisfatto della propria impresa.

Io spinsi Allegra in basso nel fossato, cercai di coprirla col mio corpo per proteggerla; e a quel punto ci fu lo scoppio. Ci rintronò, ci spaccò i timpani, avvertimmo persino la vampata calda dello spostamento d'aria e sentimmo che ci pioveva addosso di tutto: terra, erba e forse pezzetti sanguinolenti di Pess-can.

Alzai la testa e vidi una nube di polvere che ancora si muoveva nell'aria, gli aironi e le garzette che volavano via e Luciano che, in ginocchio per terra, fissava il punto in cui si era verificata l'esplosione. Poi mio cugino girò gli occhi sbarrati verso di me e ripristinando l'accento bolognese disse: – *Sòccia!*

Quando io e Allegra tornammo dalle buche lo facemmo in silenzio, senza Luciano che era rimasto a raccogliere e a seppellire quel macinato sparso nei campi che era stato il suo cane, e senza ovviamente Pess-can, che era vissuto da bestia perfida ma era morto in maniera perlomeno spettacolare, quasi come un soldato in guerra.

Giunti in prossimità del ponte ci fermammo, scendemmo dalle bici e ci sedemmo sull'erba, guardando la corrente del fiume senza vederla perché nella mente avevamo ancora la scena di poco prima. Poi notai che fra i capelli di Allegra c'era qualcosa. Allungai lentamente una mano e tirai via quel grumo.

– Cos'era? – chiese lei con un filo di voce.

– Terra. Solo un pezzetto di terra.

Rimase zitta.

– Però, – aggiunsi, – per un attimo ho pensato che fosse un dente di Pess-can.

Mi fissò con gli occhi dilatati e la bocca che prima parve atteggiarsi a una smorfia, poi si aprí in un sorriso; infine Allegra si piegò in avanti e cominciò a ridere a piú non posso.

Sentii il peso di ciò che era successo alzarsi, svanire, e capii che stavamo riuscendo, insieme, a sdrammatizzare e a esorcizzare l'accaduto.

Anch'io cominciai a ridere finché non ebbi gli occhi lucidi, e durammo un pezzo cosí, a dirci: ma hai presente l'espressione di Luciano? E che salto ha fatto, quel cane? Era un cane da riporto bombe! e via di seguito.

Quando risalimmo sulle bici e scendemmo verso il paese, avevamo ritrovato la voglia e la capacità di parlare come se niente fosse accaduto. All'incrocio in cui c'erano un'aiuola e la fontana, dove le nostre strade si dividevano, Allegra disse: – Però la prossima volta in giro ci andiamo da soli io e te, vero?

– Vero. Io e te.

Mi fece ciao con la mano e pedalò verso casa.

Rimasi fermo a guardarla andare, e non potei smettere di pensare a quello che mi aveva detto poco prima, cioè che per quasi tutto il mese di agosto sarebbe stata lontana, a Cervia dagli zii. Un mese, quasi un mese intero senza di lei. Anche se a fine luglio sarebbe tornato Francesco, non avrebbe potuto riempire il vuoto che mi attendeva.

Non mi attendeva solo quello, per la verità, ma in quel momento non lo sapevo e non lo sospettavo neppure.

Di cosa accadde ad agosto, della storia di Paolino e del cocomero, del furto dei polli a casa mia, vi ho già raccontato: ma non sono quelle le cose inaspettate e grosse a cui accennavo.

Le cose grosse successero dopo, da settembre in poi.

11. Settembre 1963

Al nonno venne una cateratta a un occhio. Sul libro di scuola avevo letto un racconto in cui, per descrivere una pioggia torrenziale, si diceva che si erano aperte le cateratte del cielo, e giú acqua a catinelle, per cui immaginai che prima o poi l'occhio del nonno sarebbe saltato via come il tappo di una bottiglia di spumante e dal buco sarebbe sgorgato un incessante fiotto di liquido, cosí forte e inarrestabile che avremmo dovuto mettergli sotto un secchio da svuotare ogni cinque minuti a impedire che si allagasse la casa. Ma la mamma mi spiegò che si trattava solo di un sottilissimo velo che gli offuscava un po' la vista, e in effetti quella specie di membrana biancastra, a ben guardare, c'era proprio.

Un giorno, dopo pranzo, quando il nonno era seduto fuori in cortile, io ed Enrico lo pregammo di farci ammirare quella roba e rimanemmo a lungo a fissargliela affascinati, al che lui affermò che se ci piaceva tanto quella sciocchezza era perché non gli avevamo mai guardato bene le cicatrici nella gamba mutilata: quelle sí che erano una cosa raccapricciante.

Allora mio fratello cominciò a insistere che si togliesse subito i calzoni e ci lasciasse osservare lo spettacolo, ma lui non volle. Enrico obiettò che, avendo compiuto sette anni ed essendo ormai grande, pensava di avere il sacrosanto diritto di conoscere ogni aspetto della nostra famiglia, anche il piú nascosto e repellente, ma non ci fu niente da fare.

Membrana sull'occhio o no, il nonno riprese a usare la Seicento, dato che al babbo non serviva piú ed era da settimane ferma sotto un albero. La patente ce l'aveva da una vita ma non guidava da parecchio tempo, e secondo me non ne era piú capace; anche mio padre la pensava cosí e provò a dissuaderlo, ma il vecchio, documenti alla mano, osservò che l'automobile era sua perché intestata a lui, e dunque ci girava quanto voleva.

Cosí ogni tanto si metteva alla guida sollevando un gran fracasso, perché dava gas con la vettura ferma e imballata, poi, quando lasciava la frizione, le faceva fare un salto in avanti come se si trattasse di una gigantesca lepre matta e con la rogna. Dico con la rogna perché, dopo essere stata a lungo sotto l'albero preferito dai passeri, la Seicento pareva il pavimento del pollaio, coperta com'era di cacate, e non si capiva piú quale fosse il colore originale della carrozzeria.

Non sapevo dove andasse, il nonno, e per la verità non mi importava molto. Allegra era finalmente tornata dalla sua villeggiatura a Cervia e ricominciammo a girare in bicicletta per il paese e la campagna, a ridere e a parlare, e quello sí che mi importava.

Non potemmo stare insieme spesso, però, perché a casa sua era scattata la fissa dei compiti delle vacanze.

Io le dissi che mai e poi mai qualcuno li avrebbe voluti vedere e correggere, anche perché a ottobre saremmo andati alle medie, nella scuola di Sagnano, e figuriamoci se i professori si sarebbero degnati di controllare se avevamo eseguito gli ordini della maestra di quinta elementare. Insomma, scuola nuova, vita nuova, e si poteva fare come me, che il libro dei compiti delle vacanze non l'avevo neppure voluto comprare. Ma non funzionò, e lei dovette stare reclusa a sgobbare per molti pomeriggi.

Mio padre intanto continuava a ciondolare tra il cortile di casa nostra e quelli dei bar, sempre piú cupo e irascibile.

In famiglia si viveva una specie di tensione a cui pareva che ognuno reagisse allontanandosi dagli altri: io a zonzo per i fatti miei anche quando non avevo alcuna meta, Enrico sempre piú spesso a casa di Gianni, il nonno in giro in macchina per andare chissà dove, la mamma che parlava poco e non provava piú a convincerci che tutto filasse liscio, che tutto fosse perfetto.

Una mattina che mi ero alzato presto, dopo una notte piena di sogni brutti e confusi, il nonno mi chiese: – Gigi, vieni con me?

Mi parve subito un'ottima cosa: avevo voglia di stare con lui, di ascoltare i suoi racconti e di potermi allontanare dai soliti luoghi e riempire una giornata che si annunciava vuota e noiosa.

– Certo, – dissi. – Dove andiamo?

– A Forlí.

– A Forlí? In macchina?

– In macchina sí, vuoi andarci a piedi?

L'idea di salire in auto con il nonno da una parte mi preoccupava un po', ma dall'altra mi pareva un'avventura a cui non si poteva rinunciare, anche perché mio fratello dormiva ancora e al ritorno l'avrei fatto ammattire dicendogli che ero stato in un posto incredibile ma che non potevo rivelargli di piú: già me lo vedevo che si metteva a piangere e a pestare i piedi per terra affinché gli raccontassi scopi ed esiti della missione, ma io sarei stato muto come un pesce.

Andai dalla mamma e le annunciai che partivo con il nonno. Non si sapeva per dove, né quando saremmo tornati, l'unica certezza era che avevamo cose importanti da fare.

Lei si mise le mani nei capelli e obiettò che era meglio se me ne stavo a casa, che il babbo era uscito e senza il suo assenso non mi avrebbe dato il permesso di infilarmi in una roba cosí pericolosa. Ma io tagliai corto dicendole che nella gerarchia famigliare il nonno era il capo, soprattutto adesso che il babbo era nullafacente, quindi non avevo bisogno del consenso del mio genitore, che in fondo era solo un subalterno.

– Almeno cambiati, – provò lei, ma il vecchio disse che non ce n'era bisogno, non andavamo mica a una festa.

– E dove andate?

– A lavorare e a cercare di prendere due soldi, – rispose lui, – ché se non lo faccio io, qua finisce che ci riduciamo davvero in miseria.

Mi sentii contento e fiero che il nonno pensasse di avere bisogno di me per raddrizzare le sorti della famiglia, anche se non avevo la piú pallida idea del come.

Partimmo, e subito mi accorsi che aveva difficoltà a cambiare le marce e faceva emettere alla Seicento gemiti e stridori impressionanti, mai uditi prima. A strattoni e lentamente raggiungemmo la statale, e solo allora gli chiesi: – Che ci andiamo a fare, a Forlí?

– Andiamo al mercato del bestiame, no? Ho capito che, se non torno all'opera io, tuo padre non ci riesce a mantenere la famiglia.

– Ma lui dice che non ci sono piú le condizioni, che c'è solo da rimetterci…

– Ho fatto il mercante per tutta la vita e non ci ho rimesso mai. Lascia fare a me.

– Perché hai voluto portarmi?

– È ora che impari anche tu il mestiere, ormai sei grandicello. Perché farai il mercante anche tu, no? È una tradizione di famiglia che ci ha sempre dato da vivere. Lo sai cosa faceva il tuo bisnonno?

Non mi andava di ricominciare con la cronologia dei nostri antenati commercianti di bestiame, cosí risposi: – Sí, faceva il mercante come tutti i Melandri prima di lui, fin dal Medioevo e forse dall'età della pietra.

– Che pietra?

– Niente, è un modo di dire.

Non replicò, e io mi concentrai sulla strada. Il nonno non andava in linea retta né a velocità costante: alternava momenti in cui avanzava lento come una lumaca ad altri in cui pareva ricordarsi che c'era il pedale del gas e si lanciava troppo veloce, forse perché non riusciva a controllare bene la spinta della gamba rigida, inoltre correggeva di continuo le sue traiettorie sbilenche.

Si accorse che ero in tensione e che mi tenevo con le mani al sedile.

– Cos'è, hai paura? Non ti fidi? – mi chiese.

– Guida meglio il babbo, – mormorai.

– Guiderà meglio ma sul mercato non ci sa fare, quindi tocca a noi. In ogni caso ho la patente da prima che lui nascesse, e dunque non ti devi preoccupare.

Mi venne in mente la cateratta. – Sei sicuro che ci vedi? – chiesi.

– Certo che ci vedo, anche se c'è un po' di nebbia.

– Non ce n'è neanche un po', di nebbia. È una giornata chiarissima.

Sbuffò. – D'accordo, forse un occhio non mi funziona, ma ho pur sempre l'altro. Sono quarantacinque anni che mi muovo praticamente con una gamba sola e mi pare di essere vissuto bene lo stesso.

– Se lo dici tu...

Ridacchiò.

– Sai una cosa? L'ho fatta cosí tante volte, questa strada, che mi sa che potrei anche bendarmi e sarebbe uguale. Scommettiamo? Vuoi che mi bendi?

Ci mancava solo quella.

– No, no, ti credo.

La statale per Forlí era piuttosto stretta, correva tutta su un argine ed era davvero tortuosa. All'improvviso il nonno indicò in avanti col dito e annunciò: – Quelle a cui stiamo per arrivare sono le tre curve della Monaldina. Sono famose.

– Perché?

– Perché, quando si correvano le Mille Miglia, in quel punto molti piloti si trovavano in difficoltà e sbandavano. Noi andavamo sempre là a seguire la gara perché il bello non era veder passare le macchine, era vederle volare nel fiume o nei campi.

– Urca!

– Sí, era uno spettacolo. Una volta Nuvolari stava per uscire di strada ma mantenne il controllo facendo piú di cento metri su due sole ruote, e noi ci spellammo le mani ad applaudire.

Fui contento di sentire che Nuvolari non era volato nel fiume e che si era pure guadagnato gli applausi, ma mi importava di piú che non ci finissimo noi, nel Ronco. Cosí mi afferrai ancora piú forte al sedile e chiusi gli occhi finché non avemmo superato il tratto della Monaldina e ci ritrovammo in rettilineo.

Tirai un sospiro di sollievo e stavo per dire al nonno che era stato bravo almeno quanto Nuvolari, a non sbagliare le curve, quando lo sentii emettere una specie di pernacchia. Risi e mi girai verso di lui, in tempo per vederlo sussultare e stringere le palpebre come se qualcuno gli avesse puntato un faro in faccia, poi notai che le sue braccia si agitavano, uno lasciò il volante e l'altro si contrasse. Infine fece di nuovo un rumore strano con la bocca e sterzò di colpo verso il ciglio della strada.

Dopo, il ricordo si fa piú confuso. So solo che la Seicento scese l'argine a tutta velocità, per fortuna non dalla parte del fiume ma da quella opposta, slittò, saltò, ruggí, abbatté un alberello e infine cappottò piú volte, e io venni sballottato fin quasi a perdere i sensi mentre lampi di stupore e di terrore mi attraversavano il cervello.

Ripresi un po' di lucidità e mi resi conto di ciò che era successo solo quando, invece che dentro un vortice e un grande rumore, mi ritrovai immobile e nel silenzio assoluto, pieno di dolori in ogni parte del corpo. Ero in una posizione assurda, con le gambe sopra la testa e un braccio incastrato sotto il sedile, come se qualcuno mi avesse appallottolato e infilato a forza dentro l'abitacolo.

Quando potei muovermi nell'auto rovesciata sul dorso come uno scarafaggio scalciato via, mi girai verso il nonno. Era immobile e non capivo se respirasse oppure no. Allungai un braccio e provai a scuoterlo, sentendo che dal polso mi partivano fitte terribili e che avevo difficoltà ad aprire le dita.

Gemetti e lo chiamai. Allora lui aprí gli occhi e biascicò qualcosa.

Era vivo, e quella era l'importante.

– Nonno! Nonno!

Gorgogliò due sillabe che interpretai come un: – Che c'è?

Come, che c'è? C'è che siamo finiti giú dall'argine e ci siamo schiantati in un campo, ecco che c'è, avrei voluto dirgli. Ma preferii agire, invece che parlare.

Cercai di aprire la portiera, ma con le mani non ce la facevo. Allora ci appoggiai i piedi e spinsi, spostandola di quel tanto che bastava a consentirmi di uscire. Rotolai fuori dalla macchina, e solo quando mi rialzai mi accorsi di avere sangue che mi scendeva sul viso.

Andai dall'altra parte dell'auto e provai ad aprire anche lo sportello del nonno, ma niente da fare.

Lui aveva chiuso di nuovo gli occhi e pareva dormire, perché dalla bocca e dal naso emetteva lo stesso rumore che faceva quando russava.

– Nonno... ehi, nonno! Cosa devo fare? Dimmi cosa devo fare!

All'improvviso sembrò riaversi, mi guardò e sussurrò:

– Devi fare una cosa importante.

Ero tutto orecchi, perché veramente in quella situazione mi sentivo perso e frastornato.

– Dimmi! – lo pregai.

– Devi... devi impedire che ci venga il prete, al mio funerale, – borbottò lui. – Mi raccomando!

Poi parve spegnersi del tutto e non rispose né si mosse piú.

Zoppicando e tenendomi il braccio destro che mi doleva da morire, scalai l'argine per arrivare sulla carreggiata, fermare la prima macchina di passaggio e chiedere aiuto.

In ospedale rimasi giusto il tempo che serviva per medicarmi, sottopormi ad alcune radiografie, ingessarmi il polso rotto e iniettarmi il siero antitetanico, dato che ero pieno di tagli ed escoriazioni. Il nonno invece ci restò per alcuni giorni, perché il problema non erano tanto le ferite che aveva in diversi punti del corpo, ma il fatto che avesse avuto un ictus. Era successo qualcosa in una vena del suo cervello, e per quello aveva perso i sensi e ci era capitato l'incidente.

In realtà, secondo i medici, il suo ricovero avrebbe dovuto essere molto piú lungo, ma lui, non appena riuscí a farsi capire, piantò una grana e disse che voleva tornare a casa. Era convinto di stare morendo e voleva farlo nel suo letto.

Siccome i miei insistevano perché rimanesse in ospedale per tutto il tempo che serviva, adottò una tecnica degna di lui: ogni volta che si avvicinavano le infermiere, che nel suo reparto erano suore, bestemmiava come un turco. Dato che aveva la voce fioca e si stentava a capirlo, le chiamava accanto a sé, le faceva chinare con l'orecchio vicino alla sua bocca e a quel punto tirava dei moccoli cosí tremendi che le suore scappavano via urlando con le mani sulla faccia.

Tanto brigò e tanto disse, insomma, che il babbo dovette firmare un documento e farlo dimettere, con grande sollievo del personale dell'ospedale e soprattutto delle suore; le endovenose e le altre cure necessarie veniva ogni giorno a fargliele a domicilio il nostro medico di famiglia.

Verso la metà di settembre eravamo entrambi a casa e a letto, lui semiparalizzato che parlava a fatica dalla bocca divenuta storta, io con l'avambraccio destro bloccato dal gesso, da cui spuntavano solo le dita gonfie della mano. Avevo anche un testicolo grosso quasi come quello del vecchio Carlino e la febbre alta: il siero antitetanico mi aveva fatto reazione e causato un'orchite, che vuol dire appunto avere una palla gonfia. Gonfia e dolorante, tanto che non riuscivo a camminare né a dormire, e in piú sempre coperta da una pomata scura che dovevo metterci tre volte al giorno e che puzzava di catrame in modo terribile.

Fuori c'erano bellissime giornate settembrine, col sole piú basso e dolce di quello estivo, una luce meravigliosa, cieli azzurri, e io lí, inchiodato a letto per una cosa disgustosa che mi fece capire per la prima volta quanto dovesse soffrire Carlino, che un testicolo gigantesco lo sopportava da anni. Oltre al polso e alla palla malmessi avevo un ginocchio grosso come un melone, lividi sparsi, cerotti in testa e il morale sotto i piedi.

Niente partite a pallone, niente giri in bici, niente lavoretti con cui guadagnare qualche lira. E niente Allegra. Da una parte speravo che venisse a trovarmi, dall'altra non mi andava che vedesse l'interno della mia casa sgangherata e

soprattutto la mia stanza, in cui l'aria era greve per l'odore dell'urina nel vaso da notte e per quello insopportabile
della pomata che mi ricopriva le palle come una glassa spal-
mata su una torta.

In ogni caso finché ero confinato a letto non venne, anche se mi mandò a salutare e mi fece recapitare da Enrico
un biglietto pieno di cuoricini in cui diceva che le mancavo
tanto e che sperava di vedermi presto.

Vennero invece diversi amici. Francesco passava tutti i
giorni, arrivò Sergio Puzzola ad aggravare il livello di fetore nella mia camera, venne persino Roberto Amadori, col
quale non è che fossimo proprio in buoni rapporti. Fu gentile e mi chiese di raccontargli com'era successo l'incidente, e io glielo dissi, aggiungendo che il nonno era svenuto
ma poco prima aveva affrontato da maestro le curve della
Monaldina, quelle in cui sbandava persino Nuvolari durante le Mille Miglia.

Lui titubò, memore del fatto che non gli avevo mai perdo-
nato le frottole, cercò forse di trattenersi, ma fu piú forte di
lui e si lasciò scappare che la Mille Miglia l'aveva corsa anche
suo nonno, arrivando secondo solo perché Nuvolari aveva
barato e tagliato il percorso attraverso una via secondaria.

Ero troppo sofferente per scendere dal letto e picchiarlo,
inoltre gli ero grato che mi avesse fatto visita, quindi quella
fandonia gliela lasciai passare.

Venne anche Luciano. Quando entrò nella mia stanza stor-
se il naso e disse: – Accidenti, Gigi, ti stai decomponendo?

– Perché? – chiesi allarmato. Avevo forse l'aspetto di un
cadavere e non me ne ero accorto?

– Qui dentro c'è una puzza bestiale, – rispose lui.

– Lo so, è la pomata per l'orchite. Inoltre la mamma non
vuole lavarmi, dice che con tutte le ferite e le scorticature
che ho non va bene, che è meglio aspettare un po'.

– Be', fatti almeno dare una passata di alcol dappertutto, altrimenti finisce che marcisci –. Poi mi consegnò un paio di fumetti che aveva comprato per me e mi chiese: – E la tua fidanzatina? È venuta a trovarti?

– No.

– Vuoi che ci pensi io? La raccatto e te la porto.

Scossi la testa. Se avessi voluto assegnare una missione relativa ad Allegra, non l'avrei affidata di certo a Luciano.

Cercando di risollevarmi, propose: – Appena ti sei rimesso in piedi torniamo alle buche, che abbiamo in sospeso un conto con i ranocchi e le carpe.

Declinai l'offerta. Cominciavo a pensare che quel mio cugino fosse un vero pericolo pubblico: si era dato fuoco da solo con l'accendino quando dovevano staccargli la barba finta, aveva fatto esplodere la casa di Gino Rospo e volare la sua vecchia madre sul tetto del pollaio, aveva disintegrato Pess-can con una bomba a mano. Insomma, forse era meglio stargli alla larga.

Vennero altri miei compagni di scuola; venne lo zio Arturo, che rimase accanto al mio letto venti minuti e per pigrizia mi disse solo: – Ehi! – quando arrivò e: – Ciao, – quando se ne andò, e fu davvero imbarazzante trovarmelo accanto fermo e zitto come una statua; venne la zia Verdiana con le gemelline Rita e Catia, che mi rintronarono e mi fecero venir voglia di arrancare sino alla finestra e buttarmi di sotto; perché oltre a emettere mugolii e strilli acutissimi suonavano entrambe senza interruzione i sonaglini d'argento e mi fecero aumentare il mal di testa che già avevo di mio.

Vennero tutti, insomma, tranne Allegra, e io ogni volta che udivo voci in cortile mi bloccavo e tendevo le orecchie, ogni volta che bussavano alla porta avevo un tuffo al cuore, perché pensavo stesse arrivando. Ma niente.

Una mattina mi svegliai che non avevo piú la febbre né dolore al testicolo, tornato a dimensioni normali. La mamma mi consigliò di restare a letto almeno un'altra giornata, ma non ne potevo piú di quella reclusione, cosí mi vestii piano piano, incontrando difficoltà a infilarmi la maglietta per via del gesso, e finalmente mi sentii di nuovo vivo, o quasi.

Per prima cosa, una volta in piedi, andai nella stanza del nonno. Mi accostai al letto, lui mosse la testa a fatica, mi guardò e mi prese una mano. – Come stai? – borbottò.

Si stentava a capirlo e la vista della sua faccia, cupa e contratta in un'espressione innaturale, fu per me un pugno allo stomaco. Non pareva piú il mio nonno, quello, la sua voce era diversa e sembrava invecchiato di cento anni.

– Io bene, – risposi. – E tu?

Agitò il braccio e lo lasciò ricadere di colpo, in un gesto di rabbia e sconforto. Poi vidi scendergli un lacrima.

– Ti rimetterai presto, – dissi, ma lui continuò a piangere in silenzio senza provare piú a parlare. Non l'avevo avevo mai visto piangere, il nonno, non l'avevo mai neppure immaginato ridotto cosí, e ci rimasi molto male.

Andai di sotto e chiesi alla mamma di prepararmi un bagno. Lei obiettò di nuovo che con le ferite, il gesso e tutto il resto non era il caso che mi mettessi a mollo, ma io insistetti. Volevo immergermi nell'acqua, lavare via non solo lo sporco ma anche il peso, l'odore, l'essenza stessa della roba brutta che mi era capitata. Volevo in qualche modo purificarmi, ecco, perché mi pareva di avere addosso qualcosa di cattivo che andava eliminato dalla mia pelle e dai miei pensieri.

Poi uscii in cortile, respirando l'aria aperta, sentendo il sole e i profumi della campagna. Mi guardai intorno come se rivedessi il mio mondo dopo anni di assenza, anche se dall'incidente erano passati solo otto giorni e al chiuso della mia stanza ne avevo trascorsi solo sette.

Sette giorni. Una settimana appena. Non era un tempo cosí lungo, e se Allegra non era venuta a trovarmi non era poi cosí grave, mi sforzai di concludere. Ma forse mentivo a me stesso.

Andai nell'orto e mi sedetti all'ombra, immerso in pensieri tristi. A un certo punto sentii voci in cortile, ma ormai avevo smesso di sperare e di immaginare che arrivasse Allegra.

Invece era proprio lei.

La mamma le indicò dov'ero e la vidi prima camminare, poi correre verso di me. Quando mi raggiunse mi fissò negli occhi, poi mi abbracciò cosí forte che mi parve di soffocare per la sua stretta e per l'emozione.

Rimanemmo cosí a lungo, i nostri visi appoggiati l'uno all'altro, le nostre mani a tenerci come se non volessimo separarci mai piú.

Le sussurrai: – Ti aspettavo… ti ho aspettato tanto.

Annuí, ci sedemmo vicini sull'erba.

– Volevo venire, – disse, – ma i miei hanno preferito che attendessi un po', temevano che disturbassi, visto che non stavi bene. Non sai quante volte ho insistito e ho persino pianto…

Sentii il peso gravoso che mi schiacciava da giorni alzarsi dal petto e volare via, disintegrarsi e sparire per sempre com'era successo a Pess-can quando gli era esplosa la bomba in bocca. Finito. Finiti i miei dubbi, i miei pensieri bui, i miei risentimenti. Lei era lí con me, il resto non contava. Anzi, non esisteva proprio.

Allegra mi appoggiò la testa su una spalla. Fu la cosa piú bella e dolce che potesse fare, valeva piú di mille parole. A

un certo punto mi ricordai delle condizioni in cui ero e mormorai: – Mi sa che puzzo un po'. Puzzo?
Per tutta risposta mi strofinò il naso sul collo.
– No, – rispose.
Anche quella piccola bugia e quel piccolo gesto mi sembrarono immensi.

La sera cenammo piú tardi del solito. Il babbo da alcuni giorni vendemmiava l'uva rossa primaticcia nelle vigne dei Pasini ed era tornato all'imbrunire, stanco e sporco. Si era voluto lavare e riposare per una mezz'oretta prima di mangiare, e a tavola aveva la faccia seria.
Ero contento che avesse trovato un lavoro, e glielo dissi. Lui fece un gesto di fastidio e replicò: – Un lavoro? Anche se farò tutta la vendemmia, ce ne sarà al massimo per due settimane. Non credere che questo risolva i nostri problemi.
Osservai che mi pareva meglio di niente, e che nonostante il gesso al braccio destro avrei potuto raccogliere l'uva anch'io: tutti i contadini avevano bisogno di manodopera, in quel periodo.
Il babbo bevve un paio di bicchieri di vino l'uno dopo l'altro, poi mormorò: – Quello che guadagnerò dai Pasini sarà solo una goccia in un mastello.
Non capivo. – Che mastello? – chiesi.
– Quello che si è riempito negli ultimi mesi: un mastello di debiti. Non bastavano i guai che sono capitati a me: ci si è messo anche tuo nonno, a combinarle grosse.
– Il nonno? Perché, che ha fatto?
– Hai presente i suoi giri in macchina delle settimane scorse? – disse lui. – Sai dove andava?
– No.
– Andava nei mercati. Ha creduto di riuscire a fare chissà cosa, ha pensato che a me girasse male perché sono un

incapace... non si è reso conto che la situazione è impossibile. Cosí ai miei debiti ci ha aggiunto i suoi, perché ha comprato bestie che adesso dovrò rivendere alla metà del loro costo, chiedendo prestiti ad Arturo o a qualche altra anima buona per pagare gli allevatori e per tirare avanti almeno un po'. In piú ha distrutto l'automobile, che dovremo semplicemente buttarla via. Ecco cos'ha fatto!

– Credeva di aiutare.

– Ah, bell'aiuto ci ha dato! E sai cosa mi tocca dire? Mi tocca dire che per fortuna gli è venuto l'ictus, altrimenti avrebbe continuato a provocare danni!

Si fece silenzio intorno al tavolo. Persino Enrico mangiava zitto e composto.

Riprovai a dire: – Nei prossimi giorni verrò a vendemmiare anch'io.

Il babbo scosse la testa.

– Tu adesso ce l'hai, il tuo daffare. Almeno finché lavoro io dovrai rimpiazzare il nonno nella cura dei polli, dei conigli e del maiale, e vedrai che quello ti basta e avanza. Fine dei giochi, Gigi. Vai per gli undici anni, abbiamo problemi, quindi scordati il pallone, i giornaletti, le passeggiate. E scordati anche quella bambina con cui stai sempre: siete troppo piccoli per certe cose, e comunque, se proprio vuoi comportarti da grande, fallo diventando l'uomo di casa, ché adesso ce n'è bisogno!

Appoggiai la forchetta sul piatto con un groppo in gola. Non avevo piú fame e mi sentivo un turbine in testa. Ero troppo piccolo per certe cose (chissà quali cose, poi) ma ero troppo grande per continuare a essere bambino? Non capivo il ragionamento, pensavo solo che il babbo mi stesse dicendo e chiedendo qualcosa di ingiusto.

La mamma sospirò, allontanò a sua volta il piatto ancora pieno e disse: – Non prendertela con lui, che non ha colpe. Ci penserò io al pollaio, al porcile e a tutto il resto, non c'è problema.

– No, – disse il babbo. – Tu avevi già tanto da fare prima, e adesso in piú ti ritrovi sul groppone quello là, – e indicò verso l'alto, – che ha bisogno di essere accudito come un neonato.

Non avevo mai visto facce piú scure, non avevo mai sentito toni piú duri e un gelo simile, in casa.

– D'accordo, – dissi, – mi darò da fare.

– Bene, – concluse il babbo versandosi un altro bicchiere di vino.

Mi alzai e mi diressi alla porta. Mi venne la tentazione di girarmi e di gridare: «Farò quello che devo, ma Allegra la vedrò tutte le volte che voglio!»

Ma non dissi una parola, non ci riuscii. Andai nell'orto, mi avvicinai a Hiroshima ed ebbi l'impulso di saltarci dentro e scomparire.

Nei giorni seguenti presi a occuparmi dei nostri animali scoprendo con stupore e raccapriccio che, almeno secondo me, cacavano molto piú di quanto mangiavano: un vero e proprio mistero della natura. In effetti producevano una quantità di merda giornaliera davvero esagerata. Mi venne da pensare che se fosse stato possibile venderla avremmo superato ogni problema economico, anzi, saremmo diventati ricchi.

Cominciavo col maiale, attento che quella bestia enorme e imprevedibile non mi buttasse gambe all'aria. Mi fissava con gli occhietti furbi e cattivi, grugniva, ogni tanto mi si avvicinava troppo e allora alzavo il badile come una scimitarra, minacciandolo; era un duello che durava almeno mezz'ora e da cui uscivo stremato e con gli stivali lerci all'inverosimile. Poi passavo ai polli, che erano assai piú piccoli del porco ma dovevano avere un'attività intestinale ininterrotta e di tutto rispetto, a giudicare dallo strato di roba che lasciavano sul pavimento. Quelli erano meno minacciosi, a parte il gallo, che tentò in un'occasione di aggredirmi e si prese una botta di scopa in testa cosí forte che rimase per un po' coricato sul fianco zampettando a vuoto come un pupazzo a molla; pensai di averlo ucciso e già mi preoccupavo delle conseguenze, quando si rialzò e se ne andò camminando a zig-zag. Da quella volta non fece piú il cretino con me.

Infine i conigli, che erano i meno antipatici. Quando aprivo la stia si rintanavano tutti in un angolo e se ne stavano abbastanza fermi finché non avevo finito. Esprimevano il loro disappunto solo menando calci con le zampe posteriori alle pareti del loro ricovero, ma non mi facevo impressionare; anzi, per far vedere che comandavo io, davo a mia volta dei pugni contro le assi di legno, al che se la facevano sotto dalla paura e salivano l'uno sull'altro spintonandosi come se fossero impazziti.

Insomma, passavo mezza mattinata a spalare cacche di ogni forma e colore che poi buttavo nella buca del letame, e l'altra mezza a dare da mangiare a tutte 'ste bestie per rifornirle di cibo e far ricominciare il ciclo.

A preparare la broda per il maiale mi aiutava la mamma, ai polli bastava gettare mangime e granturco, per i conigli invece, a parte mangime e fieno, occorreva erba. E non erba qualunque: il nonno molte volte mi aveva fatto vedere quale fosse la piú adatta e mi aveva detto che non gli andava data fresca, che altrimenti gli fermentava nella pancia e scoppiavano, ma bisognava lasciarla per un certo tempo ad asciugare e a seccare.

Il problema era che l'erba giusta per i conigli cresceva soprattutto nei fossi, e bisognava cercarla e raccoglierla. Era quello il lavoro piú lungo: dovevo partire in bici con una sporta e un falcetto, girare per viottoli e cavedagne, trovarla, tagliarla, portarla a casa, stenderla in un posto in cui non potessero arrivare i polli, calcolare il tempo che occorreva perché diventasse commestibile, eccetera. Una roba che non finiva mai.

Piú volte mi venne la tentazione di mettere nella stia una bella bracciata di erba freschissima e umida di rugiada, poi di acquattarmi nei dintorni per sentire i conigli che esplodevano l'uno dopo l'altro, cosí almeno mi divertivo un po' e mi liberavo dall'impegno di accudirli.

Il 28 settembre Allegra compiva undici anni; mi aveva invitato per le quattro di pomeriggio a una festicciola con rinfresco a casa sua e io mi ritrovai, quel giorno, che dopo pranzo ancora dovevo finire di pulire il pollaio e provvedere alla faccenda dell'erba, e soprattutto dovevo procurarmi un regalo da portarle. Avevo avuto sempre tanto da fare e rimandato l'incombenza fino all'ultimo, e adesso ero nei guai.

Prima di salire sulla bici con la sporta mi lasciai andare a una serie di imprecazioni, e mio fratello mi chiese perché fossi tanto agitato. Glielo raccontai, gli dissi che erano già le tre e che non ce l'avrei mai fatta a sbrigare tutto e a essere puntuale alla festa di Allegra, al che lui incredibilmente si offrí di aiutarmi, dicendo che insieme avremmo risolto la faccenda dell'erba in dieci minuti, cosí poi sarei potuto andare al negozio o al sali e tabacchi, che aprivano alle tre e mezzo, a comprare il regalo.

Non mi fidavo molto di Enrico, ma non avevo alternative. Gli consentii dunque di accompagnarmi, e lo vidi puntare sicuro verso la casa di Gianni.

– Dove vuoi andare? – gli chiesi.

Mi rispose che anche i cavalli mangiavano erba, e che pure quella andava fatta un po' seccare. Mi condusse in un punto in cui, oltre i recinti di quegli animali, i genitori del suo amico ne avevano stesa una quantità tale che i nostri conigli ci sarebbero vissuti per dieci anni. Enrico si guardò intorno per verificare che non ci fosse nessuno, poi mi chiese la sporta e andò a riempirla con quella roba già bella e pronta. Infine tornò da me ed esclamò: – Ecco fatto!

– Ma... ma non è mica nostra! Cosí la rubiamo!

– L'erba non è di nessuno. Come la camomilla.

– Non è di nessuno finché qualcuno non l'ha raccolta!

– Secondo me non è di nessuno e basta, comunque anche noi adesso l'abbiamo raccolta, no? Quindi a questo punto è nostra.

Avrei dovuto spiegargli che sbagliava, sgridarlo, magari dargli uno scappellotto, ma dove sbagliasse non mi era molto chiaro: aveva questa capacità, lui, di manipolare le cose sempre a proprio vantaggio e in maniera tanto convincente che mi disorientava. Inoltre avevo fretta, una fretta boia, e davvero Enrico mi aveva salvato. Mi aspettavo che in cambio mi chiedesse, che ne so, cinquanta lire o una delle poche cose che restavano di mia proprietà, ma non lo fece.

Ci pensai su e credetti di capirne il perché: furbo com'era, a quel modo si era reso non piú redarguibile o ricattabile da parte mia per il furto della camomilla ai danni di Cleto. Facendomi complice di un'azione simile, mi costringeva al perdono e al silenzio.

Di nuovo provai, nei suoi confronti, una sorta di oscura ammirazione.

Corsi a casa, diedi l'erba ai conigli, rabboccai le ciotole dell'acqua, andai nella mia stanza a prendere un po' di soldi e mi avviai verso il sali e tabacchi: in quel posto vendevano di tutto e qualcosa di carino l'avrei trovato di certo.

Mi ero portato mille lire, cioè almeno un decimo di tutti i miei averi, e da un lato mi piangeva il cuore a spendere una parte dei risparmi accumulati per la bicicletta blu, ma dall'altro, pensando che li destinavo ad Allegra, mi sentivo eccitato e felice. In piú, anche se cercavo di rimuovere quel pensiero, cominciavo a temere che, con l'aria che tirava, non avrei mai potuto racimolare la cifra che serviva per la bici dei miei sogni.

Quando fui al negozio, non sapevo davvero cosa scegliere o cosa cercare.

La Silvia, che serviva al banco, mi vide in difficoltà e mi chiese: – Che ti occorre, Gigi?

– Devo fare un regalo di compleanno, – risposi io.

– A chi?

E che ti frega? stavo per risponderle. Ma lei capí il mio imbarazzo.

– Se mi dici per chi è, posso consigliarti meglio... – aggiunse.

– Be', ecco... insomma... è per una bambina della mia età.

– Allegra? – fece lei con un sorriso malizioso.

Ci rimasi di stucco. Come facessero tutti, da mio padre a questa, a sapere di me e Allegra, proprio non riuscivo a immaginarlo.

– Per una signorina bellissima, ci vuole una cosa bellissima, – disse Silvia, sempre con quel sorrisetto e facendomi una strizzatina d'occhio.

Diventai rosso in viso e annuii. Lei allora tirò fuori da sotto il banco una scatola foderata di velluto piena di anelli, collane, braccialetti e roba simile.

– Ti aiuto a scegliere?

Annuii di nuovo. Allora mi mostrò tutto, e alla fine indicai un braccialetto di catenina argentata con perline azzurre.

– Azzurre come i suoi occhi! – disse Silvia.

Mi sarei sepolto, oppure sarei scappato via, ma il regalo dovevo comprarlo e non avevo neppure tempo da perdere, ché dovevano essere ormai le quattro.

– Ti faccio un pacchetto?

Stavo per dire di sí, quando mi accorsi di avere dimenticato la cosa piú importante. – Quanto costa? – domandai
con un filo di voce.

– Quanti soldi hai? – chiese lei di rimando.

– Mille lire.

– Guarda che combinazione, costa proprio cosí!

Staccò il tagliandino che era appeso al braccialetto e
andò nel retro a prendere della carta colorata per fare la
confezione. Allora presi il tagliandino e lo sbirciai. C'era
scritto: Argento Vero, Lire 2500.

Prima di andare dissi a testa bassa: – Grazie, Silvia.

– E di che? – fece lei. – Fai gli auguri a quella bella bimba anche da parte mia!

Mentre uscivo dal negozio lanciai un'occhiata all'orologio appeso a una parete: altro che ormai le quattro, erano
le quattro e venti e io ero in ritardo.

Avrei voluto darmi una ripulita, pettinarmi, cambiarmi, ma non ce n'era il tempo. In piú friggevo dalla voglia
di dare ad Allegra il suo regalo, di vedere se le sarebbe
piaciuto.

Inforcai la bici e corsi a casa sua, fermandomi davanti al
cancello. In cortile c'erano tavoli coperti di dolci e di bottiglie di bibite, e soprattutto c'erano almeno una quindicina
di bambini e bambine, tutti sconosciuti. Dovevano essere
i suoi cugini e amici di Ravenna e di Cervia: erano vestiti
eleganti, i maschi con calzoni corti alla moda che gli arrivavano al ginocchio, le femmine agghindate in abiti colorati
e bellissimi.

Mi bloccai e mi guardai: avevo ancora i calzoni e la maglietta con cui avevo finito di accudire i conigli e raccolto
(insomma, rubato) l'erba, ero sudato, mi sentivo i capelli
arruffati e il viso accaldato perché avevo fatto tutto di fretta. Sarei stato fuori posto, tra quei damerini.

Pensai di andarmene e di dare il regalo ad Allegra in un altro momento, quando lei mi vide e corse al cancello.

– Sei arrivato, finalmente! – disse sorridendo.

– Sí... ho fatto un po' tardi, scusa... E non posso rimanere.

L'espressione del suo viso cambiò di colpo, passando dalla gioia alla delusione.

– Come, non puoi rimanere? Spero che tu stia scherzando!

– No, non scherzo: mio nonno non si sente bene e io devo dare una mano alla mamma, – mentii.

– Mi dispiace! Dài, dimmi che non è vero! Entra almeno a mangiare qualcosa, ho aspettato a tagliare la torta perché volevo che ci fossi anche tu!

Scossi la testa, le porsi il pacchetto e dissi: – Questo è per te.

– Gigi... non dovevi! Posso aprirlo subito?

– Sí.

Tolse la carta, aprí la scatolina, tirò fuori il braccialetto e disse: – Ma... ma è bellissimo!

– Davvero?

– Davvero! – Se lo agganciò al polso, lo rimirò, poi mi prese una mano attraverso il cancello e sussurrò: – Grazie, è il regalo piú prezioso che abbia ricevuto. Questo non me lo toglierò mai piú.

Alcuni dei ragazzini sconosciuti la raggiunsero e uno le chiese: – Chi è?

Allora le feci un cenno con la mano, girai la bici e mi avviai verso casa.

In cortile mi fermai, ancora emozionato perché avevo potuto fare ad Allegra un regalo, perché le era piaciuto, perché aveva detto che quel braccialetto non se lo sarebbe tolto mai.

Insieme alla gioia, quel pensiero mi causò una specie di malinconia dolorosa. Non ne capivo il motivo ma la sentivo strisciarmi dentro, densa e strana.

Andai nell'orto e lo attraversai fino in fondo perché da laggiú avrei potuto vedere la casa di Allegra e, forse, sentire le voci dei bambini alla sua festa.

12. Ottobre 1963 (prima parte)

A fine settembre, quando fu il momento di comprare i libri di testo che mi sarebbero serviti in prima media, i miei si accorsero che erano parecchi e assai costosi.

Il babbo borbottò che non dovevo mica diventare ingegnere a dieci o undici anni, a cosa mi servivano tutti quei volumi? Io invece, che li avevo già visti e sfogliati perché Francesco se li era procurati con largo anticipo, li trovavo bellissimi, pieni di cose che non sapevo, odorosi di carta e di inchiostro, e non vedevo l'ora di averli a mia volta. Inoltre pensavo che per oggetti cosí preziosi occorresse una cartella nuova, che quella delle elementari era sformata, scorticata e scolorita all'esterno, macchiata all'interno da pastelli e da merende unte, tanto che c'era da vergognarsi a portarsela appresso. Odorava di mortadella e salame, a causa di anni di panini trasportati insieme a quaderni e astucci, perciò quando la lasciavo aperta Merdo ci si infilava dentro e non c'era verso di farlo uscire.

Mio padre osservò che quella cartella andava ancora benissimo: non ci dovevo mica fare una sfilata, serviva solo per metterci la roba della scuola. Io dissi che i libri non erano «roba», al che replicò che lui non ne aveva mai letto neanche uno eppure era diventato grande e in gamba lo stesso.

– Se tu fossi davvero in gamba, – mormorai a testa bassa, – a quest'ora non saremmo poveri e mi potresti prendere la bicicletta blu, o almeno l'enciclopedia!

Alcuni miei amici avevano tutti i volumi di *Conoscere*,
grandi, lucidi, pieni di illustrazioni, e io avrei dato un occhio
per possederli, soprattutto adesso che stavo per iniziare un
anno scolastico piú impegnativo.

Una sera di molti mesi prima, mentre stavamo cenando,
avevano bussato alla porta; una cosa di per sé strana, perché di solito se veniva qualcuno di conosciuto col cavolo che
bussava: apriva, entrava e basta. Il babbo, un po' sorpreso, a
bocca piena aveva detto: – Avanti! – ed era comparso un tizio piccolo e calvo che non avevo mai visto, ben vestito e con
una borsa in mano.

Il nonno lo aveva fissato per qualche secondo, poi aveva
allargato le braccia e ruggito: – Giordaaanooo!

Era stato come un segnale, un grido di battaglia che aveva
scatenato un'azione collettiva, rapidissima e ben congegnata:
mia madre, nel giro di due secondi, aveva aggiunto un coperto mentre il babbo si era alzato e aveva cominciato a dare
all'ometto una serie impressionante di pacche sulla schiena:
– Dio bono, quant'è che non ci venivi a trovare! Ma che ti
venga un colpo, che sorpresa! Dài, siediti, mangia, bevi! –
E giú roba nel piatto, e vino nel bicchiere, e altre pacche che
quel povero Cristo si piegava in avanti rischiando di sfra-
cellarsi il naso sul tavolo, mentre il nonno lo sommergeva di
domande: – Come sta l'Ermelinda, eh? E Dino? Dimmi di
Dino! L'hanno poi operato delle fistole?

Io Giordano, un cugino del nonno, l'avevo visto una volta
sola qualche anno prima, ma di una cosa ero piú che certo:
anche se gli somigliava un po', non era il tizio che stavano
costringendo a sedersi e a mangiare con la forza.

All'omino calvo erano occorsi almeno dieci minuti per riaversi e per ritrovare la parola, e quando finalmente c'era riuscito aveva mormorato che lui, veramente, era solo un rappresentante e che l'Ermelinda e Dino non li conosceva affatto.

C'era stato un attimo di gelo, poi mio padre si era scusato e aveva chiesto cosa volesse da noi, allora; al che il tizio aveva detto che stava girando per vendere porta a porta l'enciclopedia *Conoscere*. Poteva interessarci?

I miei c'erano rimasti cosí male, che non fosse Giordano, che quei volumi non glieli avevano neppure lasciati estrarre dalla borsa per farceli vedere. E dire che in quel momento non eravamo ancora poveri in canna e magari, se il nonno non avesse sbagliato nel riconoscimento del tizio dando il via a un abbaglio che aveva contagiato i miei genitori, avrebbero anche potuto comprarmeli.

In seguito, con la fantasia, mi ero figurato piú volte la scena che secondo me si sarebbe dovuta verificare in una famiglia normale. Il nonno avrebbe detto al venditore: «Ma lo sa che lei assomiglia a un mio parente che non vedo da tanto tempo, un certo Giordano? Perché, nel caso fosse proprio lui, le chiederei se ci sono novità sulle fistole di Dino e sulla salute dell'Ermelinda».

«No, spiacente, – avrebbe risposto l'ometto, – non li conosco, ma se vuole posso informarmi, soprattutto sulla faccenda delle fistole, che mi sembra di una certa importanza».

«Fa niente, – sarebbe intervenuta la mamma, – magari nel frattempo Dino si è aggravato ed è già morto e sepolto, quindi lei si darebbe da fare per niente. Senta, non è che per caso vuole mangiare qualcosa?»

E il babbo: «Le dispiace se le mollo qualche pacca sulla schiena?»

«No, grazie, non ho fame e preferirei anche evitare le pacche, se riesce a trattenersi. Piuttosto, io vendo l'enciclopedia *Conoscere*: visto che in questa casa c'è un bambino che va a scuola, vi siete mai chiesti come potrebbe proseguire negli studi senza averla?»

«Sí, – avrebbe esclamato la mamma, – in effetti è un pensiero fisso che ci tormenta da anni e che ci toglie il sonno. Per fortuna è arrivato lei! La compriamo su due piedi, non importa neanche che ce la mostri».

Il babbo avrebbe annuito, il nonno avrebbe aggiunto: «Che bello che lei non sia Giordano, ma uno che ci aiuta a istruire il nostro Gigi!» e io mi sarei ritrovato la casa piena di volumi stupendi.

Vabbe', chiudo la parentesi e torno alla disputa con mio padre. Quando misi in dubbio il suo successo nella vita prima si intristí, poi disse che, per fare il mercante di bestiame, leggere libri non gli sarebbe servito a un tubo e inoltre sull'argomento credeva non ne fossero mai stati scritti.

Poi cambiò di umore, si arrabbiò, diede un pugno sul tavolo, mi gridò che non mi dovevo permettere di criticarlo, visto che bene o male mi manteneva, infine annunciò che potevo scordarmi non solo la bicicletta e l'enciclopedia, ma pure la cartella, e che i libri di testo me li avrebbero presi usati: in una cartoleria di Sagnano se ne trovavano a bizzeffe. Tanto, aggiunse, c'erano scritte le medesime cose che comparivano su quelli nuovi.

Andò a finire proprio cosí, ed ebbi questi volumi sciupatissimi e imbrattati. Dovevano essere appartenuti allo stesso studente perché erano scarabocchiati, sottolineati, strappati, macchiati nella stessa identica maniera. In tutti si ripetevano schizzi di facce orrende che forse erano caricature di chissà chi, disegni sconci e alcune scritte a penna e in stampatello che coprivano pagine intere; le piú ricorrenti erano: VIVA LA JUVE e LA SANDRA È UNA MAIALA.

Probabilmente mi avevano comprato quelli che erano piú malmessi e quindi costavano meno.

Mi lamentai e dissi che con libri simili avrei fatto una brutta figura davanti ai professori, che avrebbero pensato che fossi stato io a conciarli a quel modo ancora prima che cominciasse l'anno scolastico. Inoltre, ci fosse stato scritto «Viva il Bologna» avrei anche potuto sopportarlo, ma «Viva la Juve» no. E poi quella Sandra, poveretta, chi era? E se era la figlia di un insegnante? O del preside? Insomma, io quello schifo di libri non li volevo.

Mio fratello disse che per la faccenda della Sandra forse non c'era rimedio, ma per l'altra sarebbe bastato che io avessi cambiato squadra cominciando a tifare per la Juventus.

Lo mandai al diavolo, al che mi presi uno scapaccione dal babbo.

Con l'aria sdegnata e brontolando salii al piano di sopra ed entrai nella camera del nonno per stare un po' con lui, che anche da paralizzato era pur sempre il migliore della famiglia, ma dormiva. Mi ci avvicinai lo stesso e lo guardai: prima, pur considerandolo anziano, non l'avevo mai visto invecchiare sotto i miei occhi, mi era parso sempre uguale e avevo avuto la certezza che cosí sarebbe rimasto. Ora, invece, vedevo i segni dell'età e della malattia lavorare sulla sua faccia giorno dopo giorno a un ritmo incredibile. La sua assenza dal cortile, dall'orto e dalla tavola intorno a cui mangiavamo era pesantissima, quasi inverosimile, per nulla compensata da quella penosa, pallida e incerta presenza nell'oscurità di una camera che odorava di immobilità impotente.

Gli accarezzai una mano, poi andai nella mia stanza e mi buttai sul letto.

Di solito mi sdraiavo con il braccio destro infilato sotto il cuscino, in quella che era da sempre la mia posizione preferita per riposare, ma col gesso mi risultava scomodo. Solo a pensarci mi si risvegliò il prurito: non potermi grattare la pelle nascosta da quell'involucro ormai lercio mi faceva andare giú di testa. Presi da sopra il comodino il ferro da calza che la mamma mi aveva fornito allo scopo e lo usai per sfrucugliare a lungo sotto l'ingessatura, poi chiusi gli occhi.

Nella nuova scuola sarei stato nel banco a fianco di Allegra, era una cosa su cui eravamo d'accordo da tempo, e avrebbe visto quelle schifezze di libri che mi avevano comprato. Non avrebbe di certo sospettato che fossi stato io a rovinarli, non mi avrebbe domandato chi accidenti era quella Sandra, però avrebbe capito una volta di piú quanto la mia famiglia fosse sgangherata e diversa dalla sua e di nuovo, forse, fra me e lei avrei sentito alzarsi una specie di barriera, com'era successo nel giorno del suo compleanno, quando le avevo passato il regalo attraverso la cancellata che mi separava dai suoi amici cittadini in ghingheri.

Ero triste, deluso, stanco per avere accudito gli animali e raccolto una montagna d'erba, svuotato come ogni volta che, dopo un litigio col babbo, la rabbia lasciava posto alla frustrazione, cosí mi addormentai.

Mettendo insieme le cose che mi turbavano al momento, alcuni sprazzi di catechismo sopravvissuti al dimenticatoio e il ricordo della visita del rappresentante di *Conoscere*, sognai che Dino (un altro cugino del nonno: quello non l'avevo mai visto, quindi gli diedi la faccia dell'ometto calvo di cui ho raccontato prima), vestito di una specie di tunica bianca, girava casa per casa a vendere libri sul commercio dei bovini. Nessuno li voleva, allora lui sospirando alzava le braccia in un gesto di resa rassegnata e metteva in mostra ferite sanguinanti alle mani.

A quel punto la gente diceva: «Ma... ma ha le stimmate!»

Lui scuoteva la testa e diceva che le stimmate, per regolamento, non poteva riceverle perché un suo parente (cioè io) non aveva fatto la cresima e la prima comunione.

«Allora cosa sono?»

Dino, vergognandosi un po', mormorava: «Sono fistole».

«Le fistole non vengono alle mani!»

Lui faceva spallucce e rispondeva che se gli erano comparse sulle mani non sapeva che farci. Del resto aveva sempre sofferto di malattie strane: una volta aveva avuto un gonfiore particolare di pancia che viene solo ai conigli se mangiano erba umida e nessun medico si era saputo spiegare un mistero simile, dato che lui non mangiava erba umida e soprattutto non era un coniglio.

«Ma è sicuro che non siano stimmate? – insisteva la gente. – Sarà che va vestito con quella palandrana bianca, ma sembra proprio un santo pellegrino, lei!»

Dino allora raccontava che normalmente girava in giacca e cravatta, ma da un po' di tempo sua moglie Sandra non faceva il bucato e se ne andava a spasso con altri uomini, uomini ricchi che avevano la casa piena di biciclette nuove e di enciclopedie, cosí lui, non avendo piú abiti puliti e stirati, si era buttato addosso la prima cosa che aveva trovato, cioè un lenzuolo.

«Ma allora la Sandra è proprio una maiala!» gridava la gente, scandalizzata. Al che Dino annuiva tristemente e diceva che non solo era una maiala, ma aveva pure abbandonato la fede per il Bologna e cominciato a tifare per la Juventus.

Poi, all'improvviso, quel buffo delirio veniva ingoiato dal gelo di un incubo. Entrava in scena la defunta Tugnina e il resto svaniva; lei era sospesa in un nulla grigio, ancora piú magra di quando era viva, tanto che la faccia somigliava a un teschio, sporca di terra e fango putrido come se, invece che in un cimitero e dentro la bara, l'avessero sepolta nuda nella Bassa dei Porcari. Mi fissava con aria di rimprovero, senza l'ombra del sorriso che le era stato usuale, e diceva severa: «Ma perché sogni quelle stupidaggini? Sogna la cosa giusta da fare, invece, perché se non starai attento lui colpirà, e niente sarà piú come prima!»

«Lui chi?» le chiedevo, temendo di conoscere già la risposta.

«L'Uomo Nero! Arriverà; dovresti saperlo perché te l'ho raccontato tante volte, lui arriva sempre. Anzi, è già qui, è qui da tanto tempo, ma adesso ha fame. E lo sai cosa mangia, vero?»

«Le persone?»

«Esatto, le persone!»

Mi svegliai di colpo, ansimando e col cuore che batteva all'impazzata.

Saltai via dal letto come se scottasse, mi passai una mano sul viso madido di sudore, camminai per la stanza in preda a un'inspiegabile angoscia, forte e dolorosa come non l'avevo provata mai.

Non mi interessava piú nulla dei libri rovinati, dell'enciclopedia, della cartella vecchia e sporca, delle ristrettezze in cui si dibatteva la mia famiglia: pensavo solo alla Tugnina, all'aspetto terribile che aveva nel sogno, alle parole strane che mi aveva detto. Parole come «Uomo Nero» che avevo ascoltato mille volte nelle sue fiabe e di cui avevo sempre sorriso, o che al massimo mi avevano fatto arrabbiare ma che adesso, chissà perché, sentivo come assolutamente concrete e terribili. Stai attento, mi aveva avvertito. Ma attento a cosa?

Cercai di respirare a fondo e lentamente per calmare l'agitazione e dopo un po' mi dissi: è stato solo un sogno, uno stupido sogno e niente piú, una cosa che ha lo stesso valore delle favole, cioè quello della pura fantasia. Io ho tante cose da fare e a cui pensare e di nuove fantasie non ho bisogno, ne ho già fin troppe, e forse ha ragione il babbo a dire che me le devo scordare perché non me le posso piú permettere.

Andai alla finestra. Ottobre stava arrivando e c'era la prima foschia, con l'orizzonte cancellato da un grigiore si-

mile a quello in cui avevo visto la Tugnina sola, ammoni-
trice e triste.

Anche la mattina di martedí primo ottobre c'era un po'
di nebbia, e da quella vidi emergere l'autobus che doveva
portare noi, i bambini di Bagnago, alle medie di Sagnano
per il primo giorno dell'anno scolastico.

Sbucò dai vapori emettendo suoni assurdi e arrancan-
do, e anche uno scemo avrebbe capito che quel veicolo alla
meta, che pure distava solo quattro chilometri, non ci poteva arrivare.

Si fermò con uno stridore di freni raccapricciante e tutti, invece di azzuffarsi e calpestarsi per salire in fretta e
scegliere i posti migliori, cioè in fondo, lontano dall'autista, dove c'era piú libertà di fare chiasso, ebbero un attimo di esitazione dovuta anche al fatto che, seminascosta
da una ripassata grossolana di vernice, sulla fiancata del
bus si poteva ancora leggere la scritta cubitale: «I pavoni
di Romagna».

Insomma, il comune aveva comprato e destinato al nostro trasporto un vecchio e ridicolo catorcio di cui un'orchestra di liscio doveva essersi disfatta lasciandolo a uno
sfasciacarrozze.

Mi venne in mente Fabietto: se lui, definito semplicemente L'Usignolo di Faenza, faceva gli spettacoli vestito come
vi ho raccontato, non osavo immaginare quali dovevano essere i costumi di scena dei Pavoni di Romagna.

Dentro il bus stagnavano odori orrendi fra cui spiccava-
no soprattutto quello denso e acre dei rivestimenti dei se-
dili e uno, pungente, del detersivo o disinfettante con cui
probabilmente avevano cercato di rimuovere qualche ton-
nellata di microbi e, mi venne da pensare, di insetti, vermi,
topi, serpenti velenosi, piante infestanti e chissà cos'altro.

Mi sedetti con la cartella tra le gambe, un po' eccitato e allo stesso tempo intimorito da ciò che iniziava quel giorno: una nuova scuola, nuovi insegnanti. Per fortuna, a quanto avevo saputo, la mia classe sarebbe stata composta da noi bambini di Bagnago con l'aggiunta di pochi altri, così non avrei dovuto abituarmi anche a compagni diversi. E, fortuna ancora più grande, con me ci sarebbe stata Allegra. Lei però non raggiungeva Sagnano con l'autobus: sua madre, insegnante, si era fatta trasferire proprio nella nostra scuola e ogni mattina l'avrebbe portata con l'automobile. Peccato non poter fare il viaggio insieme, seduti vicini. Peccato, adesso, non poter ridere con lei di quella corriera stravagante.

La quale si fermò ed esalò l'ultimo respiro esattamente un chilometro dopo la partenza, poco oltre il cartello che segnalava la fine dell'abitato di Bagnago.

Prima ci mettemmo tutti a sghignazzare e a schiamazzare, poi, quando l'autista tra una bestemmia e l'altra ci fece scendere, ci passò la voglia di scherzare perché non si sapeva proprio come raggiungere la scuola.

Roberto Amadori andò deciso verso il retro del veicolo e ci chiamò con grandi cenni, cominciando a blaterare, e io lo raggiunsi di corsa e gli intimai di starsene zitto e fermo altrimenti lo avrei picchiato seduta stante.

– Perché? – chiese lui.

– Perché lo so già cosa stavi per dire.

– Cioè?

– Cioè secondo me stavi per venirtene fuori con la storia che tuo nonno o un tuo zio, da soli, una volta hanno spinto e rimesso in moto un camion bloccato sulla strada, o un panzer tedesco impantanato in un campo, vero?

– Be', no, non era né un camion né un carrarmato, era il pullman della nazionale di calcio che passava di qui per andare…

Gli diedi un pugno nel petto cosí forte che l'ultima parola che aveva detto, «andare», gli morí in gola in un grande rimbalzare di «a» e di «e», come se parlasse avendo il singhiozzo. Sergio Puzzola non perse l'occasione di sparare pure lui una cretinata e affermò che, se tutti avessimo spinto, avremmo potuto in effetti risolvere la situazione. Allora Francesco si sedette sul ciglio della strada e osservò che avrebbe dovuto essere il bus a portarci a Sagnano, e non noi a portare lui, quindi a spingere non ci pensava proprio. Io gli sedetti a fianco e provammo a decidere il da farsi.

Da fare non c'era molto, per la verità, cosí, mentre l'autista dava calci e pugni contro il carrozzone che gli avevano affidato, ci incamminammo verso la scuola, perché i tre chilometri che distava erano pur sempre tre chilometri e a farli a piedi ci sarebbe voluto tempo.

– Ah, iniziamo bene! Come primo giorno è proprio fantastico! – disse Francesco.

– Mi viene una gran voglia di tornare indietro fino alla scuola elementare, dire che sono un ripetente e rimanere lí, che è vicino e ci stavo benissimo, – mugugnai.

Poi un'auto ci raggiunse e si fermò: era quella della madre di Allegra, che ci fece salire.

Fui molto contento della cosa non tanto perché mi risparmiava una lunga camminata, quanto per il fatto di trovarmi vicino alla bambina del mio cuore, che non vedevo da un paio di giorni e già mi mancava da morire.

Lei lasciò a Francesco il posto davanti, quello accanto a sua madre, e venne con me sul sedile posteriore. La donna la guardò con aria interrogativa, al che il mio amico commentò: – Sempre appiccicati, quei due!

Mi sentii sprofondare, ma la mamma di Allegra sorrise senza dire nulla. Gliene fui grato, cosí come apprezzai che, dallo specchietto retrovisore, non guardasse mai la mano di sua figlia che aveva subito cercato la mia e la teneva stretta stretta.

Ci vollero solo due o tre giorni per capire come funzionavano le cose a Sagnano. I ragazzini del luogo, che si sentivano cittadini e superiori, cercarono di tenerci in disparte e di deriderci, almeno finché noi «selvaggi» di campagna non li avemmo picchiati praticamente tutti e in abbondanza, dopodiché abbassarono la cresta.

Poi, con mia grande delusione, mi accorsi che in quella scuola vigeva la regola di tenere i sessi il piú possibile separati, anche se le classi erano miste: gabinetti distinti, lezioni di ginnastica da fare divisi, proibizione di stare nei banchi insieme, tanto che metà dell'aula era destinata alle femmine e l'altra metà ai maschi.

Insomma, non potei piazzarmi accanto ad Allegra che anzi, in virtú dei posti assegnati dalla professoressa di italiano (una tipa che aveva un'espressione simile a quella della Zaira, la zitella ingrugnita di Bagnago), mi capitò piuttosto distante, e io e lei non facevamo che cercare di parlarci da lontano, lanciarci sguardi e aspettare con ansia il momento della ricreazione, quando finalmente potevamo stare insieme.

Una volta l'insegnante zairesca, che era la piú insopportabile, interruppe la lezione e disse: – Melandri, sei forse strabico, tu?

– Perché? – risposi.

– Perché con un occhio guardi me e con l'altro, chissà per quale motivo, sbirci sempre alla tua destra. Se non è strabismo, questo, cos'è?

– Già, cos'è? – feci io, molto in imbarazzo.

– Ah, non lo so, dimmelo tu!

Subito non mi venne in mente una risposta adeguata, cosí pensai che la cosa migliore fosse risponderle: – Sí, signora, sono strabico.

Si arrabbiò molto e mi intimò di non fare lo spiritoso.

Gli unici momenti della mattinata in cui io e Allegra potevamo stare davvero vicini e parlare erano, oltre alla breve pausa della ricreazione, i viaggi di andata e ritorno che, essendo ancora rotto l'autobus, continuavo a fare grazie ai passaggi che mi offriva sua madre.

Il babbo, una sera che stavamo per metterci a cena, mi disse che non dovevo approfittare della disponibilità di quella donna, che non stava bene, che avevo la bicicletta e potevo fare come molti degli altri bambini, che fino a Sagnano pedalavano. Obiettai che se riuscivo a risparmiarmi la fatica, visto che la mia bici tra l'altro era vecchia e scassata e non funzionavano piú i freni, a lui non sarebbe dovuto dispiacere.

– Mi dispiace sí, invece! – esclamò duro.

– Perché?

– Te l'ho già detto una volta e non mi va di ripetere le cose: lascia perdere quella bambina, che hai altro da fare e che, uno di questi giorni, finisce che i suoi genitori si stufano di questa storia e vengono qui a lamentarsene.

– Ma se la mamma di Allegra mi fa sempre salire sulla sua auto, vuol dire che non le dispiace se siamo amici!

– Tu non le capisci queste cose, o fai finta di non capirle. E poi non dire che siete «amici», sai cosa intendo.

– Ma che ti frega se...

Non mi lasciò finire la frase. – Mi frega, eccome! E voglio che tu mi ubbidisca e che ti dia da fare come avevi promesso, che invece tieni gli animali che è uno schifo!

Mi sentii avvampare di rabbia. Mi spaccavo le braccia e la schiena per svolgere il compito che mi aveva assegnato, ma lui non era mai soddisfatto di come lo facevo. Quando tornava dalla vendemmia, ancora prima di entrare in casa correva a vedere le condizioni del pollaio e del porcile, come se fosse la cosa piú importante del mondo e dentro quelle catapecchie ci avessimo dovuto organizzare dei ricevimenti.

– Ho verificato, – disse, – e ho visto che anche oggi hai fatto tutto senza voglia e di fretta, fretta di andartene a zonzo con quella là, perché c'è merda dappertutto.

– Guarda che cacano anche dopo che ho pulito! Non posso passare tutto il mio tempo col badile sotto il culo del porco o delle galline! Devo anche fare i compiti, io!

Per la verità di compiti ne avevo ancora pochissimi e quel giorno avevo lavorato proprio male e alla svelta, perché poi avevo accompagnato Allegra a fare un giro per la campagna, bellissima in quella stagione. I campi e gli orti cominciavano a mostrare l'arancione delle zucche e dei primi cachi, le giuggiole erano mature e ne avevamo mangiate un sacco, avevamo guardato i carri carichi dell'ultima uva procedere gocciolanti e odorosi verso le cantine. Eravamo stati bene, insieme, come sempre, e ci eravamo tenuti a lungo per mano camminando sull'argine del canale dei mulini per guardare le gallinelle d'acqua e le anatre sguazzare e nascondersi sotto la vegetazione delle sponde. Insomma, ero un po' in colpa ma non ero disposto ad ammetterlo, anche perché fare un giro in bici con la persona a cui volevo piú bene al mondo, in fondo, che colpa era?

Provai a contrattaccare: – Perché non fai lavorare anche Enrico, eh?

– Perché ha sette anni e tu ne hai quasi undici, ecco perché. E comunque, chiudiamola qui: da domani con la mamma di Allegra non ci sali piú.

– Allora portamici tu, a scuola in macchina!

– Lo sai bene che non ce l'abbiamo piú, la macchina.

– Appunto! Tu sai tutto, decidi tutto, dài ordini, vuoi anche dirmi di chi devo essere amico, come devo andare a scuola, però non hai piú un lavoro e neppure puoi comprare un'altra automobile, che io comincio a vergognarmi di questa situazione! Ecco la verità! E hai anche da ridire se qualcuno che un lavoro e l'auto ce li ha mi dà un passaggio fino a Sagnano, che in bici con l'ingessatura non...

Mi diede una sberla inaspettata, forte come non ne avevo ricevute mai, tanto che mi tolse il respiro. Poi mi agguantò per un braccio, mi trascinò fino alla rimessa, mi scaraventò a sedere sul pavimento, prese da un cassetto un paio di tronchesine, me le infilò sotto il gesso e cominciò a tagliarlo.

Mi faceva male. Urlai, cercai di sottrarmi e lui mi diede un altro schiaffo violentissimo, mi afferrò per i capelli buttandomi contro il muro, mi si fece sopra spingendomi un ginocchio nel petto e immobilizzandomi, poi ricominciò a tagliare e contemporaneamente a gridare: – Ecco, fra un po' il gesso sarà sparito e non avrai piú scuse! Che tanto te lo dovevi togliere tra pochi giorni ma io, che sono un povero disgraziato e sciagurato che non ha un lavoro fisso né una macchina, uno sfaticato di cui c'è da vergognarsi, a Ravenna per fartelo togliere in ospedale non so come portartici, e neppure posso perdere un giorno di vendemmia per quello!

Urlava e tagliava, tagliava e piangeva, e neppure lui l'avevo mai visto piangere.

Mi ritrovai col braccio libero dall'ingessatura. Mio padre, ansimando e ancora piangendo, mi lasciò, gettò via le tronchesi facendole rimbalzare su una parete, uscí barcollando e lo sentii che fuori continuava a singhiozzare forte.

Mi accoccolai in un angolo e mi misi a piangere anch'io.

Sapevo di avere esagerato, di averlo offeso forse ingiustamente, ma pure lui era in colpa, eccome!

Ciò che non sapevo, invece, era che il dolore, la rabbia e la pena che provavo in quel momento erano niente a confronto di quelli che avrei subito nei giorni e nei mesi a venire. I giorni e i mesi piú lunghi e terribili che io ricordi. Quelli in cui smisi davvero di essere bambino, per sempre.

La mattina dopo, con la faccia che ancora mi bruciava per gli schiaffoni ricevuti e il braccio intorno a cui c'era stato il gesso che appariva gonfio e livido all'altezza del polso, andai a scuola in bici. Il manubrio vibrava, i freni erano ormai inutili, la catena cigolava e aveva bisogno di un po' d'olio, la sella era tutta rotta e conclusi che forse, nei giorni seguenti, era meglio se andavo a piedi, che avrei faticato meno e non avrei rischiato di ammazzarmi. Nelle strade del paese e nei viottoli deserti della campagna quel trabiccolo poteva ancora svolgere il compito di portarmi in giro, ma sulla provinciale e su una distanza cosí lunga risultava proprio inadatto.

Prima di avviarmi avevo fatto colazione in silenzio; mio padre era uscito senza degnarmi di uno sguardo, mio fratello era nella versione Enrico-di-Mattina e non aveva alcuna capacità di emettere una sillaba, tanto che mi chiedevo come avrebbe poi fatto a scuola, la mamma aveva gli occhi gonfi e pensai che avesse pianto pure lei.

Lasciare la casa e dirigermi verso Sagnano, dunque, mi diede un certo sollievo.

Quando arrivai nella piazzetta dove c'erano le medie, vidi che davanti all'edicola sull'altro lato si accalcavano molte persone che compravano il quotidiano, altre che facevano capannello a parlare.

Non ci feci caso.

Solo in classe, per voce dell'insegnante di matematica che avevamo alla prima ora, seppi cos'era successo nella tarda

serata del giorno prima e nella notte: nelle montagne del Veneto c'era stato un disastro, una diga si era rotta o qualcosa
di simile e un muro d'acqua, fango e sassi aveva cancellato
paesi, ucciso moltissime persone, travolto ogni cosa.
Era il 10 di ottobre. Era il Vajont.

Per tutta la mattina in classe si respirò un'aria strana, come se da quel posto mai sentito nominare prima, da quella
Longarone e dagli altri villaggi, da quella valle piena di morte
e distruzione arrivasse un soffio gelido di paura e di dolore e
giungessero grida che anche noi, pure lontani, pure bambini
inconsapevoli, non potevamo non sentire con un brivido.
Nessuno in quelle ore rise, nessuno scherzò. Gli insegnanti
non spiegarono e non interrogarono, né dovettero alzare la
voce per chiederci ordine e silenzio. Lessero con noi le prime notizie apparse sui giornali, ascoltammo insieme la radio.

Ancora oggi non so spiegarmi il perché di quell'angoscia
cosí profondamente avvertita e condivisa: in fondo eravamo
piccoli e non capivamo appieno la portata di ciò che era successo. Non la capivamo ma forse la vivevamo, tutti, sintoniz-
zati su una frequenza muta e assordante allo stesso tempo,
come succede ai cani che tremano all'approssimarsi di un
temporale lontano che nessun altro sente ancora arrivare.

Mi viene in mente, adesso, una cosa che mi raccontò
la nonna Anna; ero molto piccolo quando lo fece ma non
l'ho mai potuta dimenticare, tanto mi colpí. Mi disse che
nel 1918, quando ci fu la controffensiva italiana che doveva riscattare Caporetto e portare alla fine vittoriosa della guerra, per alcune notti, anche dalla nostra Bagnago, a
duecento o piú chilometri di distanza, si udí una specie di
tuono basso e continuo, cupo e angoscioso. Erano i cannoni al fronte, migliaia di cannoni che sparavano tutti insieme senza sosta, e la gente, soprattutto chi in quell'inferno
aveva mariti, figli, fratelli, stava tutta la notte sull'argine

del fiume ad ascoltare con gli occhi fissi nella direzione di quel rumore, come se avesse potuto vedere qualcosa, come se l'insignificante altezza della sponda del fiume avesse potuto avvicinarli alla comprensione di ciò che stava succedendo e alla sofferenza e alla paura di chi era laggiú. E tutti nel buio dell'argine, mi disse la nonna, anche i piú piccoli, stavano zitti, tesi e assorti. Per ore, finché la luce del giorno portava altri rumori e pareva dissipare un poco la presenza di quell'incubo.

Forse a noi bambini, in quella mattina di ottobre del 1963, capitò una cosa simile; forse anche noi, pur senza udire, pur senza vedere, pur senza avere parenti o conoscenti nella zona del disastro, potemmo captare e temere le voci profonde dell'apocalisse.

Quando finirono le lezioni e uscimmo dalla scuola, prima di raggiungere sua madre Allegra mi si avvicinò e mi si strinse contro.

– Questa cosa mi fa stare molto male, – mormorò.

– Anche a me.

– Ho bisogno che stiamo un po' insieme, oggi pomeriggio. Per favore. Puoi?

– Sí, – le risposi. Anch'io avevo bisogno di lei.

Arrivai a casa che gli altri erano già a tavola. Mio fratello non appena mi sedetti mi chiese: – Lo sai cos'è successo?

– Certo che lo so.

– Di Bagarí?

– Bagarí? Io intendevo quella diga, quelle persone... cosa c'entra Bagarí?

– L'hanno trovato morto stamattina in un fosso. Deve averlo investito una macchina.

Allontanai il piatto che la mamma mi aveva messo davanti, andai di sopra e mi buttai sul letto, affondai la faccia nel cuscino e cominciai a piangere. Per quel cagnetto che avevo sempre considerato parte della vita del mio paese, della *mia* vita; forse per la gente del Vajont che non conoscevo e di cui fino a poco prima avevo ignorato l'esistenza; per me, certamente, che nel giro di poche settimane avevo visto sparire certezze che avevo considerato *eterne*. Il nonno non era piú ciò che era stato. Il babbo pure. La mamma annegava nel silenzio di una famiglia che non aveva piú una lira, e soprattutto non aveva piú gioia e armonia. Bagarí non sarebbe piú comparso nel cortile a chiedere un boccone, né al bar dove tutti lo conoscevano e gli facevano una carezza. Cosí come lassú nel Veneto, in quei paesi disgraziati, in tanti e a maggior ragione si sarebbero trovati a non riconoscere piú il mondo in cui fino ad allora avevano vissuto considerandolo solido e immutabile.

Fu allora che capii che l'eternità è solo un nostro pensiero, una nostra illusione. L'eternità è una cosa fittizia, una speranza vana e molto, molto breve.

Quel pomeriggio il babbo, visto che la vendemmia per lui era finita e si ritrovava di nuovo senza occupazione, si diede da fare nell'orto. C'era da vangare, da zappare, da togliere erbacce.

Io mi dedicai agli animali con impegno, pulii al meglio, ramazzai, partii in bici e raccolsi l'erba per i conigli a tempo di record, poi, finito il mio lavoro, mi diedi una sciacquata e comunicai alla mamma che sarei andato a fare un giro. Ero d'accordo con Allegra che ci saremmo trovati alle quattro nel campetto della chiesa e volevo essere puntale, anche perché lei mi aveva detto che alle cinque e mezzo doveva tornare a casa. Non era molto il tempo in cui saremmo potuti restare insieme, e non volevo perderne neanche un minuto..

La mamma mi disse che dovevo chiedere al babbo.

– Io non gli chiedo niente, a quello là, – borbottai.

– *Quello là* è tuo padre e da un po' di tempo lo stai facendo arrabbiare di brutto, quindi è meglio che lo ottieni da lui, il permesso.

Sbuffai e andai nell'orto. Mio padre era chinato a estirpare erbacce, la vanga piantata in terra a pochi metri di distanza.

– Io vado, – gli dissi.

– Vai dove?

– A fare un giro.

– Con chi?

– Con nessuno.

Scosse la testa. – Invece starai qui con qualcuno, cioè con me, e mi aiuterai, ché c'è da vangare.

– Ma… accidenti, il mio lavoro l'ho fatto, non puoi sempre inventarti altre cose!

– Non mi sto inventando niente: la terra da sola non si vanga mica, sai?

Sentii un'ondata di irritazione, ma cercai di mantenere un tono misurato. – Facciamo cosí, – proposi. – Ti aiuto domani. Domani lavorerò anche fino a buio, ma adesso devo andare. Ti prego.

– Te lo chiedo un'altra volta: dove, e con chi?

Persi la pazienza e gridai: – Con chi mi pare! Anzi, con Allegra, se proprio lo vuoi sapere! Gliel'ho promesso!

– Gliel'hai promesso? Allora io parlo al vento, vero? Forse non ti sono bastate quelle che ti ho dato ieri…

– Babbo, dài: solo per oggi. Domani lo vangherò tutto da solo, l'orto. Anche se mi fa male il braccio, mi fa male davvero.

– E a me fa male la schiena, mi fa male davvero, però sto qui a sgobbare, e ci starai anche tu, perché se non raccogliamo qualcosa da 'sto pezzo di terra rischiamo di dover mangiare l'erba dei fossi anche noi come i conigli.

– Babbo...

Si rialzò e mi fissò con l'espressione piú cattiva che gli avessi mai visto.

Non mollai. – Senti, – gli dissi, – lasciami almeno fare un salto al campetto della chiesa per dire ad Allegra che non posso accompagnarla in giro, cosí non sta ad aspettarmi per niente. Torno subito.

– Quando non ti vedrà arrivare, lo capirà da sola che non puoi. E se ne farà una ragione, credimi.

– Ma sarebbero solo due minuti e...

Fece in fretta alcuni passi e afferrò la vanga. Per un momento pensai che l'avrebbe usata come un'ascia e mi avrebbe spaccato la testa in due; invece me la mise in mano e sibilò: – Comincia, e zitto!

Non potei fare altro che ubbidirgli, con un groppo in gola e le mani che mi tremavano per una furia cieca, mai provata prima.

Alle sette, mentre stava calando la sera, era pronto in tavola. Mi ero lavato alla meglio, notando che il polso non solo mi doleva ma si era gonfiato ulteriormente. Speravo che durante la notte il braccio sarebbe diventato nero e me l'avrebbero dovuto amputare, cosí il babbo avrebbe avuto rimorsi per tutta la vita.

Non avevo pranzato ma non avevo fame ugualmente. Ero solo stanco e disperato. Cosa aveva provato Allegra quando non mi aveva visto arrivare? Si era arrabbiata? Era delusa? Non mi toglievo dalla testa quella preoccupazione e ci soffrivo da morire, non vedendo l'ora che fosse la mattina dopo per spiegarle com'erano andate le cose.

Mi sedetti in silenzio. Al babbo non avevo parlato per tutto il tempo che avevo passato a lavorare con lui, né avevo voglia di chiacchierare con la mamma o con Enrico. Giocherellai un po' con la forchetta, rimestai le patate che avevo nel piatto, poi cominciai a mandare giú qualcosa. Fu in quel momento che bussarono.

– Avanti! – disse la mamma.

La porta si aprí e sulla soglia comparve il padre di Allegra.

Ebbi un tuffo al cuore e pensai: ecco, ci siamo, aveva ragione il babbo: adesso mi dirà che io e lei non dobbiamo piú frequentarci, che 'sta storia deve finire, che...

Invece l'uomo, dopo averci augurato la buona sera ed essersi scusato per la visita inaspettata a quell'ora, mi chiese: – Gigi, hai per caso visto Allegra oggi pomeriggio?

Scossi la testa, mentre un brivido gelido mi attraversava e mi paralizzava.

– Gigi è stato sempre con me nell'orto, – disse mio padre.

– Il fatto è, – mormorò l'uomo, – che mia figlia non è tornata. È uscita prima delle quattro in bicicletta e non si è piú vista, e non è da lei; sapeva di dover essere a casa alle cinque e mezzo e non ha mai tardato, mai una volta. Pensavo... speravo che Gigi sapesse qualcosa e potesse aiutarci, siamo molto preoccupati.

Guardai fuori dalla finestra. Era ormai buio e c'era foschia. E in un attimo capii, seppi con certezza che era successo qualcosa di irreparabile e di terribile.

Mi alzai dalla sedia facendola cadere all'indietro, barcollai come un ubriaco e senza dire una parola, solo gemendo come un animale ferito, uscii in cortile.

Mio padre mi raggiunse e mi prese un braccio.

– Gigi... ehi, Gigi, dài, vedrai che la troveremo, vedrai che...

Mi divincolai e feci alcuni passi all'indietro, fissandolo con gli occhi sbarrati.

– È colpa tua che non mi hai permesso di accompagnarla, – dissi. – Non… non sei piú mio padre, non voglio piú vederti –. Lui ancora cercò di fermarmi, ma io gli gridai: – Ti odio, ti odio, ti odiooo! – e cominciai a correre a perdifiato nel buio.

13. Ottobre 1963 (seconda parte)

Il paese era già affogato nell'oscurità e nella foschia, che pochi lampioni radi e pallidi non riuscivano a contrastare. Corsi, corsi forse per mezz'ora, con le tempie che mi pulsavano e i polmoni che si lamentavano. Gli unici rumori erano quelli dei miei piedi sull'asfalto, del mio respiro affannato, di parole che mi uscivano dalla bocca senza un ordine, senza un senso, senza che volessi pronunciarle. Correvo, gemevo e la chiamavo, come se sperassi davvero che comparisse e mi rispondesse: sono qui, che c'è?

Sapevo che non era possibile e che cercarla cosí, gridando e passando da una strada all'altra, guardando nell'oscurità dei cortili, degli orti e dei campi non sarebbe servito. Perché se Allegra avesse avuto ancora una voce, una possibilità, sarebbe tornata a casa da sola.

Andai alla chiesa, spinto dall'assurdo pensiero che fosse ancora là ad aspettarmi. Là ferma, a cavallo della sua bici, testardamente aggrappata alla certezza che io, avendole dato un appuntamento, sarei arrivato. Magari si era seduta su una delle panchine di legno nel vialetto che portava al vicino cimitero e si era addormentata.

Ma ovviamente non c'era.

La chiesa era un colosso immobile nel buio e il campanile la rendeva simile a un gigantesco dinosauro dal collo tozzo, ritto a sorvegliare, in virtú di un antico patto di alleanza, il paese muto e rattrappito nei primi brividi dell'autunno.

Chiamai, chiamai ancora con la forza di un'illusione disperata.

La porta della canonica si aprí e dalla soglia don Guido e sua sorella Elvira chiesero chi fossi, cosa volessi, cosa stesse succedendo.

Li raggiunsi e raccontai della scomparsa di Allegra. Non ne sapevano ancora niente.

Il parroco mi fece una carezza sulla testa e l'Elvira, una volta tanto con tono gentile, mi chiese se volessi un bicchiere d'acqua.

Annuii, sentivo la gola bruciarmi per il gran correre e il gran chiamare.

Andò a prendermelo. Lo bevvi tutto d'un fiato, ma il mio stomaco non l'accettò. Feci alcuni passi fin dentro il campetto dove giocavamo a pallone, mi piegai in avanti e vomitai prima l'acqua, poi un veleno bruciante che sapeva di fiele. Non mangiavo dal mattino e non avevo nulla da espellere se non la mia angoscia, la mia sofferenza, ma quelle non volevano e non potevano uscire dal mio corpo e dai miei pensieri.

La donna mi si avvicinò e mi sorrese. – Ehi, piccolo, su... come va? – chiese, all'improvviso materna.

Caddi a sedere per terra senza rispondere, svuotato e stremato.

– Bisogna avvertire, bisogna che tutti cerchino, – disse il prete.

– Sí, – convenne sua sorella. – E subito.

Don Guido corse dentro la chiesa. Vidi accendersi le finestrelle di alabastro, poi, dopo pochi secondi, la testa del dinosauro prese voce e cominciò a emettere il proprio grido, come una sentinella che lanci l'allarme.

La campana a martello. Non l'avevo mai udita, prima. Era una cosa di cui avevo solo sentito raccontare, vagheggiare, una specie di leggenda: nelle fiabe della Tugnina compariva quando sui villaggi si manifestavano un pericolo estremo e un bisogno impellente, quando c'era da trasformare in fretta tutta una comunità in un solo braccio, una sola mente, un solo intento.

I rintocchi rapidi e forti, incalzanti e sgraziati, cosí diversi dalle melodie che chiamavano alle funzioni di festa o annunciavano la malinconia dei funerali, dagli squilli vivaci che segnavano il mezzogiorno, ruppero in modo incessante il silenzio.

E Bagnago rispose; le porte si aprirono, la gente uscí nelle strade a darsi la voce, a chiedere, a partecipare.

La cosa mi calmò un poco. Non ero piú solo. In quel momento, come allora poteva ancora accadere, Allegra era diventata in un lampo la preoccupazione di tutti.

Sopportai qualche altro conato acido e sterile, mi pulii la bocca con una manciata d'erba, poi mi incamminai di buon passo verso il centro del paese. Quando arrivai davanti alla casa del popolo vidi che lo spiazzo che la fronteggiava si stava riempiendo di gente. Entrai nel grande cortile, quello in cui tante volte ero stato col babbo ad ascoltare storie seduto all'ombra dei tigli; quello in cui, soltanto poche settimane prima, in uno degli ultimi giorni di caldo, io e Allegra avevamo mangiato un gelato offertoci dallo zio Arturo, deridendoci per i segni di cioccolato che si erano formati intorno alle nostre bocche e pulendoci a vicenda il viso con le mani.

La gente chiacchierava, chiacchierava, dicevano di Allegra, della sua famiglia. Culo Parlante, trascinandosi dietro il marito muto e mogio come al solito, passava dall'uno all'altro a raccontare, a informare, a fare ipotesi.

Mi venne la tentazione di lanciare un urlo e ordinare a lei e a tutti gli altri: basta! Zitti! Voi Allegra, in fondo, non la conoscete neppure. Abita qui solo da nove mesi e neanche le avete mai parlato, probabilmente. Che ne sapete di come ride, di come sa camminare sulle punte, di come a scuola mangiucchia la matita piegando la testa da un lato, che ne sapete della luce che hanno i suoi occhi nel sole? Che ne sapete dei suoi desideri, del suo sogno di fare cose straordinarie come girare tutto il mondo su una nave, e magari di pilotarla e comandarla?

Lei le adorava, le navi, e ne disegnava sempre, di ogni tipo, di ogni colore. A volte, mentre passeggiavamo tra il giallo del grano o le file ombrose degli alberi da frutto, mi diceva che la campagna le piaceva molto, ma il mare... il mare è magico, sussurrava trasognata, il mare è immenso e senza confini, da attraversare e da scoprire. Ma una donna non la può comandare una nave! replicavo io. E perché no? rispondeva. Io credo che le donne possano fare quello e altro. Quella russa, Valentina Tereškova, non è forse appena andata nello spazio, piú in alto di ogni uomo?

Da una parte insomma ero contento che in tanti si preoccupassero di lei, ma dall'altra non potevo sopportare, non volevo permettere che divenisse oggetto di discorsi basati sul niente. Smettetela di blaterare e correte strada per strada come faccio io, fosso per fosso, argine per argine, casa per casa, piuttosto! avrei dovuto gridare. Ma non ne avevo piú l'energia, non ne trovavo la forza.

Ferma nel cortile della casa del popolo c'era l'automobile dei carabinieri di Sagnano. Stavano parlando con qualcuno; scrissero appunti su un foglio di carta, poi risalirono in macchina e se ne andarono.

Solo quando li videro partire, diversi uomini uscirono dal bar. Tra loro c'erano mio cugino Luciano, Tarroni, Renzo il meccanico, che aveva il fucile da caccia a tracolla.

Poi vidi mio padre, e anche lui mi scorse.

Venne da me. Volevo voltargli la schiena e allontanarmi; non tolleravo che mi si accostasse, che mi parlasse. Solo all'idea, il mio stomaco si contraeva. Ma i piedi mi rimasero incollati al terreno.

– Vai a casa, – mormorò. – Adesso ci pensiamo noi.

Aveva gli occhi arrossati e il suo respiro sapeva di vino.

Tu hai già fatto abbastanza, non credi? avrei voluto dirgli, ma mi risultò impossibile e intollerabile rivolgergli la parola.

Trovai finalmente la forza di muovermi; feci alcuni passi all'indietro, poi mi girai e raggiunsi Luciano.

Lui mi cinse le spalle e mi strinse.

– Ehi... – disse.

Mi fece piacere che fosse lí, che mi abbracciasse. Era un tipo strano e sconclusionato, ma con lui avevo sempre potuto parlare di Allegra liberamente e col sorriso, lui ci aveva accompagnati alle buche, lui si era offerto di portarla da me quando ero a letto dopo l'incidente. Luciano era mille volte migliore di mio padre, pensai, e ricambiai la sua stretta appoggiandogli la faccia al petto e cominciando a piangere a dirotto, come se quel contatto affettuoso e sincero avesse sciolto qualcosa e dato sfogo a un dolore che rischiava di esplodermi dentro.

Cingendolo a mia volta con le braccia, mi accorsi che aveva una pistola infilata alla cintola, dietro un fianco, dove il giubbotto poteva nasconderla.

– Il mio *cinno*! – disse. – Vedrai che la troviamo; e se ha cercato di farle del male rimpiangerà di essere nato, te lo giuro! Stavolta chiudiamo i conti una volta per tutte.

Mi staccai da lui, attonito. Aveva parlato come se si riferisse a qualcuno di preciso, a un colpevole già individuato.

– Chiudete i conti con chi? – gli chiesi.

– Lascia stare. Vai a casa, tu, ché non è roba da bambini. Fra poco, in un modo o nell'altro, sarà finita.

– Luciano...

Mi scompigliò i capelli, come faceva spesso, e cercò di allontanarsi, ma lo presi per una manica e lo fermai.

– Di chi stai parlando? – chiesi. – Cosa sapete? Sai qualcosa?

– Abbiamo trovato la sua bicicletta, prima.

– Dove?

– Ai piedi della salita vecchia dell'argine, quasi davanti alla casa del Capitano.

Deglutii e rabbrividii. Piú volte l'avevo avvertita, Allegra, che quella strada, quella salita, quel posto erano da evitare, erano pericolosi, nessuno di noi bambini ci andava mai. Lei aveva riso e mi aveva detto che ero ormai grandicello e la dovevo smettere di credere alle favole e ai babau. Avevo convenuto che forse aveva ragione, che quell'uomo in fondo, come mi aveva fatto pensare anche il nonno quella volta che lo aveva salutato, non doveva essere cattivo, ma solo vittima di un pregiudizio del paese nato chissà come e perché.

Insieme, però, non eravamo mai passati davanti a quella villa: io, favole o non favole, ero abituato a non farlo. Magari Allegra, quel giorno, delusa e irritata perché non l'avevo raggiunta e accompagnata come le avevo promesso, aveva voluto compiere una specie di gesto di ripicca e di sfida nei miei confronti.

Era anche colpa mia, dunque, se le era successo qualcosa. Colpa non solo del babbo ma anche mia, mia, *mia*. Non l'avevo avvertita con sufficiente convinzione del pericolo che si annidava in quel punto del paese, per dimostrarmi grande e coraggioso con lei avevo finito per minimizzare, e adesso...

– Devo andare, si stanno già avviando, – disse mio cugino.

Lo fermai di nuovo. – Dimmi solo una cosa, – lo pregai.
– Perché? Perché dovrebbe essere stato lui? Perché ci hanno sempre ordinato di rimanergli alla larga?
– Non importa.
– Importa sí, invece! Sospirò, guardando gli altri che si raggruppavano e stavano per lasciare il cortile del circolo. – Il Capitano, – raccontò, – aveva qui a Bagnago un grande podere. Subito dopo la guerra un giorno molestò due bambini, il figlio e la figlia dei mezzadri che lo lavoravano. Evitò la denuncia dandogli un sacco di soldi perché la cosa venisse messa a tacere, ma da allora nessuno volle piú avere a che fare con lui e sua moglie lo lasciò. E chi fa certe brutte cose una volta, credimi, prima o poi le fa ancora, se gliene capita l'occasione. Ma non la passerà liscia.
– State andando a dirlo ai carabinieri? – chiesi. – Erano qui due minuti fa, ma voi eravate dentro il bar...
– I carabinieri? Figurati! Sanno del ritrovamento della bici, hanno dato un'occhiata frettolosa intorno con le torce, ma a bussare a quella porta non ci sono andati e chissà se e quando lo faranno. Quello là è un ex ufficiale, un militare come loro, uno che ha ancora amicizie molto in alto. Credi che i carabinieri non lo sapessero anche l'altra volta? Se lo sapeva tutto il paese, figurati loro! No, *cinno*, prima, a quello, gli diamo una lezione noi e lo costringiamo a dirci che ne è stato di Allegra; poi, succeda quello che deve succedere.
Luciano mi diede un colpetto su una spalla e raggiunse gli altri. Il gruppo, a cui si erano aggiunti sei o sette ragazzotti che parevano i piú esagitati e impazienti, si incamminò verso la casa del Capitano, che distava non piú di duecento metri in direzione del fiume.
Li seguii, mentre nella mia testa continuavano a mulinare pensieri. Se davvero era stato quell'uomo a prendere

Allegra, perché non aveva nascosto la sua bicicletta? Fra l'altro, tutte le volte che dovevamo andare sull'argine, io e lei, come molti altri, lasciavamo le bici ai piedi delle rampe perché era piú comodo, piú veloce e meno faticoso salirle a piedi, dato che le pendenze erano molto accentuate. E se Allegra avesse abbandonato la bicicletta vicino alla casa del Capitano, che era sotto l'argine, solo per raggiungerne a piedi la sommità nel punto dove c'era stato il ponte vecchio? Lui, sempre rintanato nelle proprie stanze, non se ne sarebbe neppure accorto, non l'avrebbe neppure vista. Forse, insomma, se esisteva un Uomo Nero che aveva catturato Allegra, andava cercato altrove. Del resto però, se era vera la storia che Luciano mi aveva raccontato, di quel tipo strano e solitario non c'era da fidarsi e interrogarlo e guardare dentro casa sua era una cosa giusta da fare, da fare subito.

Mio cugino aveva detto che il Capitano aveva «molestato» due bambini. Non avevo ben chiaro cosa significasse, cosa comportasse. Capivo solo che doveva essere una cosa brutta, una cosa sporca. I miei pensieri tentavano di arrivare al punto di vedere Allegra vittima di quell'eventualità terribile ma si bloccavano lí, non riuscivano e non osavano andare oltre. Si fermavano davanti a un muro al di là del quale immaginavo ci fosse un orrore che non volevo conoscere. Un muro dietro cui, forse, Allegra gridava chiedendo aiuto. *Chiedendomi* aiuto.

Quell'immagine mi straziò, mi procurò una vertigine, mi fece sanguinare il cuore di impotenza e di rabbia. Soffocai un singhiozzo e affrettai il passo.

Cinque minuti dopo eravamo in tanti davanti a quella villa dalle finestre buie. Accanto al cancello, come se ci aspettasse, c'era Raniero, il bracciante che coltivava la poca terra rimasta al Capitano e si occupava delle sue stalle semivuote.

Renzo lo raggiunse.

– È in casa? – chiese.

– Sí, – rispose Raniero.

– Gli hai parlato? Che ha detto?

– Gli ho raccontato della bambina sparita, e lui si è messo a urlare con le mani nei capelli e mi ha mandato via.

– Che commediante! – disse mio padre. – E non ha detto altro?

– Ha solo gridato: «No, no, non di nuovo!» e ha chiuso a chiave.

– Scavalchiamo il cancello, – propose Luciano.

– Le chiavi del cancello le ho, – mormorò Raniero.

– Apri, allora, che aspetti? – gli gridò il babbo. Era agitato e pareva volesse mettersi in mostra in quel gruppo di persone inferocite, come se ciò bastasse a rimediare alla propria colpa, la colpa di avermi costretto a lasciare Allegra da sola. O forse, non avendo piú un lavoro né un soldo, era il modo con cui cercava di riconquistare la fiducia del paese e la stima in sé stesso, un modo per sentirsi necessario e importante. Quel suo affannarsi, forse ormai inutile, non fece che aumentare la mia rabbia e il mio disprezzo nei suoi confronti.

Raniero tentennò, poi aprí e tutti entrammo nel parco. Mi fece una strana impressione metterci piede per la prima volta: ero nel mio mondo, nel mio paese, a cento metri da casa ma allo stesso tempo in un luogo estraneo, mai frequentato prima.

Subito qualcuno andò al portone della casa cominciando a scuoterlo e a colpirlo con calci e pugni, gridando al Capitano di uscire.

– È un uscio di legno massiccio e ha due catenacci all'interno, – informò Raniero. – Non riuscirete mai a sfondarlo, e prima che ci proviate voglio dire una cosa –. Nessuno sembrò ascoltarlo, allora a voce piú alta gridò: – Vi prego, voglio dire una cosa!

La gente si fermò e gli si fece intorno. – Sentiamo, – lo incalzò Renzo.

– Io sono stato qui nel parco quasi tutto il pomeriggio, a potare alberi. Il Capitano a quanto ne so non è mai uscito di casa, da piú di un mese non fa neppure la sua solita passeggiata perché ha problemi a un'anca. La bambina non l'ho vista, se anche è passata di qui non me ne sono accorto. E sono abbastanza convinto di una cosa: non l'ha vista neppure lui. È vero, sono stato anche dentro le stalle ad accudire il cavallo, ma ci ho messo solo un quarto d'ora o poco piú. Sono andato via alle sei passate, e mi hanno detto che a quel punto la bimba era già considerata in ritardo e quindi, se le è successo qualcosa, doveva esserle già accaduto. Alle sette e mezzo, quando ho saputo della sua sparizione, sono tornato per raccontarla al Capitano e lui ha reagito come vi ho detto. Io credo che vi sbagliate. Ecco, la mia l'ho detta, dopodiché fate quello che volete. Ma se avete sospetti, sarebbe giusto che ne parlaste ai carabinieri e non faceste niente di cui poi vi dobbiate pentire.

– Niente di cui ci dobbiamo pentire? Cos'è, una minaccia? – gli chiese mio padre.

– No, ci mancherebbe. Ripeto, quello che dovevo dire l'ho detto.

– Bravo. E adesso deve fare il bravo anche quello là dentro: se come dici tu lui la bambina non l'ha vista, perché non apre? Il tempo di fargli qualche domanda e di guardare dappertutto, e la cosa finirebbe. Perché si è barricato a questo modo, eh?

– Perché ha paura, – disse Raniero. – E avrei paura anch'io di gente che mi picchia all'uscio col fucile in mano.

Si fece silenzio per un po', poi Tarroni, che aveva taciuto fino ad allora ed era stato quasi in disparte, disse: – Ha ragione. Ci siamo fatti prendere la mano da questa cosa, ma adesso basta: se Raniero è rimasto nel parco per tutto il pomeriggio, può darsi che il Capitano non c'entri per davvero. Chiediamo ai carabinieri che guardino dentro la casa e stiamo qui a controllare che lo facciano, e fine.

– Ci caliamo le brache cosí? – chiese Renzo.

– Io in galera per niente non ci voglio andare, – disse Tarroni, – e mi sa che qui siamo proprio di fronte al niente.

Quelle parole parvero spegnere l'eccitazione, e già la gente stava per lasciare il parco e tornare sulla strada, quando si udí un nitrito altissimo e dalle stalle si videro sorgere bagliori di fiamme, si sentirono venire soffi, crepitii e schiocchi. Poi ne uscirono di corsa i ragazzi che si erano accodati alla spedizione, che ci passarono accanto lanciando grida selvagge di soddisfazione ebbra e battagliera.

Avevano appiccato il fuoco.

Tarroni si mise le mani nei capelli: – Santo cielo, ma cos'hanno fatto?

Dopo, tutto accadde in fretta e nella confusione piú assoluta, tra gente che andava e veniva, tra chi si dava da fare a correre al pozzo a rimediare acqua e chi invece si allontanava in preda alla paura e allo smarrimento. Io mi muovevo qua e là, frastornato, incredulo. Vidi che dietro di me c'erano mia madre ed Enrico, prima non mi ero accorto del loro arrivo.

Al piano di sopra della villa si accesero le luci.

Il Capitano si affacciò per un attimo a una finestra aperta, poi sparí e si vide solo la sua ombra muoversi sulle pareti della stanza. Quell'apparizione bloccò tutti con gli occhi all'insú. Nessuno fiatò, nessuno apostrofò quell'uomo che pure, fino ad allora, in molti avevano chiamato affinché uscisse o perlomeno si palesasse, come se vederlo all'improvviso rappresentasse un fatto inaspettato e allarmante.

Poi qualcosa strappò l'attenzione dalla finestra: strillando in modo terribile, un cavallo dalla criniera in fiamme uscí dalla stalla galoppando e scalciando, e come un treno impazzito attraversò la folla che ancora rimaneva nel parco, guadagnò la strada e sparí, sempre urlante, nel buio del paese.

Quell'immagine non l'ho mai scordata e ancora torna, ogni tanto, nei miei sogni peggiori. Anche mio fratello ne rimase sconvolto. Lui, a cui i cavalli piacevano moltissimo, spalancò la bocca, si buttò le mani sugli occhi e gridò, gridò, e la mamma non riusciva a farlo smettere.

Infine, nella stanza al piano superiore della villa, l'ombra del Capitano prima si mosse qua e là, si alzò, si agitò, si scosse, fremette, poi dondolò e si fermò.

L'ombra di un uomo appeso a una corda.

L'ombra di un uomo che si era impiccato a una trave della propria stanza.

Qualcuno la indicò gridando, qualcun altro se ne andò in fretta. La mamma mi prese per una mano e disse: – Vieni via, Gigi, andiamo a casa.

Lasciai che mi tirasse fuori dal parco, fino alla strada. Lí mi fermai e mi girai a guardare: diversi uomini ancora si affannavano a spegnere l'incendio delle stalle, ombre nere che danzavano impazzite contro il lucore rossastro delle fiamme, altri invece erano fermi come statue con lo sguardo rivolto alla sagoma del morto.

– Vieni via! – ripeté mia madre, mentre ancora Enrico singhiozzava con le mani a coprirsi il viso.

Scossi la testa. Volevo vedere ancora, volevo capire.

Rimanemmo lí finché arrivarono prima la macchina dei carabinieri, poi i vigili del fuoco e un'ambulanza. Vidi i pompieri darsi da fare per spegnere il rogo e raggiungere una finestra del piano superiore della villa servendosi di una scala, vidi i carabinieri salirla ed entrare, vidi ancora gente che andava e veniva, e confusione, e fumo.

Poi mi sentii cosí stanco da non vedere piú niente, e lasciai che la mamma mi prendesse di nuovo per mano e tentasse di condurmi verso casa.

– Voglio... voglio cercare ancora Allegra, – le dissi.

– C'è già tanta gente che la cerca. Tu adesso devi dormire un po'.

– Non posso dormire.

– Sí che puoi. Ne hai bisogno.

Aveva ragione. Forse non sarei riuscito a prendere sonno ma avevo davvero la necessità di fermarmi, di riposare, perché le gambe e i pensieri non mi ubbidivano piú.

A casa la mamma dovette aiutare Enrico a svestirsi e a coricarsi perché lui, con gli occhi lucidi e lo sguardo fisso nel vuoto, pareva all'improvviso incapace di fare qualsiasi cosa.

Sentii il nonno chiamare, e andai nella sua stanza.

– Cosa succede? – mi chiese, sforzandosi di parlare in modo comprensibile nonostante la bocca distorta dalla paresi.

Mi sdraiai nel letto accanto a lui e gli raccontai tutto. Di Allegra, del Capitano, di ciò che Luciano mi aveva rivelato.

Ascoltò senza fiatare, poi sospirò e col braccio sano mi fece una carezza.

– Pensi sia stato davvero quell'uomo? – gli chiesi.

– Non lo so. Non credo.

– Perché?

– Perché secondo me non aveva fatto niente neppure l'altra volta.

– Allora come mai l'avevano incolpato? E perché nessuno gli era piú amico?

– Amico? La sua famiglia, una volta, era la padrona del paese. Possedeva quasi tutte le terre, comandava. Non ne hanno mai avuti di amici, qui: solo dipendenti e debitori. Dopo l'ultima guerra, quando le cose sono cambiate, al Capitano è stato chiesto il conto della miseria e delle prepotenze che la sua famiglia aveva fatto patire ai mezzadri e ai braccianti. E poi in molti, per lui, provavano e avevano sempre provato una grande invidia, e l'invidia porta a gesti cattivi. Girava comunque una voce, a cui io ho sempre creduto: la storia dei bambini molestati se l'erano inventata e l'avevano studiata insieme sua moglie e i mezzadri. Lei se ne voleva andare perché mentre il marito era in guerra si era messa con un altro uomo, uno di città, ma non voleva farlo a mani vuote e le serviva un pretesto. Cosí aveva convinto i contadini, insieme avevano istruito i bimbi e gli avevano insegnato cosa dire. Poi si erano spartiti i soldi che quel poveretto aveva pagato per chiudere la faccenda.

– Ma perché aveva pagato, se non aveva fatto niente?

– Perché era appena tornato dal fronte, aveva i nervi a pezzi e voleva stare in pace. Solo stare in pace, chiuso dentro casa sua. Avrebbe fatto di tutto per evitare una denuncia e un processo.

– La gente di qui non l'ha aiutato?

– Te l'ho detto, già ce l'aveva con lui per altri motivi. E poi non sai quanto può essere cattiva e crudele la gente, e pronta a giudicare e a condannare, se ti prende di mira.

– Anche quella di Bagnago?

– Di Bagnago come di tutti i paesi del mondo, credo.

– Sono tutti là fuori che cercano Allegra…

– Certo, e farebbero qualunque cosa pur di trovarla, anche ammazzare qualcuno. Come hanno fatto col Capitano.

– Il Capitano si è ucciso da solo.

– No, l'abbiamo ucciso tutti noi, e abbiamo iniziato a farlo già vent'anni fa. Le persone sanno essere cattive e allo stesso tempo buone e generose. Cosí sono fatte. Cosí siamo fatti, nei posti piccoli come questo. Non te lo scordare mai.

Sentii di sotto aprirsi la porta, e voci. Il babbo era tornato. Allora feci per lasciare il nonno e raggiungere la mia stanza. Lui però mi fermò chiamandomi.

– Gigi, – biascicò, – ti devo chiedere un favore: stai attento che se muoio non ci facciano venire il prete, al mio funerale. Mi raccomando!

– Me l'avevi già detto, nonno.

– Davvero?

– Sí, almeno mille volte.

Gli diedi la buonanotte e andai verso la mia camera.

Sul pianerottolo delle scale, accorgendomi che la finestra era solo socchiusa, mi fermai a guardare fuori. La sagoma della villa del Capitano e degli alberi che la circondavano era ancora sovrastata da una nuvola di fumo e circondata da un alone rosso come il sangue; nei viottoli e nelle strade si muovevano bagliori di torce, e voci lontane si chiamavano e parlavano; il bastione scuro dell'argine, che delimitava il paese come la cinta di una fortezza, pareva una lunga muraglia eretta per impedirmi di scorgere Allegra, di trovarla e salvarla.

Mi sentii tremendamente in colpa, in quel momento, di essere al sicuro in casa mentre lei era persa chissà dove nella notte.

Poi raggiunsi la mia stanza. Enrico, raggomitolato nel letto, teneva un dito in bocca come quando era molto piccolo. Da tanto tempo non faceva quel gesto.

Solo allora, forse, lo vidi per quello che era: un bambino di sette anni, con tutte le sue paure e le sue fragilità. Il mio fratellino.

– Dormi? – gli chiesi a bassa voce.

Si tolse per un attimo il dito dalla bocca e rispose: – No.

– Vuoi che venga nel letto con te?

Annuí.

Mi infilai sotto le coperte accanto a lui, lo abbracciai e spensi la luce.

14. Ottobre 1963 (terza e ultima parte)

Faticai molto ad addormentarmi perché stavo stretto e scomodo, nel letto con Enrico, e soprattutto perché non riuscivo a fermare i miei pensieri e la mia angoscia.

Con la mente percorrevo tutte le vie e mi fermavo in ogni punto di Bagnago sforzandomi di indovinare se Allegra fosse lí, e perché. Cercavo di cacciare via le immagini peggiori, quelle in cui la vedevo morta o ferita riversa in un fossato, o legata chissà da chi nella penombra di una stanza, e ogni tanto, proveniente da un nulla su cui mi sentivo in bilico, mi pareva di udire una voce che mi chiamava per informarmi che sí, l'avevano trovata, era tornata a casa, e allora mi scuotevo e mi ritrovavo rigido, con le orecchie e gli occhi aperti, pronto ad avere la conferma di quella notizia e a balzare in piedi per dichiarare finalmente conclusi quell'attesa, quel dolore, quella maledizione.

Solo verso mattina la spossatezza ebbe la meglio e riuscii ad avere qualche ora di un sonno inquieto, tormentato da incubi senza logica e senza esito che si accavallavano e si pigiavano l'uno contro l'altro nella mia testa, confondendosi e tormentandomi.

Quando mi svegliai, ancora piú stanco della sera prima, per pochi secondi provai un sollievo liberatorio: ho solo sognato, mi dissi. Fra un po' la mamma mi chiamerà annunciando che la colazione è pronta, che devo andare a scuola, che se voglio posso accettare il passaggio per Sagnano che mi darà la madre di Allegra. Mi sbrigherò, mi vestirò e mangerò in un attimo, correrò fuori, vedrò quell'automobile arrivare, incontrerò lo sguardo della mia amica, lei mi sorriderà e io sentirò come sempre un'emozione dolce e forte.

Fu un'illusione breve, e sentirla svanire fu terribile. La realtà arrivò potente come un'onda gigantesca e mi attanagliò come una morsa, mi ferí come una tagliola.

Uscii dal letto, accorgendomi solo allora che mi ero coricato senza spogliarmi, e scesi le scale di fretta. Di sotto trovai mia madre che armeggiava ai fornelli.

– Allegra? – le chiesi con un filo di voce.

Scosse la testa. – L'hanno cercata senza fermarsi mai, ma niente.

Mi lasciai cadere su una sedia. La notte, dunque, era stata lunga e inutile.

– Che ore sono? – chiesi.

– Le sette e mezzo.

– E… che giorno è?

– Venerdí.

– Io non ci vado, a scuola.

Annuí, come se la cosa fosse scontata. – Non ci va neppure Enrico, – mormorò. – Oggi rimarrete a casa con me.

– A casa? No, non posso stare qui; io adesso mi rimetto a cercarla.

Mi guardò con tristezza. – A cercarla dove, Gigi? Hanno battuto ogni angolo del paese, stanotte, e se era da qualche parte l'avrebbero trovata.

– Se era da qualche parte? Cosa significa? Ma certo che è in qualche posto, non può mica essere sparita, volata via…

– Resta solo il fiume, dicono. La sua bici era sull'argine e può darsi che lei sia nell'acqua. Oggi proveranno là.

Il fiume? Come e perché ci sarebbe finita dentro? Dopo i temporali di agosto e dei primi di settembre non era piú piovuto, l'acqua era molto bassa, poche spanne appena, neppure un riccio ci sarebbe annegato.

– Non può essere nel fiume. Tra l'altro sa nuotare benissimo, – dissi.

– Non ho detto che ci sia affogata per caso.

– Cioè?

Mi venne vicino e mi cinse le spalle con un braccio. – Se qualcuno... se le hanno fatto del male... possono avercela buttata.

Chinai la testa. – Hanno guardato nella casa del Capitano?

– Certo, stanza per stanza, e poi nelle stalle e nelle rimesse, nella soffitta e nel parco, ma non c'è. Se è stato lui, non l'ha certo nascosta dove si pensava.

– Non credo sia stato lui.

– Non possiamo saperlo. E non potrà piú dirlo, ormai.

Mi mise davanti una tazza di caffellatte e alcune fette di ciambella. Solo l'odore di quella roba mi fece tornare la nausea.

– Mangia qualcosa, su, – disse.

– Non posso.

– Quello che non puoi fare è continuare a digiunare, invece; è da ieri mattina che non mandi giú niente, credi di potere vivere senza nutrirti?

– Io non lo so, se voglio vivere. Non senza Allegra... – sussurrai con la voce frenata da un pianto che premeva per liberarsi.

La mamma mi sedette accanto e mi spinse, testarda, la tazza sotto il naso. – Quando morí mio fratello Andrea, che adoravo, pensai la stessa cosa, – disse. – Poi... poi la vita va avanti. Un giorno, credimi, questa storia, comunque vada a finire, ti sembrerà lontana, forse addirittura te la dimenticherai. Adesso ti sembra impossibile, ma è cosí.

– No.

Sospirò, si alzò e tornò alle proprie faccende.

Provai a ingoiare un po' di caffellatte, ma dopo alcuni sorsi lo stomaco mi si chiuse. – Io vado, – dissi.

– Dove?

Non risposi e uscii. Il babbo, in fondo al cortile, stava pulendo i ricoveri degli animali. Mi guardò, appoggiò il badile alla parete del porcile e fece per dirmi qualcosa ma io mi voltai, inforcai la bicicletta e mi diressi al fiume, dove sapevo che si stavano concentrando le ricerche.

Andai subito verso la rampa del ponte vecchio. Avvicinandomi alla villa del Capitano, sentii che dalle stalle bruciate veniva ancora odore di fumo e di paglia fradicia.

Il cancello era aperto e nel parco c'era gente: quel posto, da tanto tempo precluso a tutti, ormai era diventato meta di un continuo via vai. Pareva che in molti non si rassegnassero a considerare innocente il povero suicida: era sempre stato ritenuto un pericolo per i bambini, oltre che una sorta di «estraneo», anche se a Bagnago c'era nato e vissuto; insomma, un colpevole perfetto.

Dal capannello di persone uscí Luciano e mi raggiunse.

– Come stai? – mi chiese.

– Cosí. Che fanno?

– Niente, hanno finito. Il corpo del Capitano l'hanno portato via stanotte, hanno perlustrato intorno e adesso i carabinieri vorrebbero sapere chi ha appiccato l'incendio. A quei ragazzi imbecilli gli starebbe bene una lezione, ma... abbiamo raccontato che si è trattato di un incidente fortuito. Mentre cercavano la bambina nelle stalle, abbiamo detto, hanno buttato un mozzicone di sigaretta che ha provocato il fuoco. Non è il caso che si mettano a fare dell'altro: c'è da trovare Allegra, è a questo che si devono dedicare.

Annuii.

– Il fiume? – chiesi.

– L'acqua è bassa, si vede il fondo praticamente dappertutto. Solo in un punto raggiunge il metro e mezzo o anche piú, e c'è rimasto solo da provare lí.

– Vai anche tu?

– Sí, gli altri si stanno già preparando. Anzi, devo raggiungerli.

Mio cugino cominciò a salire la rampa che portava alla sommità dell'argine, e io lo seguii. Giunto in cima, per la prima volta potei fermarmi in quella zona, prima tabú, abbastanza a lungo da vedere com'era da basso, tra le sponde, dove ancora restavano in abbondanza le macerie del ponte fatto saltare dai tedeschi durante la guerra.

C'erano una infinità di lastre e di blocchi di cemento, da quelli piccoli come sassetti ad altri enormi da cui sbucavano, simili a dita scheletrite e ritorte, sbarre e filoni di metallo arrugginito. Tra quei ruderi la vegetazione era cresciuta tenace, a tratti alta e intricata, dando all'insieme un che di selvaggio, di rovinoso, di cupo. Erano proprio le macerie del vecchio ponte che, rallentandone il corso fin quasi a sbarrarlo, rendevano per una ventina di metri il fiume piú profondo.

Allegra poteva essere lí, stava dicendo qualcuno; oppure in qualche punto degli argini, che parevano una giungla tanto erano coperti di canne, di alberi, di erba e di arbusti. Per questo mentre una decina di persone, insieme ai pompieri, si accingevano a scandagliare la pozza, altre dovevano cercare con i cani tra il fitto.

Sentii all'improvviso qualcuno toccarmi una spalla. Mi girai; era Francesco.

– Neppure tu sei andato a scuola? – gli chiesi.

– Non c'è scuola, oggi.

– Perché?

– Il preside ha sospeso le lezioni della nostra classe, per la faccenda di Allegra. Che stanno facendo, qui?

– Cercano nell'acqua.

Francesco si sedette sull'erba, io gli rimasi in piedi accanto. Non ci riuscivo a sedermi a mia volta, a fermarmi, come se farlo comportasse da parte mia una rinuncia, una resa.

Gironzolai intorno al mio amico, poi andai di nuovo sulla sommità dell'argine da cui il mio sguardo poteva spaziare su tutto l'abitato e sulla campagna circostante.

Riconoscevo ogni orto, ogni costruzione, ogni viottolo; era il mio mondo, era casa mia e mi ci ero sempre sentito a mio agio, avvolto dalla sicurezza e dalle certezze che ti dànno le cose, le persone e i luoghi noti. Ma adesso mi ritrovavo a ignorare, di quelle strade e di quelle terre, il segreto piú importante: dov'era Allegra? I miei occhi, in quel momento, scrutavano senza saperlo il punto in cui stava? Se qualcuno le aveva fatto del male, viveva forse in una delle case che vedevo?

Sospettare che un mistero si celasse dentro il mio paese e tra i suoi abitanti proiettava su Bagnago un'ombra fredda e scura che mi faceva sentire disorientato, lí dove avrei potuto girare a occhi chiusi e riconoscere chiunque solo ascoltandone la voce da lontano.

Ma mi ripugnava considerare davvero un'idea simile. Se c'è un colpevole è senz'altro uno di fuori, immaginai, uno che l'ha presa e fatta salire su una macchina portandola via. E quel pensiero, se fu assolutorio nei confronti dei miei compaesani e per questo mi diede sollievo, non fu però consolatorio: dove cercarla, se l'avevano rapita con un'auto? Dove?

A un certo punto sentii abbaiare: dalla salita arrivavano a piedi Renzo il meccanico e Valerio Brighi, Gino Rospo arrancava seguendoli in bicicletta. Tutti e tre tenevano al guinzaglio i loro cani, da sempre considerati i migliori per la caccia e i tartufi, dotati di un fiuto incredibile e abituati a stanare tuberi e prede.

Si fermarono poco lontano e io, guardando quegli animali che strattonavano e parevano impazienti di cominciare, ebbi un lampo di speranza: loro forse potevano trovarla davvero, loro avrebbero potuto scovare un ago in un pagliaio.

Poi giunse una macchina dei carabinieri, da cui scese il padre di Allegra con un cesto in mano. Accompagnato dal maresciallo, si avvicinò agli uomini dei cani, e anch'io e Francesco lo facemmo.

Nel cesto c'erano un lenzuolo e alcuni vestiti della bambina, che dovevano servire per far annusare ai segugi il suo odore.

Scorsi, con una terribile stretta al cuore, i calzoni verdi, la giacca viola e i sandaletti che tante volte le avevo visto addosso.

Avrei voluto correre avanti e pregare quell'uomo di lasciar sentire anche a me il profumo della pelle e dei capelli di Allegra, quel profumo che mi era ormai indispensabile e che mi mancava cosí tanto da causarmi una sofferenza fisica. Invece mi lasciai cadere sull'erba, con lo stomaco che si contorceva e gli occhi che si velavano.

Francesco mi si accosciò accanto.

– Dài, – disse, – sono qui con te... vedrai che andrà tutto bene.

Da un po' una decina di uomini, stretti l'uno a fianco dell'altro con appena la testa fuori dall'acqua, percorrevano il punto piú profondo del fiume, su e giú, su e giú. Se lí ci fosse stato un corpo, non avrebbero potuto non urtarlo con le gambe.

Anche quelli con i cani erano partiti; Renzo a valle, verso sinistra, Valerio verso destra, in direzione del ponte nuovo. Gino Rospo aveva insistito per rimanere a cercare lí, al centro della zona da esplorare, nel tratto che partendo dalle macerie si estendeva per un centinaio di metri sia nell'una che nell'altra direzione.

Dopo un quarto d'ora Luciano e gli altri risalirono la sponda, bagnati e delusi. Mio cugino mi raggiunse, gocciolante: – No, laggiú non c'è, – disse.

Non parlai.

– Meglio cosí, no? – aggiunse. – Almeno sappiamo che non è annegata. Coraggio, Gigi, la speranza è l'ultima a morire. Adesso vado a cambiarmi; tu resti qui?

Annuii, e Francesco intervenne: – Sí, rimaniamo. Io sto con lui.

Per un po' guardammo Gino Rospo che conduceva il suo cane tra arbusti e macchie di salici e di vincastri, finché sparí alla vista. Poi fui di nuovo colto da crampi e conati dolorosi; mi allontanai di qualche passo, mi infilai in una selva di canne e vomitai, da due giorni non facevo altro. L'acido che mi salí alla bocca parve ustionarmi la gola e il naso, e rimasi chinato in avanti a lamentarmi mentre Francesco mi teneva una mano sulla schiena.

– Passato? – mi chiese.

– Sí... credo di sí.

Mi buttai in terra tra le canne, come a voler sparire dal mondo, e il mio amico mi imitò. Rimanemmo a lungo in silenzio, poi Francesco mi diede un colpo di gomito e mi chiese: – Cosa fa?

Gino era tornato tra le macerie del ponte crollato, da cui era partito da pochi minuti. Se aveva perlustrato altrove l'aveva fatto in modo molto veloce, quasi sbrigativo. Mi venne la tentazione di raggiungerlo e di gridargli di prendere la cosa piú seriamente, di metterci tutto l'impegno che poteva, di portare il cane a rovistare in ogni anfratto, in ogni rovo che ci fosse nel tratto che aveva scelto per effettuare la ricerca, ma sapevo che non sarebbe servito a niente chiederglielo. Quell'uomo era scorbutico e stupido, rozzo e sgarbato: non avrebbe mai dato ascolto a un bambino.

Dalla nostra posizione io e Francesco potevamo vederlo, ma lui non scorgeva noi, nascosti come eravamo dalla vegetazione. Stava rincorrendo il suo cane che gli era sfuggito e si era fiondato, uggiolando, a raspare sotto il bordo di una lastra di cemento piuttosto sottile e ampia, forse una parte della spalletta del ponte crollato.

In pochi balzi Gino lo raggiunse recuperando la presa sul guinzaglio, gli sferrò un calcio nelle costole e gli disse, piano ma non abbastanza perché non lo udissi: – Sí, sí, lo so, ma ora finiscila! Vuoi che se ne accorga tutto il mondo? Eh? – Poi strattonò, lo portò lontano e lo legò a un alberello.

Infine, dopo aver controllato che non ci fosse nessuno negli immediati dintorni, chinato in avanti si mise a guardare e a frugare tra i massi e l'erba, palmo per palmo, finché per due volte raccattò qualcosa e se l'infilò in tasca.

– Il cane aveva trovato una pista, – sussurrò Francesco.
– Perché l'ha fermato? E cosa cerca, adesso?
– Non lo so, ma... hai sentito cos'ha detto? – risposi piano, facendo nel contempo cenno al mio amico di stare giú.
– Non ho capito bene, borbottava.
– Ha detto qualcosa come se... insomma, io credo che Allegra sia lí!
– Forse non parlava di quello.
– E di cosa, se no? – gemetti, con la voce che stentava a uscire perché il mio cuore aveva iniziato a battere cosí forte che mi pulsava fino in gola.

Continuammo a spiarlo.

L'uomo prima sbirciò il punto in cui, a una cinquantina di metri di distanza, rimanevano due carabinieri e alcuni vigili del fuoco che avevano partecipato all'operazione di scandaglio; poi, una volta certo che non badavano a lui, raggiunse in fretta la sua bici, che come sempre era carica di strumenti: una vanghetta, un pennàto, un falcetto, una sporta. Gino si serviva di quel mezzo per andare spesso al fiume a tagliare e raccogliere canne, come pure, almeno cosí si diceva, per fare incursioni nei campi e negli orti altrui a sgraffignare tutto il possibile.

Si guardò di nuovo intorno, si tolse dalla tasca un sasso della dimensione di una grossa mela e lo infilò nella sporta; poi, con gesti rapidi e frenetici, strappò alcuni ciuffi d'erba e mise nella sporta anche quelli, come se volesse nasconderne il contenuto. Infine tornò tra le macerie e ricominciò a frugare nel terreno, assorto, sempre ignorando il cane che strattonava e guaiva tirando nella direzione in cui, prima, aveva fiutato qualcosa.

Fu in quel momento che capii, che ne fui assolutamente sicuro.

Era lui.

Era lui l'Uomo Nero che aveva preso Allegra: lui, Gino, lo zio del mio amico Sergio detto Puzzola. Una persona che avevo incontrato forse ogni giorno della mia vita, che conoscevo da quando ero nato. Non avevo alcun dubbio in proposito. Sentii quella certezza con la forza e il dolore di uno schiaffo in viso.

– Ma cosa sta combinando? – mi chiese Francesco.

Senza rispondere lo presi per un braccio e lo tirai, quasi lo trascinai, sempre nascosti dalle canne, fino al punto in cui c'erano i carabinieri e i pompieri. Li raggiungemmo, e loro ci guardarono con aria interrogativa.

– Cosa ci fate qui, bambini? – chiesero. – Tornate a casa.

– Io so... adesso lo so, – ansimai.

– Sai cosa?

– So chi è stato.

Poi, senza aggiungere altro, feci agli uomini cenno di seguirmi e impaziente, guardando verso il punto in cui Gino Rospo continuava a trafficare, li portai fra cespugli alti e intricati, fuori dalla visuale di quell'uomo.

Lí finalmente riferii ciò che avevamo visto e udito. Raccontai del cane che aveva trovato qualcosa ma era stato fermato, della pietra nascosta nella sporta, del comportamento strano di Gino, delle parole che gli avevo sentito pronunciare.

– Per favore, – li supplicai alla fine, – ascoltatemi, credetemi! Vi prego!

Confabularono brevemente fra loro, poi i due carabinieri si avviarono verso Gino Rospo, che quando li vide arrivare si fermò con le mani sui fianchi.

– Trovato niente? – gli chiesero.

Scosse la testa. – Niente, – disse. – Ho guardato bene, ma qui non c'è nulla. Mi sa che interrompo e vado, adesso.

Io e Francesco li avevamo seguiti; corsi in avanti di qualche passo e gridai: – Il cane! Liberate il cane!

Gino mi fissò con un'espressione buia in cui si mescolavano stupore e rabbia.

– Ma cosa… – biascicò.

Prima che potesse dire altro uno dei militi lo raggiunse e lo bloccò, mentre il suo collega scioglieva il guinzaglio. Il cane scattò come una molla e corse nel punto in cui, poco prima, aveva cominciato a raspare.

– Ha pure nascosto un sasso! – disse Francesco, mentre arrivavano anche i pompieri e si stringevano intorno a Gino.

– Dove? – chiesero.

– Nella sporta che tiene appesa al manubrio della bicicletta.

Un vigile del fuoco raggiunse la bici, frugò dentro la sporta, ne estrasse la pietra e con quella tornò dai carabinieri che se la passarono, studiandola da vicino. – È macchiata, credo di sangue, – disse uno di loro.

Gino mormorò alcune imprecazioni e bestemmie, disse che doveva tornare a casa perché la sua vecchia madre era là da sola, lanciò a me e a Francesco un'occhiata torva, sputò a terra, cercò di divincolarsi, poi all'improvviso, come una macchina a cui avessero staccato la spina, non parlò e non si mosse piú, lo sguardo fisso a terra.

Rimase immobile anche quando gli frugarono nelle tasche. Dentro, c'erano due perline azzurre. Le riconobbi subito: appartenevano al braccialetto che avevo regalato ad Allegra un paio di settimane prima, per il suo compleanno.

A quel punto uno dei vigili disse: – Vado ad avvertire.

I carabinieri annuirono e costrinsero Gino Rospo a sedersi a terra.

Quando arrivò il maresciallo, con lui c'era gente. Dal parco del Capitano e dal paese continuò ad affluirne, perché la notizia doveva essersi diffusa in fretta, e in poco tempo l'argine e il greto del fiume furono affollati.

Vidi arrivare anche il babbo; quando incontrò il mio sguardo io girai la testa dall'altra parte, cosí rinunciò a raggiungermi. Avrei voluto avere il nonno, vicino: di lui sí che sentivo il bisogno.

Gino venne strattonato, sballottato, interrogato a caldo sul posto in modo pressante. Quell'uomo pareva non avere piú alcuna energia per mentire o per cercare di scappare. Prima fece scena muta, poi rispose a monosillabi, si mise le mani sui capelli dondolando il capo avanti e indietro, infine confermò, confessò, incapace di opporsi all'evidenza e alla determinazione di chi lo incalzava.

Indicò la lastra davanti alla quale il suo cane aveva frugato e abbaiato e disse che sí, la bambina era là sotto. Ce

l'aveva sepolta lui, servendosi della vanghetta che si portava sempre appresso, dopo averla violentata e uccisa a colpi di pietra. L'aveva notata sull'argine, raccontò, e l'aveva
chiamata con la scusa di farle vedere una tana di tassi con
i piccoli. Lei, che lo conosceva per averlo visto tante volte,
l'aveva raggiunto sorridente e curiosa e gli si era consegna-
ta senza l'ombra di un sospetto.

Dopo averla sotterrata gli era parso di sentire le voci di
qualcuno in arrivo, inoltre stava calando il buio, cosí se n'era
andato lungo l'argine senza essere visto ma anche senza avere avuto il tempo e il modo di nascondere completamente i
segni del proprio gesto: eventuali gocce di sangue sui sassi,
qualcosa che poteva essere caduto e finito tra l'erba.

Per questo si era offerto di perlustrare quella zona col cane: non voleva che il corpo venisse trovato, e nel contempo
sarebbe stata l'occasione buona per ripulire ogni traccia. In
quanto alla bicicletta della bambina, non aveva ritenuto necessario spostarla o occultarla: era bene che rimanesse lí, aveva pensato, vicina alla villa del Capitano, cosí da far ricadere
la colpa su di lui. Se quell'uomo avesse potuto dimostrare in
qualche modo la propria innocenza, il fatto che non si trovasse il cadavere di Allegra avrebbe portato a pensare che la
bimba se ne fosse andata di propria iniziativa, o che qualche
estraneo l'avesse rapita e condotta lontano, distogliendo cosí i sospetti dagli abitanti di Bagnago e facendo concentrare
le indagini altrove.

Man mano che Gino parlava, i piú vicini riferivano le sue
parole a quelli dietro, e dalla folla cominciarono ad alzarsi
prima brusii e mormorii, poi grida di rabbia e disprezzo, e
alcuni uomini, fra cui mio padre, provarono a lanciarsi avanti per fare giustizia lí e subito.

I carabinieri li fermarono, li fecero indietreggiare. Lasciarono passare solo Vladimiro, che si accostò al fratello,

lo fissò a lungo, poi, all'improvviso, prese a tempestarlo di
schiaffi e pugni violenti sulla faccia e sulla testa gridando-
gli a squarciagola: – Perché, maledetto? Perché? Perché?
Perché?

Non lo bloccarono subito, Vladimiro; lasciarono che continuasse a colpire Gino, che lo maledicesse, lo rinnegasse.
Solo quando videro il sangue coprirgli la faccia, sottrassero
l'assassino a quel pestaggio.

Ristabilita la calma, in un silenzio assoluto, sotto il sole
pallido, dorato e indifferente di ottobre, la lastra di cemento venne spostata e cominciarono a scavare.

Io ero fermo, incapace di dire una parola o di muovere
un muscolo. Come in sogno mi accorsi di avere la mamma
e Luciano accanto, di sentire le loro mani sulle mie spalle,
sui miei capelli. Li lasciai fare, lasciai che mi parlassero senza capire una parola di quel che dicevano. Esistevano solo
quella lastra spostata, la terra nuda sotto, le pale e le mani
che la frugavano e la rimuovevano piano piano.

Poi gli uomini che scavavano si fermarono, si chinarono
tutti insieme, e io mi ritrovai la mano di qualcuno a coprir-
mi gli occhi.

Cercai di toglierla, mi agitai, e quando riuscii di nuovo a
guardare vidi sollevare quel corpo, vidi i suoi capelli sporchi
di terra e di sangue, le sue braccia e le sue gambe ciondolan-
ti, i suoi piedi, uno scalzo, l'altro con una scarpetta di tela.

Sulla gente muta parve passare una folata gelida. Fu allora
che cercai di divincolarmi e correre, correre da lei.

Luciano provò a trattenermi per un braccio mai io tirai, tirai con una forza che non pensavo di avere, sentendo
lo schiocco del polso mai del tutto guarito che si spezzava
un'altra volta. Ignorai il dolore, o forse non lo sentii proprio; tirai ancora e riuscii a fare qualche passo prima che mi
avvinghiassero impedendomi di proseguire.

Allora rovesciai la testa all'indietro e gridai il suo nome, lo gridai fino a sentire la gola dolermi.

Poi mi sollevarono e mi portarono via, e io continuai a chiamare Allegra mentre scendevamo l'argine, e sulla strada verso casa, e in cortile, quando mi posarono a terra e cercarono di forzarmi a entrare.

Con la faccia rivolta al cielo, urlavo cosí forte che un rivolo di sangue caldo cominciò a scendermi dal naso e si mischiò alle mie lacrime.

15. Dopo

Quando ci fu il funerale di Allegra, un corteo di automobili che dalla camera mortuaria la condusse al cimitero di Ravenna, io ero in ospedale. Dovettero operarmi d'urgenza al polso e fronteggiare una febbre di cui i medici non capivano le cause e che definirono «nervosa»; era altissima e non voleva lasciarmi, come se il dolore che mi stordiva mi bruciasse dentro. Un incendio che non si riusciva a spegnere perché io forse non volevo guarirne, svuotato ormai di ogni energia, di ogni voglia.

Rimasi ricoverato per dodici giorni, dei quali non ricordo quasi niente. Ho solo immagini di mia madre accanto al letto, delle pezzuole bagnate che mi metteva sulla fronte, di dottori e infermieri che venivano, parlavano, mi facevano iniezioni. Ero un guscio rovente e vuoto, una cosa animata solamente dalle fitte lancinanti al braccio, dalla nausea e dalla disperazione.

Quando potei tornare a casa ero cambiato, tutto era cambiato. Era il «dopo».

Ripresi la scuola solo l'11 di novembre, quando fui libero dal secondo gesso. Me lo ricordo perché era il giorno di San Martino e la sera, in paese, ci sarebbe stata una festa alla casa del popolo a cui i miei insistettero perché andassi, ma io non avevo alcun desiderio, alcun motivo di festeggiare, quindi mi coricai subito dopo cena e anche loro rimasero a casa. Prima di allora non avevo voluto ricominciare le lezioni, non ci riuscivo; non potevo pensare di impegnarmi sui libri, di fare calcoli, di studiare la vita dei vermi o i verbi in francese. Non mi importava.

E soprattutto non volevo vedere quel banco vuoto.

Lo scuolabus non era stato riparato, e il comune non ne aveva acquistato uno nuovo. Con gli altri ragazzini di Bagnago, dunque, tornai a pedalare ogni mattina verso Sagnano per andare in quell'aula che sentivo inanimata, in quella classe che mi pareva assurda, senza Allegra. Trascinavo le ore in attesa della campanella, senza ascoltare gli insegnanti e parlando poco con i compagni.

Di pomeriggio stavo molto col nonno; mi mettevo nel letto accanto a lui e anche senza dirci niente ci facevamo compagnia.

Col babbo non parlavo. Non potevo perdonarlo, non volevo, e fu cosí per molto tempo.

Nello stesso periodo in cui ripresi la scuola, lui trovò lavoro in una fabbrica chimica in città.

Fu una buona, ottima cosa per la famiglia e anch'io ne fui contento, ma non riuscii a dirglielo né a dimostrarglielo. Non avendo piú l'automobile, né i soldi per acquistarne un'altra, ci andava in bicicletta, un'ora di viaggio ad andare e un'ora a tornare, nella nebbia o sotto la pioggia. Faceva i turni, quindi o partiva nel buio dell'alba, o tornava in quello della notte, stremato e silenzioso.

A volte lui e la mamma parlavano di quella situazione, cercando un rimedio: gli orari del pullman per Ravenna non quadravano con quelli del suo lavoro, e l'unica soluzione sarebbe stata comprare una moto. Renzo vendeva una Lambretta usata, non proprio ben messa ma funzionante; chiedeva cinquantamila lire e poteva essere un affare, ma non per noi, che cinquantamila lire da spendere non le avevamo, visto che lo stipendio del babbo era poca cosa e che ci rimaneva un mare di debiti da saldare.

Verso metà novembre, un sabato che avevamo appena finito di cenare, bussarono alla porta.

Era il padre di Allegra.

Dopo la morte di sua figlia lo avevo visto poco e di sfuggita; trovandomelo davanti a tu per tu, quella sera, mi accorsi di quanto fosse diverso da prima: pareva invecchiato, piegato, distrutto.

I miei lo fecero accomodare, gli dissero frasi di circostanza, gli offrirono un bicchiere di vino che rifiutò. Ci informò che alla fine dell'anno lui e la moglie avrebbero lasciato il paese e si sarebbero trasferiti altrove. A Bagnago non potevano rimanere, non ce la facevano: troppi ricordi belli e troppi ricordi brutti, disse, tutti ugualmente difficili da sopportare.

A un certo punto si rivolse a me e mi chiese: – Vi volevate bene, vero?

Chinai la testa e strinsi forte le mascelle per frenare il pianto. – Sí, – mormorai.

– Allegra parlava cosí tanto, di te. Ne parlava sempre.

Annuii, tormentandomi le mani.

– Una volta mi ha detto che desideravi comprarti una bicicletta nuova che avevi visto da Cicognani, e che ti davi da fare per rimediare i soldi.

– Non ci sono riuscito.

L'uomo si tolse una busta dalla tasca della giacca e me la consegnò. – Tu hai fatto molto per la nostra bambina, le sei stato accanto con affetto quand'era viva e hai consentito che trovassimo il suo corpo. Io e mia moglie ti dobbiamo tanto, Luigi, abbiamo con te un debito che niente potrebbe ripagare, ma... questi sono i soldi che servono per la bici.

Scossi la testa. – Non li voglio, – dissi. Della bici blu non mi importava piú niente, ormai.

– Ti prego, accettali: te la regala Allegra, la bicicletta, con tutto il cuore. Ogni volta che la userai, ti ricorderai di lei.
– Me la ricorderò lo stesso. La penso sempre, ogni giorno, ogni minuto. Mi... mi manca da morire, – sussurrai cominciando a piangere.
– Anche a me, – disse l'uomo.
Mi si avvicinò e mi abbracciò forte, poi all'improvviso mi lasciò, salutò con un veloce cenno della mano e se ne andò. Anche lui piangeva, e forse non voleva che lo vedessimo cosí.
Gli altri, intorno al tavolo, non fiatavano. La mamma ed Enrico mi guardavano, il babbo teneva gli occhi bassi sul piatto con una mano sulla fronte.
Spinsi la busta verso la mamma. – Tieni, – le dissi. – Per la Lambretta.
Lei rispose: – No, sono tuoi.
– Non li voglio, non voglio piú quella stupida bici, non voglio piú niente.
Poi andai di sopra e mi buttai sul letto, al buio.

La mamma aveva ragione, quando diceva che il tempo lenisce le ferite dell'anima. Piano piano cominciai a stare un po' meglio e a superare la fase piú critica del mio dolore, piano piano ricominciai in qualche modo a vivere.
Mancavano pochi giorni al Natale quando notai alcuni camion stazionare davanti alla banca. La famiglia di Allegra lasciava l'appartamento e si trasferiva. Rimasi per ore in fondo all'orto, in un punto da cui potevo vedere che caricavano mobili, scatoloni, borse. Vidi sparire dentro la bocca di un autocarro la bicicletta della mia amica. Vidi sparire per sempre altre cose che mi parlavano di lei.
Il babbo lavorò anche la mattina del 24 dicembre, giorno del mio undicesimo compleanno: la fabbrica non si fermava mai, sbuffava, muggiva e soffiava fumo dalle ciminiere

giorno e notte, sempre. Nel pomeriggio tornò a casa con un paio d'ore di ritardo e ancora prima di lavarsi e cambiarsi venne da me con un pacco in mano.

– Li ho trovati in una bancarella in città, – disse. – Sono usati e sono solo due, ma... spero che prima o poi potrò prenderti anche gli altri.

Aprii il pacco: conteneva due volumi dell'enciclopedia *Conoscere.*

Lo ringraziai, con le prime parole che gli rivolgevo dal giorno della sparizione di Allegra. Lui mi rimase davanti, forse aspettandosi un abbraccio, un segno di riconciliazione. Non ce la feci; era ancora presto, per me.

Furono feste molto diverse da quelle degli anni precedenti. Io e mio fratello allestimmo il presepe e l'albero di Natale, ci fu un pranzo abbastanza ricco e abbondante, ma in casa, col nonno confinato di sopra, la mia tristezza muta e tutto il resto, non aleggiarono affatto gioia e serenità.

Anche Enrico aveva la faccia scura ed era ancora arrabbiato perché, in virtú di una legge di parità e di giustizia finalmente applicata, per poter comprare la Lambretta il babbo aveva requisito ventimila lire anche a lui. Quando gli avevano preso i soldi prima aveva strillato e tentato di fare resistenza, tanto che mia madre aveva dovuto tenerlo fermo mentre mio padre scassinava il salvadanaio, poi aveva proclamato lo sciopero della fame. Aveva fatto finta di osservarlo rigidamente per alcuni giorni, anche se in realtà andava a mangiare a casa del suo amico Gianni, poi aveva dovuto desistere perché si era accorto che i miei non lo prendevano sul serio, anzi, il babbo aveva detto che trovarsi con una bocca in meno da sfamare era proprio una buona cosa.

Ai primi di gennaio, un giorno che stavo facendo una passeggiata a piedi, vidi Carlino seduto fuori nonostante il freddo. Andai da lui, ci dicemmo che era strano non fosse ancora arrivata la neve. A un certo punto si toccò il testicolo, veramente enorme sotto un paio di pantaloni larghissimi, e mi chiese: – Che ne dici, provo a forarla?

– Cosa?

– La palla. Mi è cresciuta ancora, adesso la pelle che la copre è lucida e trasparente come un palloncino. Ho una gran voglia di farci un buco: secondo me si sgonfia.

Gli dissi che forse non era il caso, che non credevo fosse piena d'aria o di liquido e che non sarebbe servito bucarla, ma lui quella sera stessa lo fece servendosi di un vecchio, grosso ago arrugginito da materassaio che trovò in un cassetto.

Andò a finire che gli venne un'infezione e morí nel giro di un paio di settimane.

Il primo giorno di scuola dopo le vacanze invernali, Roberto Amadori, in classe, disse a tutti che la sua famiglia aveva vinto una grossa somma alla lotteria di Capodanno (che si chiamava cosí anche se i premi li estraevano per l'Epifania, e chissà perché non la chiamavano lotteria della Befana o qualcosa del genere).

Soltanto qualche mese prima lo avrei picchiato a sangue, per quella sua uscita, ma non ebbi voglia di farlo: dicesse pure quel che voleva. E fortuna che non lo menai, perché saltò fuori che i suoi avevano vinto davvero diversi milioni, con i quali rilevarono il vecchio negozio che c'era in paese e lo rimodernarono facendolo proprio bello. Non ho mai conosciuto nessun altro che abbia vinto alla lotteria, o perlomeno che l'abbia raccontato a mezzo mondo.

Poi morí di nuovo Il Morto. Lo trovarono nel fienile, nascosto da un mucchio di paglia sotto cui doveva essersi riparato dal freddo della notte. Lo seppellirono nella tomba dove c'erano già il suo nome e la sua foto, spostando nell'ossario i resti di colui che l'aveva occupata abusivamente fino ad allora.

Nel giro di pochi mesi, insomma, sparirono diverse persone che avevano da sempre fatto parte della mia vita. A Bagnago non avrei piú incontrato Il Morto e Carlino, la Tugnina e il Capitano, né per fortuna Gino Rospo, che era in prigione, o la sua vecchia madre portata all'ospizio. A novembre, negli Stati Uniti, avevano ucciso il presidente John Kennedy, e anche se ovviamente non l'avevo mai visto di persona mi pareva di conoscerlo, quell'uomo, perché la sua faccia mi era nota per via dei giornali, dei francobolli, della tivú. Della sua morte mi dispiacque quanto di quella dei miei compaesani.

Il mondo intorno a me cambiava, perdeva pezzi.

E soprattutto era un mondo cosí povero, grigio e faticoso, senza Allegra.

In primavera il babbo decise di non comprare il maiale da ingrassare e di dismettere gli altri animali da cortile. Ci mangiammo via via tutte le galline e i conigli, ritrovandoci finalmente sulla tavola, almeno per un po', carne in abbondanza, e io fui libero dall'incombenza quotidiana di spalare merda e raccogliere erba. Ebbi dunque un po' di tempo in piú per studiare e fare i compiti, ma l'anno scolastico finí lo stesso in maniera poco brillante: mi promossero, ma con sufficienze striminzite e, credo, solo in virtú di quanto mi era capitato.

A casa, per fortuna, non ebbero niente da ridire.

Fu la prima estate che trascorsi senza un giorno di vacanza vera, senza giochi e fumetti, senza gioia. Dopo pochi giorni dalla fine delle lezioni cominciai a lavorare alla segheria, come facevano molti altri ragazzini, perché in casa serviva qualche soldo in piú. Per ore e ore facevo pile di cassette da frutta e le accatastavo in un magazzino. Alle sei di sera, stanco e coperto di sudore e di polvere, mi precipitavo al campetto davanti alla chiesa per dare qualche calcio al pallone.

Quando arrivavo insieme ai miei colleghi di lavoro, i piú piccoli abbandonavano il gioco e rimanevano per un po' ai bordi del campo a guardarci, ridendo, perché eravamo buffi e goffi con le nostre tute sporche e le scarpe pesanti e perché, quando correvamo o ci scontravamo, alzavamo nuvole di segatura o di farina.

Fra quelli che allontanavamo col nostro comparire c'era anche Enrico: stava diventando bravo, giocava in attacco ed era, manco a dirlo, un grande opportunista che correva il meno possibile, stazionava vicino alla porta avversaria e approfittava di ogni errore dei difensori per buttarla dentro.

Aveva tra l'altro ricominciato a tifare per il Bologna, che aveva finalmente vinto il campionato. Almeno uno dei miei desideri si era avverato, ma non riuscii a gioire molto per quello scudetto.

La domenica, quando ero libero dal lavoro, mi piaceva stare nella mia stanza ad ascoltare la radio. Ogni tanto mi sintonizzavo su *Tutto il calcio minuto per minuto*, ma piú che altro sentivo musica. C'era un nuovo gruppo inglese, i Beatles, che mi piaceva un sacco.

Oppure giravo per la campagna con la mia vecchia bici, e in quei momenti non avere Allegra accanto, non vedere i suoi occhi azzurri e il suo sorriso, non parlare e ridere con lei mi faceva soffrire cosí tanto che a volte mi fermavo, mi sedevo dove nessuno poteva vedermi e piangevo a testa bassa, furioso col mondo e con quel Dio, se un Dio esisteva, che aveva permesso che venisse uccisa a quel modo e che mi fosse tolta senza alcuna ragione, senza alcuna pietà.

Il nonno col tempo si era un poco ripreso, e un anno dopo l'ictus potemmo cominciare a portarlo fuori su una sedia a rotelle comprata con l'aiuto del comune. Era diventato quasi cieco e passava le giornate all'ombra del muro della rimessa, con Merdo in grembo. Il nostro gatto aveva avuto pure lui un guaio: un giorno era tornato a casa azzoppato, forse perché investito da una macchina.

Enrico denominava l'inseparabile coppia nonno-Merdo «i due paralitici». Dopo avere sfogliato uno dei miei volumi di *Conoscere* cominciò a chiamare quella formazione, vivente ma quasi sempre immobile, «la Pietà di Michelangelo».

C'è anche un dopo al dopo.

Finii le medie, feci il liceo, sempre lavorando d'estate per pagarmi la scuola, poi ci fu l'università. Stringendo la cinghia, i miei genitori consentirono sia a me che a Enrico di arrivare alla laurea.

Il nonno morí nel 1975, senza riuscire a vedermi «dottore», e mi dispiacque molto perché sapevo quanto ci avrebbe tenuto.

Successe la sera della vigilia di San Giuseppe: mentre nelle campagne si accendevano i fuochi per far lume al grano, ogni anno meno numerosi e meno seguiti dalla gente, forse stanca di quel vecchio spettacolo e ormai affascinata da cose diverse e nuove, lui si spense nel sonno.

Mi ricordai delle sue raccomandazioni e impedii alla mamma di far intervenire il prete: ebbe quindi un funerale «repubblicano», con tanto di bandiere rosse ornate di edere verdi chinate sulla sua bara e la lettura di alcune frasi di Mazzini di cui probabilmente non avrebbe capito una sola parola, ma che l'avrebbero reso orgoglioso e felice.

Tornando a me, qualche anno dopo la laurea e il servizio militare mi sono sposato, in seguito ho divorziato, ho avuto un'altra moglie, stavolta straniera, ed è finita anche con lei. Ho lavorato prima in un ufficio stampa, poi per diversi giornali. Ho fatto l'inviato in luoghi lontani, ho vissuto a lungo a Milano e a Berlino.

Da un paio d'anni, ritrovandomi solo e stanco di viaggi e grandi città, sono tornato a vivere a Bagnago, nella casa dei miei genitori, che non ci sono piú; da lí, con la comodità della posta elettronica, continuo a collaborare con un settimanale e a scrivere cose mie. Quella vecchia abitazione l'ho fatta ristrutturare completamente, e adesso si presenta bene. Ho fatto abbattere la rimessa, il porcile, i capanni e il pollaio, ho trasformato l'intera area dell'aia e dell'orto in un grande prato. Un prato tutto verde in cui spicca ancora una macchia biancastra, morta e arida: Hiroshima c'è ancora e forse ci sarà per sempre. Mio padre aveva davvero inventato il diserbante perpetuo. Credo che se avesse studiato sarebbe diventato un buon chimico e avrebbe potuto raggiungere qualche successo; in fabbrica, invece, fu sempre e solo un semplice operaio e l'unica cosa che gli rimase fu un cancro alla vescica che lo portò via dopo mesi di sofferenze atroci.

Vado quasi ogni giorno a fare la spesa nel negozio che Roberto Amadori ha ereditato dai suoi e che continua a gestire. Non è cambiato molto, Roberto: magari mi fa vedere con entusiasmo un formaggio, ne canta le lodi e dice che l'è andato a prendere lui stesso in una malga sulle Alpi, roba rara di prima qualità, io lo compro e so già che ci troverò sopra un'etichetta in cui sta scritto che l'hanno fatto, che ne so, a Forlí.

Anche Francesco abita ancora in paese, fa il dentista, ha un ambulatorio a Bagnago e un altro a Sagnano. Siamo sempre amici, anche se non ci vediamo spesso: ha molto lavoro e tre figli. Qualche sera però mi invita a cena e passiamo ore a ricordare il passato.

Sergio detto Puzzola da parte sua continua la tradizione di famiglia: alleva maiali nella Bassa dei Porcari, e non si fa vedere molto in giro.

Vedo di rado anche mio fratello Enrico; vive a Bologna, fa il commercialista e guadagna alla grande, ha una casa in città e una villa al mare, una barca a vela e alcuni cavalli da corsa.

Mio cugino Luciano ha sposato la figlia di Renzo il meccanico. Per il giorno del suo matrimonio noleggiò una Mercedes di gran lusso e con quella, dopo la cerimonia, cominciò a fare incredibili testacoda e sgommate nel campetto della chiesa finché perse il controllo dell'auto, andò a sbattere contro un albero e la distrusse, e la novella sposa si spaccò il naso contro il cruscotto. Gli ci volle un sacco di tempo per ripagare i danni e farsi perdonare dalla moglie. Adesso lavora nell'officina del suocero. Quando ha avuto un figlio l'ha chiamato come me, e la cosa mi ha fatto molto piacere.

Di pomeriggio vado qualche volta al bar: ci sono ancora sia la casa del popolo sia il circolo dei repubblicani, e mi piace molto, quando il tempo lo permette, stare seduto fuori sotto i tigli.

I giovani del paese non li conosco, inoltre è arrivata tanta gente nuova da fuori, ma di facce note ne incontro lo stesso. E c'è ancora chi, seduto in quei grandi cortili ombrosi, è maestro nel raccontare storie, alcune cosí vecchie che le ascoltavo già da bambino, spesso banali ma entrate a far parte di un'epica paesana mai dimenticata. Ho maturato nel tempo la convinzione che sia una prerogativa di noi gente della pianura, quella specie di vocazione irresistibile a essere cantastorie, anche quando le storie sono cosí piccole che non meriterebbero di essere cantate. Non potendo vantarci di audaci arrampicate sulle cime o di ardite navigazioni tra i marosi, ci ingegniamo nell'iperbole, capace di nobilitare anche le gesta meno eclatanti; o forse l'orizzonte sconfinato, lontano e vertiginoso che abbiamo intorno ci ubriaca e ci stimola cosí tanto da portarci a straordinarie forme di immaginifica, visionaria follia.

Faccio spesso giri in bicicletta, a Bagnago ci sono ancora carraie e viottoli silenziosi e stupendi.

Riesco persino ad andare sull'argine salendovi dalla rampa del ponte vecchio, in quel punto che mi riporta con durezza a visioni e a giorni pieni di un dolore mai del tutto guarito. Adesso quella zona è meno cupa perché la villa del Capitano, che il suo testamento, si scoprí, destinava alla comunità, è diventata una scuola materna e mi pare bello che quel parco, una volta interdetto ai bambini, sia pieno delle loro corse e delle loro voci.

E poi vado da Allegra.

In alcune fasi della mia vita, anche per periodi lunghi, sono stato lontano e non ho visitato la sua tomba: mentirei se dicessi che le ho portato ogni anno mazzi di rose, come avrebbe voluto fare mio padre con Marilyn Monroe. Però l'ho avuta sempre nella mente e nel cuore, lei non ha mai smesso di visitare i miei pensieri e i miei sogni. Mia madre aveva torto, quando diceva che avrei potuto persino dimenticare.

Qualche settimana fa, alla non piú verde età di cinquantotto anni, ho cercato di fare un primo bilancio della mia vita. Fra le conclusioni a cui sono giunto c'è questa: Allegra è stata senza dubbio ciò che di piú bello, pulito e prezioso io abbia mai avuto. Il mio primo e forse unico amore vero, incondizionato e profondo.

Adesso vado a trovarla al cimitero ogni mese, con regolarità, ed è una cosa che mi rasserena. Ho cominciato l'anno scorso, un pomeriggio di ottobre, il giorno dell'anniversario della sua morte. Quando sono arrivato là mi sono accorto che non c'erano un fiore, un lumino, niente.

La lapide è ormai vecchia e consunta, la foto si è sbiadita. Il padre di Allegra è morto da tempo e sua madre, ho saputo, è in una casa di riposo, ammalata di Alzheimer. Quei cugini cosí pronti ad accorrere alle sue feste, Allegra devono averla dimenticata del tutto.

Ho pulito, ho lucidato, ho comprato vasi nuovi, li ho riempiti di fiori di campo colorati e vivaci.

Ci sono stato anche ieri, al cimitero di Ravenna a trovarla. È un posto strano e surreale perché è antico e maestoso ma da una parte, oltre le mura di cinta, si vedono le ciminiere delle fabbriche e dall'altra, quella dove lei riposa, c'è il grande canale del porto. Ti siedi lí nel silenzio e vedi scivolarti vicino, enormi, le navi che vanno o vengono.

Mi piace descriverle ad Allegra: arriva una portacontainer, le dico, è carica all'inverosimile; quella invece è una gasiera grigia e blu, credo sia greca; adesso sta passando una petroliera grandissima, rossa e arancione: esce, chissà dove va.

Credo che sia contenta che io lo faccia. Le piacevano cosí tanto, le navi e il mare.

Indice

Stampato per conto della Casa editrice Einaudi
presso Mondadori Printing S.p.a., Stabilimento N. S. M., Cles (Trento)
nel mese di marzo 2011

C.L. 19539

Edizione

1   2   3   4   5   6   7

Anno

2011   2012   2013   2014